El manejo de lo desconocido

EL MANEJO DE LO DESCONOCIDO
CREANDO NUEVOS FUTUROS

RICHARD BOOT, JEAN LAWRENCE Y JOHN MORRIS

Traducción
LIGIA PERTUZ MOLINA
Licenciada en Lenguas
Universidad Pedagógica Nacional

Revisión técnica
FRANCISCO JOSÉ MOJICA
Consultor en prospectiva
Profesor de la Universidad de la Sabana

McGRAW-HILL
Santafé de Bogotá • Buenos Aires • Caracas • Guatemala • Lisboa • Madrid • México
Nueva York • Panamá • San Juan • Santiago de Chile • Sao Paulo
Auckland • Hamburgo • Londres • Milán • Montreal • Nueva Delhi • París
San Francisco • San Luis • Singapur • Sidney • Tokio • Toronto

Avenida de las Américas, 46-41. Santafé de Bogotá, D. C., Colombia

Traducido de la primera edición de *Managing the Unknown. By Creating New Futures*

Editora: Martha Edna Suárez R.

1234567890 9012345786

ISBN: 958-600-522-4

Impreso en Colombia Printed in Colombia

Se imprimieron 4.250 ejemplares en el mes de Mayo de 1996
Impreso por Panamericana Formas e Impresos S.A.

Dedicado a
James Palmer,
quien tenía mucho futuro por delante
cuando desapareció en julio de 1991
subiendo al monte Kenia.

Contenido

Agradecimientos

Agradecemos a Charlotte Radford, amiga y administradora extraordinaria, por mantener los vínculos con amor y no permitir que ninguno se rompiera.

A Philip Hewitson, Brian Holdstock e Ian Stubbs, quienes dedicaron tiempo para leer y corregir los primeros borradores; a Julia Riddlesdell, sus colegas y su lector escogido para todas las cosas que los editores y sus lectores valoran correctamente: el desafío, el apoyo y el acierto de ir directo al punto.

A todos quienes nos colaboraron para ver el libro del futuro que mis colaboradores y yo estábamos creando.

Los colaboradores

Max Boisot es profesor de gerencia estratégica en la Esade, de Barcelona, y decano del Judge Institute of Management Studies (University of Cambridge). Desde 1984 hasta 1988 fue director y decano del China-EEC Management Programme, en Beijing, donde trabajó muy estrechamente con las empresas estatales chinas. En la actualidad es presidente del consejo académico del programa Euro-CEI de la Comunidad Europea para la antigua Unión Soviética. Se graduó en arquitectura (University of Cambridge) y en planificación (MIT), obtuvo el título de magister en la Sloan School of Management (MIT) y PhD en economía en el Imperial College (London University). En la actualidad vive en Sitges con su esposa y su hijo de cinco años.

Richard Boot comenzó su carrera trabajando en una importante compañía petrolera del Reino Unido. Desde entonces ha estado dedicado a realizar consultorías paralelamente con su carrera académica, que incluye la cátedra de ciencias aplicadas al comportamiento (City University Business School), director del proyecto de gerencia del aprendizaje (London Business School) y director de la división de desarrollo gerencial (Lancaster University). Como consultor trabajó con organizaciones en los sectores público, privado y de voluntariado, incluidos algunos tan diversos como un departamento de gobierno, una importante empresa aérea internacional, el Servicio Nacional de Salud, una empresa multinacional de computadores, el gobierno local, una empresa minorista de cubrimiento nacional y una organización internacional de caridad. En 1989 decidió optar por la libertad del trabajo independiente para cambiar la distribución de su tiempo y su energía disponible en ser padre, esposo, amigo, observador de aves, escribir y soñar.

Philip Boxer es un consultor independiente que trabaja como analista estratégico con empresas comerciales del sector privado principalmente. Trabaja con individuos y equipos de gerencia buscando cambiar la manera de hacer las cosas, se ha especializado en el proceso de formación estratégica, enfoque de las organizaciones comerciales y la infraestructura de los negocios basados en el conocimiento. Ha tomado particular interés en lo relacionado con la información y sus tecnologías asociadas que sirven de apoyo a los procesos estratégicos, y sus publicaciones reflejan su interés en la naturaleza del aprendizaje, la ventaja competitiva y los procesos de consultoría. Antes de desarrollar su práctica de consultoría particular trabajó en el Centro de Desarrollo Gerencial (London Business School) y en la actualidad es miembro de la HKA, Ltd. y del Centro Freudiano de Análisis e Investigación.

Eden Charles nació en 1952 en Santa Lucía, en el mar Caribe, muy joven vino a Inglaterra y vivió en el sur de Londres la mayor parte de su vida. Es el orgulloso padre de Ifetayo, un niño de 9 años que le ha enseñado mucho de la vida. Durante 22 años ha estado relacionado activamente con quienes buscan el cambio. Reconoce que el aspecto personal no puede separarse del político o de cualquier otro aspecto de la vida, e intenta integrar esta concepción a su trabajo. Ha trabajado en el desarrollo de modos de conceptualización de grupos oprimidos, en especial los negros, que reconocen su contribución histórica en el desarrollo de la civilización y la importancia de sus cosmologías en el mundo laboral actual. Es director de consultoría en Roffey Park Management College, consultor del Centro de Estudios para el Cambio y trabaja independientemente con diversas organizaciones.

Sholom Glouberman vive en Toronto y es catedrático de administración de empresas promotoras de salud en la University of Toronto y en el King's Fund College, de Londres. También es consultor de administración de empresas promotoras de salud y cambio organizacional en varios hospitales de Toronto. Estudió en McGill University y en Cornell University, durante los últimos 25 años ha desarrollado la aplicación de métodos filosóficos y análisis conceptuales en la administración y el cambio de los sectores público y privado. Recientemente se ha centrado, cada vez más con gran éxito, en la práctica de la reforma y la reorganización de los sistemas promotores de salud como su única y más desafiante frontera de cambio organizacional. Su trabajo de consultoría incluye el Servicio Nacional de Salud, el Instituto Tavistock, el Banco Mundial y muchas otras organizaciones; hace poco desempeñó un papel gerencial clave al trabajar en las reformas del sistema de salud de Rumania. Ha hecho varias publicaciones, y en la actualidad trabaja en la elaboración de varios artículos con Henry Mintzberg acerca de la naturaleza y la dinámica de las empresas promotoras de salud.

Sir Douglas Hague es profesional en una carrera poco usual y variada. Como profesor fue uno de los fundadores de Manchester Business School, donde fue subdirector desde 1978 hasta 1981 y en la actualidad es profesor invitado. También es miembro de la junta directiva de Templeton College, en Oxford, donde preside el College's Strategic Leadership Programme. Sus publicaciones se iniciaron con el *Manual de teoría económica*, escrito con A. W. Stonier. Más tarde trabajó en aspectos de fijación de precios en empresas de organizaciones no gubernamentales semiautónomas, y recientemente en educación –en especial universidades– y desarrollos más amplios en el ambiente de negocios. Siendo miembro de la Comisión de Fijación de Precios fue asesor económico personal de Margaret Thatcher desde 1967 hasta 1979 y asesor de la unidad política de la primera ministra en el número 10 de Downing Street desde 1979 hasta 1983. Fue presidente del Consejo de Investigación Económica y Social, responsable de la fundación de la investigación de las ciencias sociales en las universidades británicas, desde 1983 hasta 1987. Ha sido director de varias compañías y recientemente presidente del grupo CRT, plc, donde continúa como director no ejecutivo.

Roger Harrison es líder y practicante en el campo de desarrollo organizacional. Ha participado y contribuido recientemente con cada etapa de su desarrollo, desde la supervisión de las investigaciones y la organización del equipo hasta grandes cambios y transformaciones de las organizaciones. Estudió en Darmouth College y en la University of California. Después del trabajo de consultoría en Procter y Gamble y de enseñar en Yale University, adquirió reputación internacional como consultor y capacitador de asesores en compañías multinacionales como Rank Xerox, ICI, Mobil, Esso Europe, Shell International, Norsk Hydro y Volvo AB. Sus experiencias en el trabajo transcultural lo condujeron a publicar una teoría de avanzada en el área de la cultura de la organización. Ha escrito varios artículos, muchos de los cuales son ahora clásicos en este campo, y es el autor de material ampliamente utilizado en asesorías de la cultura de las organizaciones. Es el fundador de Harrison Associates, Inc., con sede en California.

Olya Khaleelee es graduada en sociología y estudios de recursos humanos en London University. Durante los últimos 14 años dirigió la Organización para la Promoción de la Conciliación Social (OPUS), que trata de ayudar a los ciudadanos a ser más conscientes de la dinámica social y a contribuir en la conformación de la sociedad. En el sector privado también ejerce a psicoterapeuta y trabaja en el Council of the London Centre for Psychotherapy. Como psicóloga de empresas lleva a cabo asesorías psicológicas para los miembros de las juntas directivas, y, con base en sus experiencias en investigación organizacional, se desempeña como consultora interna para proveer servicios de auditoría y consultoría en la estructura organizacional. Tiene amplia experiencia en capacitación de relaciones de grupo, y trabaja con regularidad como asesora en las conferencias de relaciones de grupo en el Instituto Tavistock. Es miembro fundador de Mundo, una organización dedicada a trabajos similares en Alemania.

Jean Lawrence es codirectora del Development Consortium, empresa de consultoría que estableció con John Morris en 1982, especializada en un enfoque de aprendizaje en acción, para el desarrollo del trabajo "en la empresa" e interempresarial. Se graduó en matemáticas, física y filosofía y durante 8 años fue gerente de producción de Cadbury Brothers. Después de 5 años de consultorías con Anne Shaw, se vinculó a Manchester Business School en 1967, donde su asignatura era administración de proyectos y su contribución clave fue promover el aprendizaje y el desarrollo mediante la elaboración de proyectos. Hizo también selección de personal y dirigió las conferencias de Tavistock sobre el comportamiento en las organizaciones, trabajo que en la actualidad lleva a cabo en el Reino Unido y los Estados Unidos. Desarrolló trabajos de aprendizaje en acción en muchos países a partir de 1972 con su trabajo de liderazgo en GEC. En la actualidad es presidenta de la Fundación Internacional para el

Aprendizaje en Acción. Durante los últimos 5 años ha sido consultora de Stena Sealink Ferries, Bertelsmann Music, Bull Information Systems, Bradford Metropolitan Council, Kenya Institute of Management y el Servicio Nacional de Salud (NHS), con directores y demás ejecutivos en dos regiones. Generalmente trabaja en Henley Management College y en Templeton's Strategic Leadership Programme.

Ronnie Lessem nació en Zimbabwe, de origen austríaco y ruso, y estudió en London School of Economics y en Harvard Business School. En la actualidad es conferencista de gerencia internacional (City University Business School) en Londres y director de desarrollo académico de un consorcio de Maestría en Desarrollo Académico, establecido en el Reino Unido, en Europa continental y en el Oriente Medio. También es profesor invitado en IMD, en Lausana (Suiza), y en Wits Business School, en Sudáfrica. Es consultor de compañías multinacionales en el área de aprendizaje organizacional y administración transcultural. Ha escrito diez libros, los más recientes son *La empresa como comunidad de aprendizaje* (1993), *Sistemas de administración europeos* (con Franz Neubauer, 1993), *La administración africana* (1993), *La administración en el nuevo paradigma* (con Warren Bennis y Jagdish Parikh, 1994).

Alistair Mant es australiana y vivió y trabajó en Europa durante 25 años. Sus intereses profesionales y particulares en el liderazgo abarcan el mundo de los negocios (en especial IBM), la investigación (Tavistock Institute) y la docencia (South Bank University y Manchester Business School). Sus publicaciones incluyen *Ascenso y caída del empresario británico, La dinámica de la educación empresarial, Los líderes que necesitamos* (reeditada hace poco en Australia). Dirige el Socio-Technical Strategy Group, red internacional de directores de operaciones con interés profesional en "factores humanos" en sistemas complejos. Su práctica de consultoría se centra en la estrategia, el liderazgo de cambio, el diseño organizacional y la consultoría de personal ejecutivo.

Judi Marshall es conferencista de comportamiento organizacional en School of Management (University of Bath). Al comienzo de su carrera académica estudió el estrés en el trabajo de gerencia e hizo varias publicaciones relacionadas con el tema, su trabajo incluye *Comprensión del estrés del ejecutivo* (Macmillan, 1978, con Cary Cooper). Desde entonces ha tenido particular interés en lo relacionado con la participación femenina en la administración, las culturas y el cambio organizacional. Escribió *Las mujeres administradoras: viajeras en el mundo masculino* (Wiley, 1984). En su trabajo más reciente explora la teoría profesional, la comunicación organizacional y enfrenta el estrés y la resistencia cultural en lo relacionado con las experiencias de las mujeres administradoras. Judi vive en un pequeño pueblo con su esposo, sus dos hijos y un curioso gato siamés. Se divierte leyendo, montando en bicicleta y viajando.

John Morris estudió economía, sociología y psicología en London School of Economics después de prestar el servicio militar en la Marina Británica. Trabajó entonces como consejero en University of Chicago Orthogenic School. En 1952 volvió al Reino Unido a trabajar en University of Manchester, combinando su carrera profesional de psicología social con consultorías de administración. En 1966 se vinculó a la recientemente establecida Manchester Business School, donde lideró asociaciones de desarrollo que contaban con empresas importantes, en su mayor parte influenciadas por las iniciativas de Revans de aprendizaje en acción. En 1982 se retiró como profesor de desarrollo administrativo para dedicarse a la consultoría independiente con Jean Lawrence. El Development Consortium se especializa en aprendizaje en acción y proyectos de cambio organizacional. Trabaja sobre todo con gerentes y miembros de las juntas directivas. Vive con su esposa en Chester, cada vez más interesado en aquellos cambios, que traen trabajo y recreación a la familia y a la comunidad agradablemente unida, como el trabajo en el hogar, el trabajo en red, la empresa familiar y el aprendizaje abierto.

Coralie Palmer es escritora e investigadora independiente.

James Robertson trabajó durante 12 años en Whitehall, después de estudiar en la universidad, prestar el servicio militar y pasar un año en África. En 1960 trabajó con el primer ministro Harold Macmillan en una gira por África denominada "Los vientos del cambio" y después participó en el gabinete ministerial. En 1965 se retiró del servicio civil para dedicarse a la ciencia de la administración, el análisis de sistemas de computación y la investigación interbancaria, tiempo durante el cual fue asesor de la Cámara de los Comunes en el control del gasto público y presentó un informe al Grupo Asesor de Política Central (reserva intelectual de Lord Rothschild) sobre el futuro de Londres como centro financiero del mundo. Desde 1973 trabaja en el ámbito internacional como escritor independiente, conferencista y consultor de alternativas futuras. Con su esposa, Alison Pritchard, escribe notas de actualidad en *Turning Point 2000*. En 1984 participaron en la creación de la Cumbre de la Otra Economía y la Fundación de Nuevas Economías. Viven en Oxfordshire. Tienen gallinas y cultivan frutas y verduras. La obra de James Robertson incluye *La alternativa sensata: elección del futuro* (1978 y 1983), *El trabajo del futuro: empleo, autoempleo y recreación después de la era industrial* (1985), y *Futuro y riqueza: nueva economía para el siglo XXI* (1990).

Introducción

Richard Boot, Jean Lawrence
y John Morris

¿Cómo podemos manejar lo desconocido? En general la administración es vista como la profesión que fundamenta su autoridad en conocimientos excepcionales, en especial en la experiencia de primera mano, y que demuestra su éxito al hacer que las cosas sucedan.

El propósito de este libro es analizar una manera diferente de administrar: aquella que acepta la ignorancia y que tiene la capacidad de suscitar interrogantes fructíferos en vez de imponer respuestas eficaces. Está orientada por las nuevas filosofías de liderazgo gerencial, que no se basan en conocimientos establecidos sino que se centran en interrogantes de valor y de dirección: encontrar coraje para avanzar aun en circunstancias desalentadoras donde no se pueden ofrecer respuestas acabadas para la eterna pregunta "Y ahora, ¿qué hacemos?" Se requieren líderes que dejen el pasado (no sólo de sus éxitos) y procedan paso a paso, reconociendo que, una vez hecha una elección, se abren nuevas posibilidades que requieren otras elecciones. En lugar de que éstas faciliten el camino, con el surgimiento de un futuro único y estable, es evidente que a cada paso la persona crea su futuro, y a medida que toma sus propias decisiones y crea un futuro propio, influye sobre los demás.

Esta nueva forma de liderazgo implica un proceso de cambio gradual el cual, a su vez, debe incluir a todos los interesados. Considera las necesidades y las aspiraciones de los demás y los involucra activamente en la interminable tarea de aprender de la experiencia de lograr cambios. Estos líderes reconocen la necesidad de reunir diversos puntos de vista en un encuentro vigorizante, para que el aprendizaje surja del diálogo y de involucrarse con los sentimientos y los pensamientos de los demás.

No es sorprendente apreciar el notable contraste entre estas formas de liderazgo gerencial y las convencionales de "seguir al líder" y "Yo soy el encargado", las cuales son comunes cuando no hay mucho que hacer. Si los directores y gerentes cumplen con más responsabilidades de las habituales, se requiere un cambio más significativo en la práctica y en las filosofías gerenciales. Este libro busca relacionar la filosofía con la práctica en muchos aspectos. Crea importantes interrogantes acerca de los valores fundamentales, sugiere algunos parámetros útiles e induce a los lectores a actuar de manera adecuada en la búsqueda de una clara comprensión de las oportunidades abiertas a los líderes gerenciales.

Éstas son ambiciosas intenciones, mejor promovidas por el esfuerzo colectivo. Una nueva clase de liderazgo, que surge de la práctica gerencial más que de su suplantación, justifica otra clase de libros, así como éste, que surgió paso a paso, aprendiendo de la experiencia como lucha propia, y que proporciona un pequeño ejemplo de la creación de nuevos futuros.

Cómo surgió el libro

Este libro surgió a partir de un evento en el cual los editores participaron. Como organizadora de la conferencia anual de la Asociación para la Administración, la Educación y el Desarrollo, en 1990, Jean Lawrence conformó un equipo que incluía a Richard Boot. Su conferencia llenaba todas las expectativas de directores y gerentes para dar una iniciativa a sus conciudadanos, yendo más allá de sus intereses en los negocios domésticos. Esto incluía un profundo replanteamiento de las filosofías de administración, con interés particular en la práctica de valiosos parámetros administrativos. Coralie Palmer, miembro del equipo, sugirió el título *Creación de nuevos futuros,* que se mantuvo como un punto de referencia útil: para conservar la perspectiva de los complejos aspectos discutidos en la conferencia, cuyo diseño se basaba en pequeños grupos de trabajo dispuestos en un plan abierto, con la participación de los conferencistas. Las personas disponían del tiempo y el espacio para hacer sus aportes, y tanto los grupos como los conferencistas lograron coincidir, desde diferentes ángulos y sobre el mismo tema, en la urgente necesidad de crear "nuevos futuros" por medio del liderazgo creativo.

El grupo siempre creyó que de la conferencia podría salir un libro y el éxito de ésta originó una animada discusión entre los 200 delegados, generó propuestas para trabajos posteriores y confirmó que era un valioso intento. Muchos conferencistas estuvieron dispuestos a contribuir y ofrecieron su colaboración. Un editor que estaba exhibiendo libros, conmovido por el espíritu que se motivó, manifestó que, a pesar de todo, ahora sentía que había una esperanza para la humanidad. Al reflexionar, coincidíamos en una cosa: de la conferencia podía salir un libro, y había que sacarlo adelante después de ésta, de modo que editores y colaboradores pudieran trabajar en él como una oferta nueva en el momento preciso.

Coralie Palmer, Jean y Richard trabajaron en la elaboración de un borrador de la sinopsis del libro. Más tarde, Jean y Richard invitaron a John al equipo de edición. El proceso subsiguiente se centró principalmente en la preparación de un libro muy original que sacara adelante el espíritu de la conferencia.

La nota clave era clara. El debate y la discusión en sus formas modernas son muy personales, interactivos y en constante flujo. Quienes proponen una iniciativa evitan la selección de posiciones fijas y están constantemente aprendiendo de la experiencia. Ellos "viven con los interrogantes", luchando por aclararlos, en lugar de dar respuestas predeterminadas. Con el libro deseábamos que se reflexionara sobre esta cualidad por encima de todas.

Como editores, iniciamos un proceso colectivo que incorporara esta forma de liderazgo por medio del reto y el apoyo. El centro era un taller de tres días en Templeton College (Oxford) con la asistencia de editores y colaboradores; algunos ya se conocían y aprovecharon la oportunidad de trabajar durante tres días en un proyecto de esta naturaleza, donde podían dedicarse a analizar las contribuciones propuestas por los demás. Todos se vincularon al proyecto de crear un libro que se centrara en el liderazgo gerencial pero que albergara el espacio para escuchar con claridad diversos puntos de vista.

Se solicitó a los colaboradores escribir artículos breves sobre un tema propuesto, para analizarlos conjuntamente en el taller, en el cual los colaboradores y los editores hicieron observaciones tanto de forma como sobre la manera de integrarlos en un todo coherente. No es sorprendente la diversidad de los aportes, no sólo por los temas escogidos sino por los puntos de vista de sus autores. En el diálogo resultante había pocas señas de un "todo coherente", pero a partir de allí surgieron temas clave.

Un tema central se refirió a las poderosas fuerzas que provocan la fragmentación, presentes a diferentes niveles. Para el individuo esto se experimenta como una amenaza a la identidad personal y al claro sentido de sí mismo. Dichas fuerzas también aparecen en las diversas y a menudo conflictivas funciones de administración, en la constante búsqueda de la estructura "correcta" de organización y, sobre todo, en la separación evidente de las instituciones básicas, incluidas la familia, la comunidad y la sociedad. Si se mira el pasado, parece un poco irónico que la fragmentación –en diferentes formas– evoque, mejor que otra circunstancia, un sentido más fuerte de llegar a la consolidación de acuerdos. Así como sucede con frecuencia cuando las personas ocupadas buscan enfrentarse con un asunto complejo, surgen las metáforas que adquieren muchas formas, que se originan en la experiencia general de que "cuando las cosas se separan, no mantienen su eje". Una imagen poderosa consistió en que las sociedades –tal vez el mundo entero– se separan de los lazos, que son los valores tradicionales que mantienen unidas las comunidades y sociedades (y las organizaciones que las conforman), aunque muchos creen que estos valores de garantía están ahora en desuso y necesiten revaluarse. Otra metáfora era la sensación de "estar sobre el límite". Pero esto tuvo demasiadas implicaciones opuestas: para algunos significaba caer al abismo; para otros significaba el sentimiento positivo de despegar y volar, e incluso había otros para quienes "estar sobre el límite" evocaba asociaciones más complejas, como si la idea de volar fuera una fuente de ansiedad, porque se asociaba con el miedo a la muerte. Estas diferentes respuestas eran maneras de tratar "lo desconocido", o por lo menos intentarlo, y era una explosión de entusiasmo en el frenesí causado por el libro *Guía para viajar gratis por la galaxia*, que se convirtió en un trampolín para la publicación de *Guía de lo desconocido para gerentes*. La propuesta destapó un conjunto de ideas y sentimientos acerca de nuevos modos de administrar frente a lo desconocido, y en especial en el mundo de los negocios que opera en la frontera de lo conocido y lo desconocido: cada vez más reconocido como el ataque incisivo.

Un segundo tema surgió como parte de "cómo manejar lo desconocido": la necesidad del pensamiento creativo a todos los niveles de la organización, como condición esencial para cualquier clase de futuro tolerable, incluso de supervivencia. Se juzgó que la tarea de dar una iniciativa en la creación de futuros no será responsabilidad exclusiva de ningún grupo selecto existente que trabaje de manera convencional. Por tanto, fueron muchos los aspectos discutidos. Los diálogos se extendieron desde sus formas utópicas hasta el planteamiento de "preguntas sustanciales" para todos los temores fundados de nuevos holocaustos, alentados por el acceso a la tecnología e innumerables modos de fundamentalismo.

■ Los colaboradores y sus aportes

En este punto quizá sea útil hacer un breve recuento de los aportes de los colaboradores, descritos con más detalle a través de todo el libro. La mayoría de colaboradores está estrechamente relacionado con importantes escuelas internacionales de administración o son consultores independientes que trabajan en el campo del desarrollo. Incluyen a participantes en la conferencia interesados en desarrollar sus ideas posteriormente. Otros fueron invitados porque cubrían diferentes temas de un modo interesante y estaban en capacidad de aportar su trabajo para integrar el libro. La cobertura de los temas tratados en la obra no es, por tanto, amplia, pero creemos que provee ejemplos que estimulan el cuestionamiento de supuestos esenciales y la identificación de oportunidades para tomar una iniciativa.

Sus aportes se pueden ver mejor como una red con muchos puntos de contacto. Cada lector estará en capacidad de unirlos entre sí, con base en su experiencia sobre los temas tratados. La secuencia presentada aquí es la elegida a partir de las respuestas de los colaboradores a todos los interrogantes sobre el manejo de lo desconocido y dispuesta en dos líneas entrelazadas por cinco contribuciones. La primera línea está ampliamente relacionada con los "sistemas" en cuanto a las instituciones sociales, económicas y políticas descubiertas en las secuencias del mundo circundante de las naciones y los continentes hacia el amplio mundo de las redes globales. La segunda línea está relacionada con el "pueblo", en especial aquellos grupos de personas que no aparecen destacados en la agenda de quienes "toman las decisiones" en el mundo. De nuevo esto se acomoda en una secuencia que se descubre a partir de la importancia de la calidad de los líderes individuales con respecto a consideraciones progresivas de grupos más amplios, y finaliza con un enfoque que quizá sea adoptado con benevolencia por la mayoría de la población del mundo.

A las dos líneas entrelazadas le siguen dos aportes relacionados con el cambio organizacional, como un proceso de reformas de los sistemas y del pueblo. El siguiente resumen explica la secuencia de cada línea.

1. *Los sistemas* (cambios en las constituciones, las instituciones y otras formas de organización). Douglas Hague se centra en Gran Bretaña, en Europa occidental, y establece el marco conceptual para muchas posibilidades, proporcionando situaciones que agudizan la imaginación y plantea algunos interrogantes inquietantes. Max Boisot examina los cambios emergentes en Europa y China, arguye que se lleva a cabo un proceso de destrucción creativa que requiere nuevas formas de organización el cual está diseñado para el aprendizaje continuo más que para la estabilidad. Sholom Glouberman demuestra por medio de cuatro situaciones las implicaciones de ciertas posiciones de valores y advierte que los futuros dependen de los valores que los conforman y que las situaciones basadas en ellos se han deteriorado tanto como las formas positivas. Ronnie Lessem esboza una

posible unión global que surge de las formas complementarias de variedad local en "la esfera de los negocios emergentes". James Robertson delinea el crecimiento de alternativas con respecto a la economía principal en "la configuración de la economía posmoderna", alternativas que tienen mucho significado global.

2. *El pueblo.* Alistair Mant duda que los líderes mundiales y otras personas estén "listos para el trabajo" y abre una discusión sobre las personas mejor preparadas para tomar decisiones a largo plazo, la mayoría de las cuales tienden a ser impopulares debido a que siguen sus intuiciones y se destacan más que otras. Coralie Palmer ubica el trabajo y la equidad en un ambiente escaso en publicaciones de negocios y muestra cómo una mente lúcida y un corazón apasionado pueden trabajar juntos con considerables resultados. Olya Khaleelee observa la creciente importancia de un nuevo concepto de ciudadanía y arguye que la búsqueda de los significados de la vida y el trabajo se desplaza del empleo remunerado al trabajo voluntario, el cual compromete enteramente a las personas. Eden Charles induce a los gerentes a considerar no sólo los costos que recaen sobre quienes no comparten las "ventajas competitivas" de las economías dominantes, sino la incapacidad evidente de que el dominante aprenda del dominado. Judi Marshall muestra que los valores femeninos y masculinos son complementarios y no opuestos: al trabajar en parejas, pueden contribuir con un reenfoque esencial en las organizaciones.

Los dos aportes concluyentes son de Roger Harrison y Philip Boxer. Roger Harrison considera que algunas de las barreras más significativas en el aprendizaje en las organizaciones están relacionadas con las experiencias deducidas de muchos años de trabajo de consultorías. Philip Boxer utiliza su trabajo con directores futuristas para evocar un cuarteto de administradores de la cúpula que luchen por "el futuro de la identidad", para encontrar significado a sus negocios, y a sus trabajos –por lo menos– a sí mismos.

■ La forma del libro

La forma de este libro es inherente a su propósito: ofrecer a los directores y gerentes la oportunidad de proponer iniciativas a sus conciudadanos en el tratamiento de aspectos que van más allá de lo concerniente a sus negocios familiares. Pero la forma más precisa parecía oculta. Sin embargo, a medida que los aportes llegaban, su forma se consolidó. Uno de los colaboradores manifestó en el taller de Templeton que el trabajo de los editores sería tan fácil como un trabajo colectivo, "para reunir los pedacitos y dar un barniz donde fuera necesario". El reunir y el barnizar se esfumaron a medida que los temas surgían y la claridad de cada aporte se hacía evidente. Como editores, estábamos más interesados en proporcionar un contexto a la variedad ofrecida: acorde con el espíritu del proceso que lo convirtió en lo que ahora es.

Las contribuciones divergen en ciertos aspectos pero convergen con respecto a conformar un grupo y no desempeñar funciones fragmentadas, asumiendo responsabilidad para presentar iniciativas. Como grupo conformado, no serán una organización de hombres y mujeres o ideólogos con propósitos particulares. Tendrán intereses más ambiciosos y un método de cuestionamiento. Como dijo uno de nuestros colaboradores: "Siempre se insistirá en cómo ser útil y por qué".

Con este ánimo se insertaron páginas en los aportes que recordaban este tema –la persona totalmente imbuida en el trabajo como ser humano que propone iniciativas. Entonces incluimos, en todo el libro, interrogantes de los colaboradores y de nuestra propia experiencia para producirlo, de la misma manera que todos trabajamos para crear parte de nuestro propio futuro. Hemos agregado algunos interrogantes de "otros" –que fuera del libro parecían hablar por nosotros. La música y la pintura, la poesía y el teatro, los números y las preguntas, traen una visión de los líderes, quienes aportan a la tarea colectiva todos los aspectos de la persona con agrado y creatividad.

BREVES PALABRAS DE LOS COLABORADORES, 1

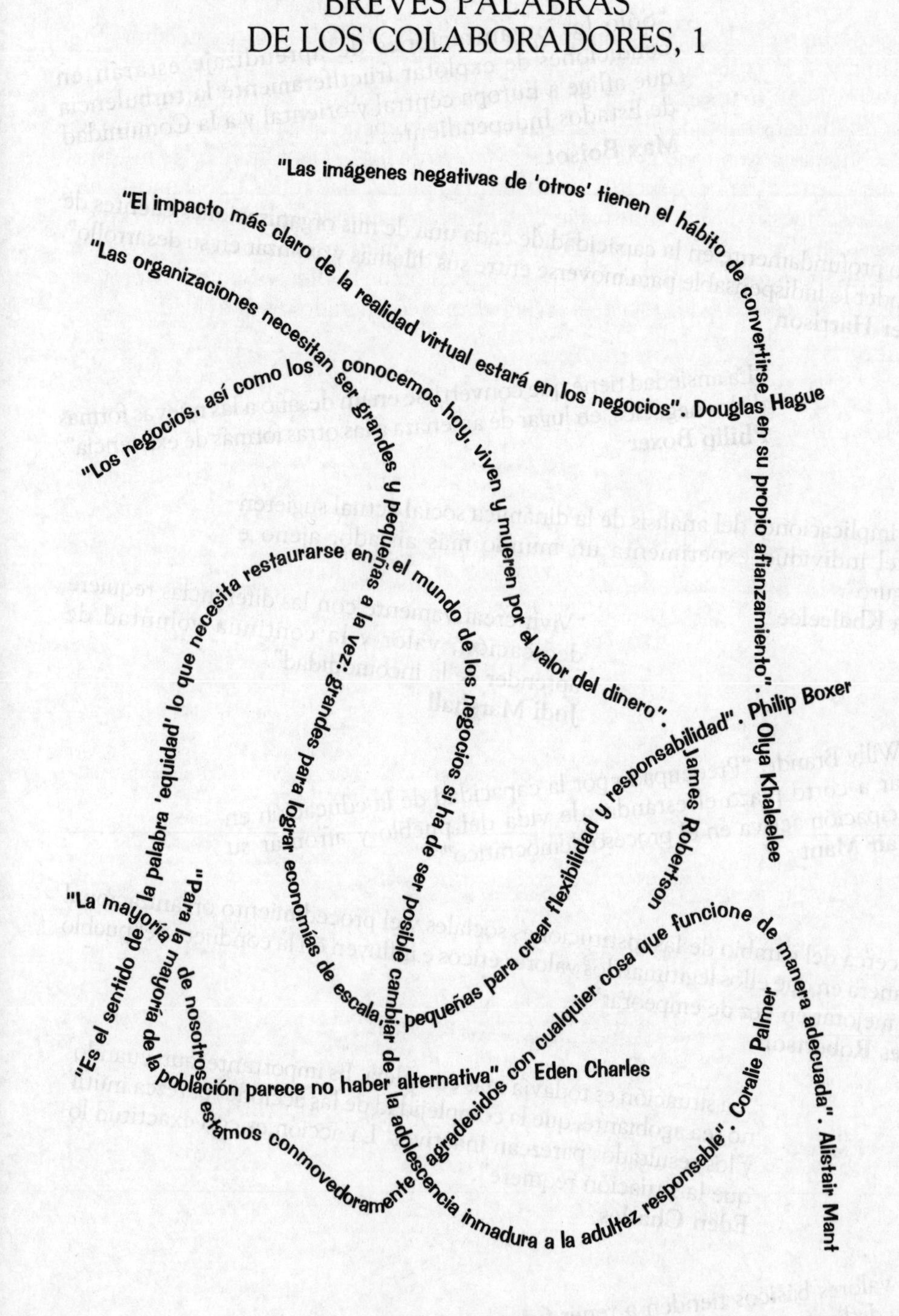

"Las imágenes negativas de 'otros' tienen el hábito de convertirse en su propio afianzamiento". Olja Khaleelee
"El impacto más claro de la realidad virtual estará en los negocios". Douglas Hague
"Las organizaciones necesitan ser grandes y pequeñas a la vez, grandes para lograr economías de escala, pequeñas para crear flexibilidad y responsabilidad". Philip Boxer
"Los negocios, así como los conocemos hoy, viven y mueren por el valor del dinero". James Robertson
"Es el sentido de la palabra 'equidad' lo que necesita restaurarse en el mundo de los negocios si ha de ser posible cambiar de la adolescencia inmadura a la adultez responsable". Coralie Palmer
"Para la mayoría de nosotros estamos conmovedoramente agradecidos con cualquier cosa que funcione de manera adecuada". Alistair Mant
"La mayoría de la población parece no haber alternativa" Eden Charles

"Sólo las organizaciones de aprendizaje estarán en condiciones de explotar fructíferamente la turbulencia que aflige a Europa central y oriental y a la Comunidad de Estados Independientes".
Max Boisot

"Creo profundamente en la capacidad de cada una de mis organizaciones clientes de aprender lo indispensable para moverse entre sus dilemas y avanzar en su desarrollo".
Roger Harrison

"La ansiedad tiene que convertirse en un desafío a las nuevas formas de los negocios, en lugar de amenaza a las otras formas de existencia".
Philip Boxer

"Las implicaciones del análisis de la dinámica social actual sugieren que el individuo experimenta un mundo más aislado, ajeno e inseguro".
Olya Khaleelee

"Vivir creativamente con las diferencias requiere dedicación, valor y la continua voluntad de aprender de la incomodidad".
Judi Marshall

De Willy Brandt: "Preocupado por la capacidad de la educación en elevar a corto plazo el estándar de vida del pueblo y afrontar su participación activa en el proceso democrático".
Alistair Mant

"Es acerca del cambio de las instituciones sociales y el procedimiento organizacional la manera en que ellos legitiman los valores éticos e influyen en la conducta del pueblo para mejorar en vez de empeorar".
James Robertson

"La situación es todavía más compleja. Es importante, aun cuando no sea agobiante, que la complejidad de las acciones parezca inútil y los resultados parezcan inactivos. La acción es con exactitud lo que la situación requiere".
Eden Charles

"Los valores básicos tienden a tener fuertes influencias en la forma de las organizaciones y en la natutaleza del trabajo".
Sholom Glouberman

CAPÍTULO 1

El ambiente de negocios del siglo XXI

Sir Duglas Hague

Aunque los peligros de los pronósticos se han señalado muchas veces, hechos recientes los hacen obvios. A finales de 1988 nadie tuvo la capacidad de predecir hechos tan dramáticos como el colapso del comunismo en Europa oriental, la disolución de la antigua Unión Soviética, la guerra del Golfo Pérsico, el resurgimiento del nacionalismo en Europa oriental y el desorden en el mecanismo de las tasas de cambio (*exchange rate mechanism*, ERM). Aun en los negocios estamos obligados a tratar de entender la clase de futuro que nuestras organizaciones van a enfrentar. Hay que hacer esto de la mejor manera posible y, en el peor de los casos, prepararnos nosotros mismos para el futuro porque "el azar favorece las mentes que están preparadas". No obstante, algunos cambios son más predecibles que otros.

Esta contribución comienza por considerar aspectos del ambiente de los negocios donde los cambios futuros *son* razonablemente predecibles y se mueven hacia donde la predicción se manifiesta con más dificultad. Para ser más precisos, me refiero a la demografía, la tecnología, las estructuras de negocios y los cambios sociales, económicos y políticos, en ese orden. Me concentraré en los cambios ocurridos en el Reino Unido y Europa occidental y haré referencia al resto del mundo cuando sea conveniente.

Ofrezco esta contribución a los lectores, por una parte, como una preparación para interpretar los aportes de otros autores de esta obra y, por otra, como un modesto complemento a la información básica disponible para los pronosticadores y los gerentes que tienen que planificar sus propias organizaciones, trabajen o no en el medio de la compra o de la venta. Cada cual debe decidir si acepta, rechaza o modifica mis predicciones.

■ La demografía

En Europa occidental hay tres factores comunes de cambio demográfico. Primero, la disminución del número de adolescentes ha reducido la cantidad de aspirantes al trabajo y a la educación superior. Aunque esto facilitaría el aumento de la proporción de la población interesada en la educación superior en muchos países de Europa occidental, también aumentaría el promedio de edad de las personas en la fuerza laboral.

Segundo, la "cultura juvenil" será menos significativa que en las últimas dos o tres décadas. Por tanto, la cultura de la edad intermedia la remplazará, afectará la actitud de los individuos y de las naciones, así como sus programas políticos. Habrá un desvío en las compras de bienes y servicios que los ciudadanos jóvenes adquirían, hacia los gastos de la edad intermedia, como se analizará más adelante.

Tercero, el inevitable aumento de la cantidad de pensionados potenciales después del año 2015 está aumentando desde ya los gastos de las empresas privadas y gubernamentales con respecto a si cambiar y cómo la distribución de las pensiones privadas y estatales. Después del año 2015 la proporción de la población que trabaja debe bajar, a menos que haya un aumento considerable y rápido de las tasas de nacimiento en Europa y los Estados Unidos. Esta reducción de la fuerza de trabajo será mayor y más rápida en Alemania y Japón.

En consecuencia, quienes trabajan tendrán que sostener más pensionados. En el Reino Unido se espera que la cantidad de pensionados iguale el 45% de la fuerza laboral hacia el año 2031, contra el 30% actual. El único beneficio claro conduciría a menos desempleo, ya que habrá menos trabajadores y más pensionados. Sin embargo, esto bajaría inevitablemente los niveles de vida de quienes trabajan. A menos que los gastos de las pensiones cambien, mayor longevidad parece limitar el promedio de las pensiones estatales concentradas en los "viejos viejos", de 75 años en adelante. Los pensionados menores de 75 años deberán vivir de sus propios recursos económicos, buscar trabajos sin horario, trabajos pequeños con menos responsabilidades en más de una empresa, en vez de un trabajo de tiempo completo.

Sin embargo, hay un aspecto demográfico mayor que Paul Kennedy expone en su libro *Preparándonos para el siglo XXI*[1]. Una explosión demográfica en los países en vía de desarrollo es inevitable. Los estimativos actuales muestran que para el año 2025 la población mundial habrá aumentado de 5.500 millones de personas a 7.500 o 9.500 millones de personas. Por tanto, por una parte, se teme a la hambruna y la inanición y, por la otra, a lo que Martin Walker ha denominado "la lucha ecológica en la que la habilidad y el poder de las naciones blancas y ricas situadas en el Norte no podrán imponer su voluntad por mucho tiempo sobre las del Sur"[2]. Aunque estos cambios puedan parecer geográficamente remotos para los europeos occidentales, Kennedy sugiere dos cambios que los mantendrán mucho más interesados en su patria.

Primero, habrá grandes diferencias en las tasas de nacimiento, no sólo entre el mundo desarrollado y muchas regiones subdesarrolladas, sino también entre éstas mismas. Europa occidental, Japón y los Estados Unidos enfrentan el panorama de una población constante (aun decreciente) en el siglo XXI. Se verán forzados a observar con inquietud el crecimiento acelerado y diferencial de la población dondequiera que la inconformidad social y política amenace convertirse en guerras regionales (o incluso más extensas).

1 Kennedy, Paul, *Preparing for the Twenty-First Century*, Londres, Harper Collins, 1993, en especial la segunda parte.

2 Walker, Mark, *The Guardian*, marzo 4 de 1993.

Segundo, y más importante aún para el Norte desarrollado, las presiones de la población tal vez incrementen de manera sustancial la población en las áreas urbanas de los países en vía de desarrollo. Por ejemplo, existen predicciones de que América Latina se convertirá en la región más urbanizada del mundo. A medida que aumenten las presiones, gran cantidad de personas se convertirán en migrantes económicos, en especial hacia Europa occidental, Norteamérica y Australia. Europa occidental, cuya población se espera disminuya durante el siglo XXI, verá con beneplácito a los migrantes de África del norte y de la CEI. Paul Kennedy hizo alusión a esta experiencia al sugerir que a medida que los padres del Norte deciden tener pocos niños, "quizá no reconocen que de alguna manera están dejando espacio... al más rápido crecimiento de otros grupos étnicos en su país y fuera de él. Pero, de hecho, es eso lo que están haciendo"[3].

■ La tecnología

Las tendencias más importantes de la tecnología serán la tecnología de información, la tecnología de comunicaciones y las altas tecnologías.

En la tecnología de información habrá dos cambios fundamentales hacia el año 2000. El primero será una caída considerable del costo *real* de los computadores. Las grandes compañías de computadores predicen confidencialmente una baja real de por lo menos el 30% *compuesto* anual durante la década de los años 90 y comienzos del 2000 como resultado de los avances en la tecnología del *chip*. Esto significa que un computador que hoy cuesta £1 millón, costará un poco más de £100 en el 2010. Mientras este cálculo se precisa, se puede exagerar lo que puede esperarse. El principio es claro. Incluso antes de la primera década del siglo XXI, el poder de la computación será increíblemente barato. Bill Gates, de Microsoft, ofrece sobre su escritorio "algo más poderoso que el supercomputador más grande"[4]. En los negocios, el aforismo "surgir de la nada, como la Cray Computer"* es poco probable. Acepto la réplica de los colegas que insisten en que los precios del *software* quizá se mantengan altos, pero esta no es razón para subestimar el impacto del *hardware* barato. En cualquier caso, esto centrará los esfuerzos para hacer el *software* más barato.

El segundo cambio fundamental será la contribución de la tecnología de información en la manera de administrar las organizaciones. La información estará disponible al instante para los gerentes o todos los niveles en formas mucho más comprensibles (gráficas, mapas, etc.). La comodidad y extensión con que los computadores pueden "conformar una red" –poder transmitir información de uno a otro– también cambiará de manera significativa. La cobertura de la información, sin procesar y procesada, potencialmente disponible para los gerentes en todas las organizaciones se incrementará de manera sustancial.

3 Kennedy, Paul, *op. cit.*, p. 45.
4 Gates, Bill, en un discurso para el Institute of Directors' Annual Convention, Londres, abril de 1993.
* *N. de la T.* Cray Computer es una empresa de informática establecida en Minnesota, EE.UU., que después de iniciar con pocos recursos es ahora una corporación que factura varios miles de millones de dólares al año.

Para ellos el reto será aprovechar lo disponible con el fin de hacer buen *uso* de esta información, no para agobiarse con ella. El proceso de aprendizaje apenas comenzó debido a que los sistemas para usar la información están todavía en pañales, excepto en los Estados Unidos, donde se emplean esos sistemas para producir al instante gráficas, mapas, etc., para mostrar información en vez de cantidades. La jerga los denomina sistemas de información ejecutiva (*Executive Information Systems*, EIS) pero al configurarlos en red se convierten en sistemas de información colectiva (*Everyones' Information Systems*).

A medida que se extiende el uso de los sistemas de información colectiva, los expertos predicen la eliminación de las jerarquías administrativas en las organizaciones donde su función principal ha sido reunir, examinar y transmitir información. Todo el personal, y no sólo la cúpula, tendrá acceso a las bases de datos de las grandes organizaciones, y las bases de datos darán a todos en la organización la información que se necesita para trabajar bien, ser más imaginativo y contribuir más.

El reto de la organización será hasta dónde permitir a las personas el acceso a información que ellos *no* necesitan para desarrollar su trabajo. ¿Se permitirá el acceso a la información a otros colaboradores valiosos o entrometidos?

Los desarrollos en la tecnología de comunicaciones serán sustanciales. La autoedición se volverá rutinaria, la pintura en color será más barata y, de ser posible, los fax se usarán incluso más que ahora para transmitir información más clara y con más rapidez, los teléfonos móviles serán más baratos y su uso será más extenso.

El uso de las cintas de video y de sonido aumentará aunque siempre parecerán anticuadas. No sólo el acceso directo a la información y al entretenimiento aumentarán de manera impresionante como decenas de canales de televisión (terrestres o vía satélite). Inclusive la televisión misma se volverá obsoleta. Los computadores y los sistemas de comunicaciones se conectarán y darán a los usuarios la posibilidad de interactuar. La tecnología hará realidad al instante todo lo que muestra la televisión, en vivo o pregrabado, con sólo utilizar el control remoto o el ratón (*mouse*), todo esto desde su silla.

Sin embargo, el desarrollo más significativo para los negocios se hará posible cuando las videoconferencias, individuales o para pequeños o grandes grupos, utilizando oficinas y líneas telefónicas comunes, permitan la comunicación aun a grandes distancias. Esto ya ha comenzado y hacia final de siglo incrementará el poder de las comunicaciones. Reconozco que muchas reuniones entre grupos determinados se harán cara a cara, pero no *todos* necesitarán estar presentes; de lo contrario, nunca utilizaríamos el teléfono.

No deberíamos pensar que las videoconferencias serán de valor sólo para los directivos de una organización. En algunas compañías, ingenieros de diversos países e incluso de varios continentes sostienen reuniones mediante videoconferencias para resolver problemas técnicos de instalaciones o plantas en particular, y lo hacen con bastante éxito.

Una vez que los computadores y los sistemas de comunicación estén interconectados, revolucionarán la educación y el adiestramiento; sin embargo, los educadores (más que los estudiantes) reconocen con lentitud el impacto que en últimas habrá.

Las cintas de sonido y las de video, y los programas de televisión (pregrabados), hechos por presentadores y realizadores sobresalientes, se convertirán en algo común en la educación a principios del siglo XXI. Tanto en el trabajo, como en el estudio y en el hogar, se podrá utilizar el *software* interactivo y dibujar en archivos, lo mismo que en material nuevo; cuando hablamos de éste último, también nos estamos refiriendo a libros.

Es probable que la alta tecnología tenga un impacto importante en dos aspectos. Primero, habrá mucho más control en la producción manufacturera, equipos domésticos y medios de transporte, incluidos aviones, trenes y automóviles. Segundo, la biotecnología estará cada vez más en condiciones de desarrollar drogas efectivas. Con la manipulación de los genes humanos se curarán o prevendrán las enfermedades. Los animales se adaptarán para dar a los consumidores los beneficios de la carne, etc., que se prefieran. Con los cambios genéticos los cultivos se adaptarán a un ambiente más adecuado, se controlará su tamaño, su altura, etc., y se aumentará su capacidad de utilizar fertilizantes naturales en vez de artificiales. Los problemas éticos surgirán con la ingeniería genética en cuanto a los seres humanos y, al menos, se corregirán algunos errores (quizás graves) cometidos con los animales y los cultivos.

Un producto final de la tecnología de información que en la actualidad parece extraño pero que creo será importante es la *realidad virtual*. Con relativa rapidez las personas tendrán acceso a cascos que les permitirán ver imágenes y escuchar sonidos de un disco compacto que los harán sentir como si estuvieran "en" el filme.

El impacto más claro de la realidad virtual será en los negocios. La difusión de las compras y las operaciones bancarias hechas desde el hogar por los usuarios de los computadores personales ha sido mucho más lenta de lo que se esperaba. La realidad virtual cambiará esto. Por ejemplo, permitirá a los arquitectos "caminar alrededor" del edificio que han diseñado, "darle un vistazo" y decidir si están satisfechos o si necesitan hacer cambios. ¡Con mayor razón lo harán los clientes! Los diseñadores también estarán en condiciones de "sentarse en" los modelos de automóviles, aviones, etc.

Así mismo, la realidad virtual permitirá al cliente "visitar" el supermercado desde la casa, ver qué hay para comprar, escoger y hacer el pedido por computador. Hacer compras desde el hogar tendrá un sentido totalmente diferente. El supermercado en sí no existirá, su forma, su tamaño, su distribución y sus productos los programará el diseñador de *software* y se proyectarán en el casco del cliente. Los artículos escogidos vendrán de la bodega, no del supermercado.

La realidad virtual también estará disponible para el placer. Por ejemplo, permitirá a una persona "caminar" por una ciudad o un paisaje como si estuviera allí. El espectador podrá "atender" una fiesta con celebridades mundiales o incluso "hablar" en el parlamento nacional. Para algunos la vida se convertirá en una ficción participativa. Como no es evidente cuán popular será la realidad virtual para el placer, creo que el uso comercial será más importante.

Con esta "alta tecnología de ficción" no habrá límite para lo posible. Alvin Toffler hizo este planteamiento hace más de 20 años: "El conjunto de experiencias que ofrece el futuro irá más allá de la imaginación del consumidor promedio y llenará el ambiente de novedades ilimitadas"[5]. Éstas serán "el trabajo de diseñadores experimentados, escogidos de entre las personas más creativas"[6]. Por último, lo posible mediante la realidad virtual sólo será limitado por la habilidad e imaginación de los diseñadores de *software*.

■ La sociedad del conocimiento

Este análisis de la tecnología muestra que muchos de los cambios importantes de la próxima década estarán ligados a la creación o el cambio no sólo en la información, sino también en el conocimiento. Por tanto, hablamos de "la revolución de la información y el conocimiento", la cual provocará un aumento en la proporción de los negocios, los servicios y las manufacturas.

El negocio característico de la revolución del conocimiento será de dos clases. Primero, habrá negocios *basados en el conocimiento,* que incorporarán los avances tecnológicos y científicos en sus productos y servicios. Ejemplos de productos manufacturados basados en el conocimiento serán aviones, computadores y productos farmacéuticos, sus servicios incluirán las telecomunicaciones, el transporte aéreo y los medios de comunicación.

Los negocios basados en el conocimiento, en especial los manufactureros, requieren investigación y desarrollo. Lo que los distingue de los negocios de baja tecnología es que, para incorporar conocimientos avanzados en bienes y servicios, tienen que emplear numeroso personal bien educado y bien adiestrado, profesionales que necesitarán comprender cada vez más de tecnología y negocios.

El segundo grupo consta de negocios de *conocimiento puro*. A diferencia de los negocios basados en conocimiento, que incorporan conocimiento en productos y servicios, los negocios de conocimiento comercian con el conocimiento mismo, venden conocimiento a los clientes. Por ejemplo, están comprometidos con investigación y desarrollo, *software* de computadores, producto, diseño de sistemas e ingeniería, investigación de mercado, educación, capacitación y consultoría.

En el Reino Unido los negocios de conocimiento a menudo operan en lo que se denomina 'adorno contractual', cuyos clientes son grandes empresas. Sean éstas últimas manufactureras o de servicios, el trabajo hecho antes en sus organizaciones ha sido subcontratado. Bill Gates advierte que los computadores en la década del 2000 ayudarán al crecimiento de estos "adornos", proporcionando la información necesaria para encontrar consultores con facilidad, reafirmando así "que ellos están allí con mucha calidad"[7].

En el Reino Unido muchos negocios de conocimiento son más pequeños que los *basados* en el conocimiento o los manufactureros tradicionales, en parte porque no elaboran productos físicos y, por tanto, no necesitan fábricas ni talleres. Además, sus oficinas son a menudo menos formales que las de muchos negocios convencionales.

5 Toffler, Alvin, *Future Shock*, Nueva York, Bantam Books, 1971, p. 232.
6 *Idem.*
7 Gates, Bill, *op. cit.*

No es necesario asignar oficinas o escritorios individuales donde las relaciones son sobre todo con los clientes, cuando ellos están con los consultores. Las oficinas se convierten en lugares de reunión de "nómadas", que se mantienen en contacto por medio de equipos de comunicaciones, como teléfonos y fax. Para quienes trabajan en organizaciones más estables, estos negocios parecerán un poco frívolos, pero funcionan, y esto se hace cada vez más normal en muchos negocios de conocimiento, quizá en la mayor parte de ellos.

La creciente cantidad de negocios de conocimiento incrementará la diversidad de la división internacional del trabajo, entre otros factores,. Estos están mejor posicionados geográficamente, es mirar hacia Europa occidental y Europa oriental, lo mismo que hacia la Comunidad de Estados Independientes, el Pacífico y Asia suroriental.

Para estas regiones una pregunta clave será: ¿en qué medida se comprometen los negocios en particular con la baja tecnología y en qué medida con la alta tecnología? Sin embargo, es importante al principio distinguir entre productos y procesos. En efecto, los procesos de baja tecnología se pueden utilizar para elaborar productos y servicios de baja tecnología, en tanto que con los métodos de alta tecnología se pueden elaborar productos de alta tecnología. También es posible utilizar procesos de alta tecnología para elaborar productos de baja tecnología, aunque tal vez es preferible lo contrario.

Europa occidental . . . .

Los economistas coinciden en que habrá una especialización geográfica de la industria en la Comunidad Europea, cuyos países del sur –en especial el sur de Italia, España, Portugal y tal vez Grecia– elaborarán productos de más baja tecnología que los países del norte, sobre todo Francia y Alemania. Se espera que sólo algunas regiones del Reino Unido tengan éxito en establecer por sí mismas la elaboración de productos de alta tecnología para competir con Francia y Alemania. Sin embargo, todos los productores de baja tecnología están apropiándose cada vez más el uso de procesos de alta tecnología.

Europa oriental y la Comunidad de Estados Independientes . . . . .

Europa oriental y central y la antigua Unión Soviética no pueden hacer más que unirse a la división internacional del trabajo. Después de 40 años de "congelamiento" político y económico, los países de estas regiones están en condiciones difíciles de competir con el resto del mundo, aun con productos y procesos de baja tecnología. En últimas, se espera que tengan éxito y, de hecho, debe esperar que lo tengan. Por tanto, para los países más desarrollados es más importante asegurar la capacidad de trasladarse a actividades de más alta tecnología a medida que los antiguos países comunistas se comprometen cada vez más con actividades de baja tecnología. Estos últimos se volverán de manera permanente más competitivos. Al principio ofrecerán productos relativamente sencillos y baratos, utilizarán procesos de trabajo intensivo y por el contrario pagarán sueldos y salarios bajos. Conocer de antemano las dificultades que esto causará lo demuestran los problemas que tiene la industria del acero en la Comunidad Europea al imitar la competencia de Europa oriental.

Algunos negocios, por supuesto, en especial en Europa oriental, harán rápidos progresos con actividades de alta tecnología y ya hay ejemplos de ello, especialmente en Hungría. Sin embargo, el progreso general tal vez sea lento.

Asia suroriental y el Pacífico . . . .

En el Pacífico y Asia suroriental el desarrollo económico reciente de los "cuatro tigres" del Pacífico ha sido más rápido que en cualquier otra parte del mundo en cualquier etapa de la historia. Un indicador de la escala de desarrollo económico de esta región es que ahora representa cerca de la tercera parte del total de productos químicos del mercado en el mundo y tal vez el 40% al final de la década de los años 90. Las empresas de Europa occidental tampoco pueden confiar en los competidores, sobre todo los del Pacífico, especializados sólo en productos de baja tecnología. Éstos están avanzando más rápidamente.

Más significativo que estos cambios es el hecho de que la economía de China ha empezado a crecer con rapidez y ya exporta con éxito textiles, calzado y juguetes a Asia suroriental. Medida en producción *agregada* (*no* producción *per cápita*), la economía de China ya parece ser "la segunda economía más grande del mundo"[8]. Sin duda, habrá retardos y retrocesos, no sólo porque el sistema financiero de China parezca imprevisible, sino porque, al ser el país más poblado del mundo, el crecimiento económico continuará retrasando el equilibrio del poder económico con respecto al Japón en el siglo XXI. Es mucho menos evidente lo que sucederá en la India, donde la fuerte industrialización y las exportaciones van retrasadas mucho más que las expectativas y que las esperanzas, y donde el ingreso per cápita es sólo la mitad del de China[9].

Las estructuras de negocios . . . .

Una de las preguntas más inquietantes acerca de los negocios importantes del siglo XXI es "¿dónde se localizarán estas actividades?" Al parecer, los negocios más grandes tienen sus oficinas principales en las regiones "polares". Pero al menos con el cambio de la tecnología de información, tal vez las unidades operacionales se difundan más ampliamente. Aunque los miembros de las asociaciones de industriales difícilmente lo crean, incluso las empresas manufactureras europeas de éxito tal vez lleven a cabo muchos de sus procesos manufactureros en el extranjero. En el mundo de los negocios de conocimiento, actividades como diseño, desarrollo, planificación, mercado y finanzas se localizan con más probabilidad en la casa matriz que en las fábricas.

Quienes trabajan en la casa matriz son trabajadores del conocimiento pagados por el valor agregado que crean sus habilidades. Más aún, estas actividades del conocimiento se trasladarán al extranjero con el paso del tiempo. Por ejemplo, las actividades

[8] *The Economist*, mayo 15 de 1993, p. 95, texto citado en United Nations Figures. Other rankings vary between third and about tenth.

[9] *Idem*.

de investigación de una compañía internacional se trasladarán al país que ofrezca mejores condiciones económicas. Los gobiernos pueden evitarlo, pero es improbable que suceda.

Cuando las actividades de fabricación se lleven a cabo en países extranjeros, el gobierno anfitrión observará con atención si hay transferencia de tecnología o de habilidades. Esto sucede ya de manera significativa en Asia suroriental y en el sur de China, donde los gobiernos a menudo insisten en que una compañía extranjera que desee establecer una subsidiaria debe constituir una empresa de riesgo compartido (joint venture) con una compañía local. Una vez más es el conocimiento lo que se vende, en esta ocasión como fábricas y habilidades de los trabajadores. Por supuesto, similares movimientos de tecnología y por tanto de conocimientos suceden entre los países desarrollados, con empresas de la Comunidad Europea, Norteamérica y Japón, que transfieren tecnología, habilidades y prácticas de operación a cada una de estas regiones.

Los países que con más rapidez se apropien del significado tecnológico y comercial del conocimiento ganarán más de su explotación. Las asociaciones de industriales que no comprendan la importancia y el valor comercial que el conocimiento poseerá en el siglo XXI, tienen muchas posibilidades de perjudicar sus propias economías. Por ejemplo, la capacidad de la industria de la información en el mundo, incluidos los medios de comunicación, se menosprecia ampliamente como generadora de crecimiento económico, en especial en las burocracias de la Comunidad Europea.

El cambio social

Inicio con el cambio social en la medida que afectará al consumidor. Con las economías de Europa occidental actualmente deprimidas es difícil concluir tendencias a largo plazo a partir del descenso a corto plazo. Es cierto que en la década de los años 80 los consumidores británicos se encontraban en la inusual posición de estar a la cabeza de la liga internacional de aumento de gastos del consumidor. Esto se debió en parte a que redujeron sus ahorros de manera considerable pero, al mismo tiempo, sus préstamos crecieron más del doble en la década de los años 80. Este incremento se basó especialmente en los grandes aumentos de los precios de la vivienda, lo cual comprometió a los consumidores con más préstamos. Aunque lo que ocurría era insostenible, es importante dar un vistazo al comportamiento futuro de los consumidores en el Reino Unido y tal vez en otros países desarrollados.

Al parecer, aunque al auge siguió la recesión, los consumidores en el Reino Unido están ahora menos preparados para reducir la calidad de los bienes que compran que en recesiones anteriores. Han respondido más postergando las compras que comprando los bienes más baratos, al menos porque, cada vez más, las compras son bienes de consumo, como los automóviles, cuya obtención puede posponerse. Una vez que se reanuda el crecimiento de los ingresos del consumidor parece probable que su insistencia en cuanto a calidad, servicio, marca de prestigio, etc., se fortalecerá, en especial en Europa occidental. Los consumidores se inclinan cada vez más por la calidad.

El Centro Henley, que en el Reino Unido proporciona un servicio de análisis y pronóstico a las empresas, busca ofrecer una explicación conceptual y empieza con un menospreciado libro de Fred Hirsch[10], quien argumentó que una vez que una sociedad se hacía relativamente opulenta, lo que importaba a las personas no eran sus niveles de vida absolutos, sino aquéllos relacionados con los de las otras personas. Habrá explicaciones físicas de esto, al menos el hecho de que en muchos países desarrollados las dos cosas de más baja oferta son inevitablemente el espacio (como en los centros de las ciudades y los concursos de ferias) y el personal de servicios (como en el servicio doméstico). Quienes optaban mejor por marcharse, podían evitarse los inconvenientes y las congestiones padecidos por otros y pagar más servicio personal. Había también satisfacciones psicológicas y sociales por ser "cabeza del montón". Hirsch argumentó que en las décadas de los años 50 y 60 esto condujo a la "competencia posicional", con mucha frecuencia descrita por la mayoría como "estar a la par con los Jones".

El Centro Henley sostiene que a finales de la década de los años 80, en vez de "estar a la par con los Jones", el juego posicional que muchas personas ejecutaban se podía describir mejor como "diferenciarse de los Jones". Más que parecer adineradas, las personas querían parecer inteligentes. En consecuencia, la calidad de las decisiones de compra llegaba a ser más importante, y la diferenciación y la pericia motivaban cada vez más al consumidor.

Una consecuencia ha sido la fragmentación de los mercados, con productos y marcas de prestigio no sólo diferenciados por el precio o la calidad, sino también por los criterios de prestigio. Hay ahora un número creciente de lo que el Centro Henley denomina "consumidores expertos". "El mercado de exclusión" también se difunde. Aquí los proveedores crean significados simbólicos en los productos y comunican mensajes acerca de ellos que sólo comprenden sus adeptos.

Al parecer, los consumidores en el siglo XXI abarcarán más dimensiones que las predichas por Hirsch. Estarán disponibles más fuentes de satisfacción para los consumidores, que así podrán diferenciarse unos de otros y la competencia entre ellos será menos incisiva.

Si se elevan los niveles de vida, las mayores particularidades de los consumidores se expresarán en la capacidad de "comprar" sus propios estilos de vida y establecer sus propias normas de compras. Nótese también que los niveles de vida se elevan tal vez debido a un incremento permanente, por lo menos hasta el próximo siglo, en la cantidad de personas con edades entre 45 y 60 años en los Estados Unidos y los principales países de Europa occidental. Esto desviará el poder de gastos hacia ellos y lo alejará del mercado de los "jóvenes". Por tanto, habrá un traslado de las compras de los productos manufacturados y los servicios adquiridos por las personas que tengan sus vidas y sus hogares bien establecidos, al menos para gastos en viajes y actividades libres. Quizás el auge actual en las ventas de los discos de música clásica en el Reino Unido sea una señal temprana de esto, lo mismo que el éxito de una estación de radio

10 Hirsch, Fred, *The Social Limits to Growth*, Londres, Routledge & Kegan, 1977.

(Classic FM). Es probable que los consumidores de edad intermedia inviertan mucho en sus hijos y sus nietos.

Este análisis implica un aumento fragmentado de los modelos de gastos, aunque la experiencia en los Estados Unidos y el Reino Unido sugiere que otras clases de fragmentaciones se están gestando. Un elemento importante es el cambio que el Centro Henley denomina "la familia celular". Por ejemplo, América, seguida por el Reino Unido, está abandonando la costumbre de comer juntos como una ocasión familiar; aun cuando el resto de países de Europa occidental no los imitan.

El concepto de "familia celular" tiene sentido en el cambio de los modelos de compra. Mientras una cantidad creciente de familias europeas tiene más de un automóvil, un televisor, un radio, etc., el Reino Unido es el único país de Europa occidental donde los consumidores duraderos cuyas compras han aumentado con una rapidez particular son los que más se acomodan al modelo "celular" de vida. Las compras de cintas de video, radios transistores, computadores personales y hornos microondas han aumentado con rapidez y todo esto permite a los individuos establecer su independencia del resto de la familia. Cada vez más los ingleses comen a diferentes horas, trabajan o se entretienen en diferentes cuartos y de manera diferente.

La sociedad, al igual que los mercados de consumidores y los modelos familiares, se fragmenta en el Reino Unido y los Estados Unidos especialmente. Primero, en el Reino Unido hay un aumento de padres solteros, en especial mujeres. Esto se relaciona con el hecho de que mientras muy pocas mujeres solteras vivían con su novio en 1979, ahora el 25% de ellas lo hace. Como con frecuencia dependen del beneficio del Estado, los ingresos de las madres solteras son bajos, de manera que la característica de madres solteras o padres solteros se relaciona con la pobreza. Se reconoce que el 80% de los niños en el Reino Unido vive en una familia de dos adultos casados, de manera que en promedio la característica de madres solteras o padres solteros es temporal. Más aún, uno de estos adultos es madrastra o padrastro, de modo que la familia está dividida de alguna manera.

Segundo, en el Reino Unido hay una gran movilidad geográfica. Una cantidad de personas más que nunca antes se muda (dentro y fuera del país) al cambiar de trabajo. El rol de los miembros de la familia, en especial el de los abuelos y los amigos que suelen ayudar a educar a los niños y determinan su forma de pensar y de comportarse, está cambiando también. La relación de los niños con las comunidades en que viven ha llegado a ser más impersonal y conduce a problemas como la drogadicción y el crimen urbano entre adolescentes lo que en la actualidad es motivo de preocupación y promete continuar.

Tercero, la fragmentación se está incrementando debido al creciente número de personas que viven solas, en especial mujeres jubiladas, viudas y/o divorciadas y cuyos ingresos son, a menudo, bajos. A medida que nos acercamos al siglo XXI, con altas tasas de población longeva y con altas tasas de divorcio, la cantidad de mujeres que viven solas tiene forzosamente que incrementarse en Europa y Norteamérica. Aunque muchos hombres también viven solos, en su mayoría son jóvenes y más adelante se casarán.

Esta fragmentación social es una razón de por qué se incrementa el análisis de "la clase baja", cuyos miembros están en desventaja. Las personas de los grupos analizados, en especial los padres solteros y las mujeres que viven solas, hacen parte de una clase caracterizada por tener bajos ingresos.

Una segunda categoría de miembros potenciales de esta clase baja también parece crecer en muchos países desarrollados. Hay personas con trabajos pésimamente remunerados o que permanecen desempleadas durante mucho tiempo. Ellas carecerán de las habilidades básicas y por tanto tendrán cada vez menos oportunidad de encontrar un trabajo. No tendrán la educación o la capacitación requeridas para desenvolverse en los trabajos del futuro, aun cuando no sean trabajos relacionados con la información o el conocimiento como los he definido, para los cuales en la mayor parte de los casos la educación y la capacitación serán necesarios.

Es muy probable que se dé un gran cambio en las habilidades exigidas por el cambio laboral, en las estructuras industriales y por tanto en los modelos de empleo hacia un pronto "pleno empleo", aunque he argumentado que la demografía puede mejorar estos aspectos en la tercera década del siglo XXI. El empleo de gran cantidad de personas en las organizaciones monolíticas de la década de los años 60, como la fábrica automotriz común, se acabó. Por tanto, parece inevitable que, a principios de la primera década del siglo XXI, cantidades significativas de personas estarán sin empleo. Una esperanza de que la mayoría de las personas no estén desempleadas durante tanto tiempo como para convertirse en miembros permanentes de la clase baja son los aspectos relacionados con el acceso a la educación, la capacitación y las habilidades que necesita la economía del "conocimiento", lo cual será un desafío para los países desarrollados. En realidad, los expertos británicos en cambios sociales predicen para el Reino Unido una clase baja de 5 millones de personas (10% de la población) a comienzos de la primera década del siglo XXI.

Este es el punto final acerca del cambio social. No es sólo que la sociedad se fragmenta cada vez más. En el siglo XXI también es probable un aumento del aislamiento, si no de la soledad, de los individuos. En efecto, tal será la situación para quienes viven solos, para padres solteros con niños pequeños y, de alguna manera, para padres (incluso casados) cuyos hijos se alejen de la localidad. Una estadística diciente es el hecho de que hoy en el Reino Unido menos de la mitad de las madres solteras tienen acceso al servicio telefónico y sólo el 15% posee automóvil[11].

Aun en la familia celular, la facilidad que sus miembros tienen de obtener televisión, videograbadoras, computadores personales y, más adelante, realidad virtual, forzosamente implica que la familia se fragmentará más. Quienes puedan hacerlo, gastarán más tiempo en actividades individuales.

11 *The Economist*, mayo 15 de 1993, p. 36.

■ El cambio político

El nacionalismo

Tal vez aquí los cambios principales tengan lugar en tres ámbitos: los Estados supranacionales, como la Unión Europea; los Estados naciones y las regiones pequeñas como Escocia y el País Vasco. De las relaciones entre estas entidades surgirán muchos problemas políticos de Europa occidental.

Por último, aunque con más lentitud de la esperada por los partidarios de la Unión Europea, ésta desarrollará modos de manejar grandes aspectos, como defensa, política exterior y comercio internacional. El interrogante es si será posible que las estructuras federales evolucionen en los Estados Unidos y otras partes de Europa y Asia, las cuales evitarán las interferencias excesivas de los gobiernos "federales". Habrá periodos de conflicto mientras se incorporan las relaciones entre el primer y el segundo ámbito.

Se espera que en los Estados Unidos cualquier disputa sea relativamente pacífica, aunque los sucesos en la antigua Yugoslavia demuestren lo contrario. No sorprende que en Europa el nacionalismo haya sido un problema debido a que la "formación de las naciones" fue un fenómeno que duró todo el siglo XIX. Pero, ¿por qué todavía es un problema?

Los antropólogos explican que al definir *nuestra* nación, definimos nuestros rasgos colectivos (la clase de persona que somos) y nuestra cultura (la manera de organizarnos, de pensar, de hacer las cosas, de trabajar, de vivir, de descansar, etc.). No hay problemas de nacionalismo si nuestros propios rasgos y cultura –individuales y colectivos– se ajustan a los rasgos de las culturas que nos rodean, *de lo contrario* surgirán conflictos. Entonces las personas experimentan una humillación sin fin en sus "propios" países porque su concepción de lo que son y de lo que hacen es diferente de la de los demás. Se sienten humillados porque estas diferencias surgen de sus más profundas creencias, sentimientos y comportamiento –sus valores y su cultura–, y *son* tan profundos que cambiarlos tomaría mucho tiempo. Tiene que ver con la dificultad o lentitud de sentirse parte de la "nación" a la que dicen pertenecer.

Parece inevitable que el nacionalismo conduzca a problemas en algunos Estados, como de hecho ha ocurrido durante los dos últimos siglos. En especial entre 1789 y 1945, en Europa hubo conflictos por minorías, por ejemplo, entre Francia y Alemania por Alsacia durante varios años, y entre Alemania y Checoslovaquia en 1938. Al reducir éstas y otras tensiones locales, hubo muchos reagrupamientos étnicos en Europa occidental y éstos se dieron –aunque no necesariamente por medio de la violencia– en 1950. Nunca hablamos de "limpieza étnica", pero eso es lo que a menudo ha ocurrido.

Los problemas que surgieron en la antigua Yugoslavia –e incluso en la antigua Unión Soviética– son una consecuencia de la formación del bloque soviético, que impidió este reagrupamiento que tuvo lugar en Europa oriental después de la Segunda Guerra Mundial. Lo que la mayoría de nosotros en Europa occidental no pudo impedir después de 1945 fue la división de Europa bajo la influencia de los Estados Unidos y la Unión Soviética, lo cual condujo a los peligros de la guerra fría, y anunció más conflictos locales en Europa oriental porque impidió el proceso de reagrupamiento.

Ello implica que la explosión del separatismo en Europa oriental tiene sus orígenes en la manera como se rechazaron "los tratados" después de la Primera Guerra Mundial. En especial, condujeron a revolver serbios, croatas, eslovenos y bosnios en una mezcla explosiva de católicos, ortodoxos y musulmanes. Como lo describe Eric Hobsbawm: "Los huevos de Versalles y Brest-Litowsk están todavía incubándose"[12]. No se debe olvidar que, al mismo tiempo, influencias externas condujeron a la creación de los movimientos separatistas en Georgia, Armenia, Azerbaiyán, Ucrania y otros. En el próximo siglo, puede haber aún más "reagrupamientos". Por tanto, la preocupación es cuánto durará la resolución de este proceso, como parece estarlo ahora en Europa occidental, aunque las causas de los conflictos estén confinadas en los Balcanes y las áreas de influencia de la antigua Unión Soviética, y aunque el resto de Europa, e incluso del mundo, evite involucrarse como participantes y sólo lo hagan como pacificadores.

A medida que las nuevas relaciones evolucionan hacia los ámbitos nacional y supranacional, propenden por lo menos por la autonomía étnica y cultural en la Comunidad Europea. Los problemas en Irlanda del Norte son quizás únicos, pero somos testigos de los movimientos por la autonomía de escoceses, vascos, italianos del norte, etc. La disolución de Checoslovaquia demuestra que este fenómeno no es sólo de Europa occidental.

Mi colega Martin Jacques destacó que los cambios extraordinarios ocurridos desde 1989 han creado un conjunto de expectativas en Europa –oriental y occidental– que los gobiernos de las naciones no esperan llevar a cabo. Considera que hay un "profundo sentido de escape de la frustración y el malestar populares acerca del fracaso del gobierno al enfrentar este desafío"[13]. Señala que hay una "filtración de poder en el gobierno hacia la economía internacional y hacia la sociedad".

Como consecuencia:

> Los gobiernos se hacen cada vez más impotentes: hay cada vez menos de lo que en realidad pueden hacer. Como todos los sectores en crisis, el mundo político tiene, en consecuencia, una tendencia a estancarse y a disfrutar la crisis del mercado en el mundo real, incapaz de innovar, cada vez más prisionero de la tradición y la retórica[14].

Los lectores quizás no estén en capacidad de ir tan lejos como Martin Jacques pero considero que él ha identificado correctamente un conjunto de problemas que tendrán que resolverse en Europa en el siglo XXI.

La economía . . . .

Los cambios económicos parecen, incluso en Europa occidental, muy difíciles de predecir. Considero que el mercado único se lanzará con seguridad, aunque, en realidad, dondequiera que haya recesión habrá un argumento acerca de cuánto se

12 Hobsbawm, Eric, *Nations and Nationalism Since 1870*, 2ª ed. Cambridge, Cambridge University Press, 1992, p. 164.

13 Jacques, Martin, Sunday Times, julio 25 de 1992.

14 *Idem.*

están "engañando" cada uno de los países al buscar favorecer los ingresos y beneficios de sus propias compañías y el empleo de sus propios ciudadanos. Es imperdonable que el mercado único, logrado hace poco con muchas dificultades, se desintegre. No obstante, como lo señaló *The Economist*, "cuanto más pregonan los políticos una compañía", ésta decide trasladar la actividad y los empleos de un país de la Comunidad Europea a otro, "el mercado único se mantendrá en peligro"[15]. Entonces debe haber dudas. Con altos índices de desempleo el mercado único está amenazado por intereses de grupos, como granjeros que buscan protección, y por países que devalúan su moneda.

Uno de los principales propósitos del Tratado de Maastricht es, por supuesto, sostener el mercado único con la Unión Monetaria Europea (*European Monetary Union*, EMU) y una sola moneda. Quizá, de manera muy apresurada, la Comunidad Europea decidió hacer esto a finales de la década de 1990. El Sistema Monetario Europeo operó con rigidez desde 1990, aproximadamente, para acelerar lo que en la jerga europea se denomina "convergencia económica" entre los países miembros, lo cual se ve como un requisito para el éxito de una moneda común. El rumbo de la convergencia fracasó, no sólo porque la unificación de Alemania estimuló el crecimiento económico y la inflación. El desempeño económico de los países miembros no fue lo suficientemente rápido, lo cual, combinado con la determinación de Alemania de abordar sus propios problemas con su estilo propio, condujo a un desorden en el Sistema Monetario Europeo.

Desde septiembre de 1992, cuando el Reino Unido e Italia abandonaron el mecanismo de tasas de cambio (al menos temporalmente), ha habido devaluación en varios países. Las consecuencias finales de estos hechos aún son difíciles de predecir. Hay todavía un amplio apoyo a una moneda común en la mayor parte de los países de la Unión Europea, pero el costo potencial de adoptarla antes de que haya convergencia se vislumbra con claridad. A principios de la década de los años 90, en el Reino Unido el crecimiento económico fue más lento y el desempleo más alto de lo que había sido antes. El propósito fue unir el Reino Unido a lo que se veía como la economía menos inflacionaria de la Comunidad Europea, es decir, Alemania. Dicho con más rigor, el propósito era "alemanizar" la economía británica, cuya retirada del mecanismo de tasas de cambio demuestra que ello aún no ha sucedido. Francia también ha experimentado altas tasas de interés y de desempleo pero, al menos por el apoyo de Alemania, ha permanecido en el Sistema Monetario Europeo.

La importancia de lo que sucederá después, determinando la forma de las estructuras económicas en la Unión Europea por lo menos durante veinte años, da lugar a tres escenarios. Primero, las tasas de cambio fijas pueden abandonarse, especialmente si se obliga a Francia a devaluar su moneda con respecto al mecanismo de tasas de cambio o incluso a retirarse. Los analistas franceses argumentan que esto destruiría el mercado único porque permitiría a los países "exportar" desempleo entre sí. Con seguridad esta es una visión muy pesimista. Debido a que la creencia en la Unión

15 *The Economist*, febrero 6-12 de 1993, p. 87.

Monetaria Europea permanece fuerte en Europa, cualquier deserción de las tasas de cambio fijas, e incluso de la moneda única, sin duda sería con seguridad casi temporal.

Todo esto conduce al segundo escenario más probable, es decir, la creación de un bloque monetario común y rígido alrededor de Alemania, Francia y el Benelux* antes de 1999. Otros países se unirían sólo cuando sus economías estén en condiciones de hacerlo. Por algún tiempo habrá algunas fragmentaciones de los acuerdos monetarios europeos, pero el mercado único se preservará. Ello conducirá, por un tiempo, a que todos los países miembros se acojan a una moneda común, aunque no es claro si el Reino Unido esté (y cuándo) en condiciones de tolerar la rigidez de la Unión Monetaria Europea, debido a la "alemanización" de la economía británica, incluso en el menos rígido mecanismo de tasas de cambio donde ha demostrado mucha dificultad.

Por ello, en el tercer escenario, los países europeos se unen a la Unión Monetaria Europea, aunque el Reino Unido permanezca por fuera durante algún tiempo. El problema con la Unión Monetaria Europea consistirá en que si el desarrollo económico de un país que se adhiere está fuera de línea –en especial en términos de productividad y pago–, experimentará altos índices de desempleo y pobreza relativa. Quienes se preocupan por este asunto lo relacionan con el problema de Irlanda del Norte, que es la única región del Reino Unido donde al menos algunos economistas debaten el subsidio a los salarios para contrarrestar la fortaleza de la libra esterlina, moneda común del Reino Unido, que no puede devaluarse con respecto a sí misma, como tampoco podría devaluarse la unidad monetaria europea contra sí misma.

Otro punto son los problemas del sur de Italia, donde los subsidios hechos por el norte del país fracasaron en la creación de empleo. Como señaló el prominente empresario Sir James Goldsmith, en una charla interesante emitida por el canal 4 de la televisión británica:

> "En vez de generar empleo, los subsidios generaron corrupción. También fracasaron en detener la migración, que continúa desarraigando las comunidades del sur"[16].

En el tercer escenario, por tanto, la moneda común se implantará en la Unión Europea pero a expensas de altos índices de desempleo, bajos niveles de vida, grandes transferencias fiscales y, quizá, malestar político y social en algunos países miembros. Y el Reino Unido no se adhiere hasta la década del 2000, en caso de hacerlo.

La política

El problema principal de Europa en el siglo XXI consistirá en que aún tendremos que aceptar las condiciones de "1989", con la caída de los regímenes comunistas en Europa oriental y, más recientemente, la antigua Unión Soviética. El colapso del comunismo ocasiona en Occidente la reconsideración de los acuerdos establecidos durante la gue-

* *N. de la T*. Benelux es el Tratado de Unión Económica entre Bélgica, los Países Bajos (Nederlanden, en holandés) y Luxemburgo.

16 Reproducido en *The Times*, marzo 15 de 1993.

rra fría. Quizás el ejemplo más importante sea la Organización del Tratado del Atlántico Norte (OTAN). Debemos reconsiderar la estructura de la Unión Europea,sin embargo, esto no está sucediendo. Aun cuando dejemos de lado los interrogantes militares que surgen del colapso de la segunda superpotencia del mundo, aún persisten cuatro aspectos económico-políticos.

Primero, todavía la democracia no es segura en ningún país de Europa oriental y en algunos (por ejemplo, Rumania) es especialmente *insegura*. En Europa occidental subestimamos la dificultad que tiene Europa oriental de establecer incluso partidos políticos democráticos. En particular, subestimamos el tamaño y la fortaleza de las relaciones informales y las establecidas a largo plazo que en Europa occidental hemos creado entre los individuos, los grupos y las organizaciones y que ahora mantienen la democracia. En Europa oriental, éstas rara vez existen.

Segundo, mientras en Europa oriental hay aún mucho entusiasmo en utilizar el mercado para promover cambios, ahora es evidente que éste no es la panacea, no funciona con facilidad o rapidez para transformar una economía planificada, aunque, a largo plazo, su contribución es esencial. Por ello, la economía de China parece tener más éxito que la de Europa oriental.

Como señaló Lech Walesa, "Transformar la economía comunista en economía capitalista es como sacar un pez del agua". Ampliar el mercado y aumentar el grado de privatización es esencial si Europa oriental cambia su decisión de alejarse de las estructuras centralizadas y planificadas, que son deficientes en extremo y pone la toma de esa decisión en manos de los gerentes locales de las empresas privadas.

No olvidemos que, aun antes de 1939, los países del oriente eran los menos desarrollados de Europa; eran los proveedores de alimentos y materias primas de los más desarrollados del occidente, en especial de Alemania. Allí hay mucha más herencia de atraso que en el comunismo.

Necesitamos con desesperación eliminar dicha herencia. En caso de que *haya* un colapso económico en Europa oriental –y no podamos controlarlo–, sería una verdadera amenaza para la Unión Europea. En particular, existe el peligro de una ola de migración procedente de los países de Europa oriental y Rusia, superior a la de África del norte, que ya es preocupante.

Tercero, si el colapso económico en el oriente se acompaña de colapso político, el peligro es aún mayor. Si los peligros en Rusia y la Comunidad de Estados Independientes son muy evidentes y en extremo alarmantes, los de cualquier lugar de Europa oriental son también preocupantes. Los efectos de los peligros potenciales no sólo son externos a la Unión Europea. Si ocurren, quizá cambien el equilibrio de la población y la política en la Unión Europea. Además, habría un rechazo a los extranjeros peor al que ya vimos en Alemania. Por cualquier cambio que se lleve a cabo, la Unión Europea tendrá que responder.

Por último, y aún más importante, cuanto más esté dividida Europa, su región oriental estará fuera del alcance y la responsabilidad de la Unión Europea. Europa oriental mira a la Unión Europea no sólo por ayuda para el desarrollo de sus empresas. Una Unión Europea que se vea a sí misma en algún sentido como "Europa" no puede despojarse de su región oriental.

He señalado la posibilidad de varios aspectos económicos de la Unión Europea a finales de la década de los años 90. Ahora considero que debemos hacer frente al prospecto de tres Europas diferentes: el núcleo de la Unión Europea, la Europa de mediano desarrollo dentro de la Unión y la Europa oriental, de poco desarrollo, fuera de la Unión. ¿Podremos continuar contemplando una Unión Europea que se proclame ser *la* institución europea donde una minoría sustancial de países aún no son miembros? Sean miembros o no, ¿podrán las dos primeras Europas proporcionar o no subsidios a la tercera Europa o incluso rehusarse a negociar con ella, como hicieron los pescadores de la Unión Europea al rechazar el pescado procedente de Rusia?

Enfrentados con el panorama del colapso parcial o total de Europa oriental –económico, político, militar o (aunque no se contemple) los tres a la vez–, la Unión Europea tiene que replantearse a sí misma. Debe mirar su estructura como un todo (*su razón de ser*), aun lo que significa ser miembro de la Unión Europea. El año "1989" cambió las reglas del juego europeo. Necesitamos empezar a debatir con seriedad lo que los cambios significan para esas reglas, incluso para el juego mismo. Tal vez el debate tendrá que comenzar mirando de nuevo el interrogante fundamental: ¿qué será Europa después de 1989?

■ Preguntas desafiantes

El enfoque general desarrollado en este capítulo es bastante optimista, aunque coincido con la tesis implícita de Paul Kennedy de que el siglo XXI será más difícil y deprimente que el final del siglo XX para los habitantes de los países desarrollados, en especial los de Europa occidental. Sin embargo, algunas de mis predicciones estarán equivocadas; por tanto, termino con preguntas sobre las cuales los lectores deben reflexionar para lograr sus propias conclusiones y hacer sus propias predicciones.

El interrogante más importante surge de la creencia de que para el año 2000 el mundo tripolar –Europa occidental, Norteamérica y Japón– contará con la mitad del producto interno bruto (PIB) del mundo pero sólo con la quinta parte de la población. ¿Tolerará el mundo esta política? Si no, la solución será el crecimiento económico más rápido de los países más pobres, donde ya China, con una población superior a 1.000 millones de habitantes, se espera que crezca con más rapidez. ¿Cuáles serán las implicaciones en cuanto al calentamiento global, la polución, etc.? La contribución de James Robertson en este libro contempla estos aspectos.

Otras preguntas importantes son las siguientes: ¿Qué pasará con el síndrome de inmunodeficiencia adquirida (sida)? ¿Desolará a los países en vía de desarrollo como se teme? De ser así, ¿disminuirá los problemas de población resaltados por Paul Kennedy o, especialmente en África, India y Asia suroriental, acentuará más la miseria humana sin una disminución significativa de la superpoblación?

Más aún, ¿alcanzará la "migración económica" niveles intolerables debido a la migración procedente de los países en vía de desarrollo y se complementará con una migración considerable procedente de Europa oriental y de la Comunidad de Estados Independientes? De ser así, ¿será política y moralmente aceptable mantener a los migrantes fuera de los principales países de Europa occidental? Si no, ¿estarán los países como el Reino Unido en capacidad de crear sociedades multirraciales tolerantes?

¿Serán los cambios tecnológicos tan rápidos y penetrantes como ahora se espera? De ser así, ¿aprenderá la humanidad a vivir con estos cambios y, de ser necesario, a ignorar algunos de ellos? ¿O probarán los cambios tecnológicos lo destructivo y amenazante para la vida de los individuos, los grupos y las sociedades? Y entonces, ¿qué?

¿Podrán las compañías establecidas en países como el Reino Unido competir con éxito el cambio rápido de los mercados globales? ¿Probarán los ingleses –e incluso otros europeos occidentales– con mejores ingresos competir con éxito con las empresas emergentes de Asia suroriental y con las de Europa oriental, pero no lo suficientemente hábiles para prosperar como las alemanas o las suizas? ¿Y cómo competirá el Reino Unido con esto?

¿Por qué, después de un siglo de educación obligatoria, formal e institucional, algunos países se preocupan por su efectividad? ¿Está errado el sistema educativo mismo? ¿Podremos cambiarlo en cierto tiempo, y cómo? Si no, ¿podrán la educación y la capacitación de Europa occidental, en general, y del Reino Unido, en particular, demostrar la capacidad de impartir el pensamiento y las habilidades necesarias para triunfar en un mundo de negocios de conocimientos? De no poder, ¿significa un aumento de la clase baja? Y entonces, ¿qué tensiones sociales surgirán?

¿Continuarán fragmentándose las sociedades desarrolladas de otras formas? ¿Habrá más padres y madres solteros? ¿Será el divorcio más comun aún? ¿Cuál será la repuesta de los niños y los adolescentes de continuar la fragmentación social? ¿Representará el límite el fenómeno de "ir en coche"? Si no, ¿qué vendrá después, y podremos tolerarlo? ¿Podrán las ciudades del interior –estén o no habitadas por una gran cantidad de inmigrantes– continuar sin éxito y abatidas? ¿Y se convertirán las áreas agrícolas de los países superpoblados, como el Reino Unido –Inglaterra, para ser más precisos–, en suburbios urbanos superpoblados por trabajadores del conocimiento de las telecomunicaciones, y las regiones agrícolas convertidas en parques agrícolas?

¿Cómo se desarrollará el desorden del nuevo mundo? ¿Se aclarará la herencia comunista y de la guerra fría de una manera relativamente pacífica en Europa oriental y la antigua Unión Soviética? ¿Serán los conflictos del mundo subdesarrollado más frecuentes y más graves? ¿En qué medida afectarán a los países desarrollados? ¿Se fortalecerá el fundamentalismo islámico y se convertirá en un fuerte movimiento político y religioso? ¿Con qué resultados? Si la proliferación nuclear es inevitable, ¿se mantendrá el tabú de la guerra nuclear? ¿Las Naciones Unidas –u otro gremio o grupo– se convertirá en pacificador o pacifista efectivo del mundo?

No pretendo saber las respuestas a estas preguntas. Sin embargo, estoy convencido de que son las que hay que hacer. Todo aquél que tenga serias pretensiones de planificar o de gerenciar en el siglo XXI debe considerarlas continuamente.

No necesitas
salir de tu habitación.
Permanece sentado a tu mesa
y escucha.
Incluso no escuches,
sólo espera.
Incluso no esperes,
cállate y permanece solo.
El mundo libremente
se te ofrecerá
para desenmascararlo,
no tiene opción,
se te arrodillará embelesado
a tus pies.

Franz Kafka

CAPÍTULO

Listos para el trabajo

La movilización del talento para manejar el nuevo mundo

Alistair Mant

> La selección de las directivas... está sujeta a veces a la capacidad de buen juicio de los aspirantes; no obstante, su opinión sobre esto es una cuestión de su propio juicio y si difieren o fallan para alcanzar el acuerdo por medio de la discusión, no hay razón para que sus juicios puedan ser calificados como *correctos* o incorrectos, incluso después del resultado. Al parecer, el juicio es una categoría final que sólo puede ser aprobada o condenada por el ejercicio posterior de la habilidad misma[1].
>
> SIR GEOFFREY VICKERS,
> *The Art of Judgement*

> Una clase de tono, que todas las cosas escuchen y teman;
> gentileza y paz y gozo y amor y éxtasis,
> maná exaltado, satisfacción de la excelencia,
> el cielo en el común y bien vestido hombre,
> la Vía Láctea, el ave del paraíso,
> las campanas de la iglesia se oyeron más allá de las estrellas,
> las almas se conmovieron,
> la tierra de las especies; *algo comprendieron*[2].
>
> GEORGE HERBERT,
> de *"Oración"*.

La intención de este aporte es destacar el talento y la capacidad humanas. Acierto al creer que este asunto ocupará nuestra atención durante la década de 1990 relativamente más que en el pasado. Más aún, creo que esto *debe* ocupar nuestra atención a pesar de lo difícil o (muy) confuso que el asunto pueda ser. Podemos poner atención a muchas cosas; espero que el asunto de la capacidad pueda impulsar, de paso, ciertos

1 Vickers, Geoffrey, *The Art of Judgement*, University Paperbacks, Methuen, 1968.

2 Herbert, George, "Prayer", en Helen Gardner (ed.), *The New Oxford Book of English Verse 1250-1950*, Oxford, Oxford University Press, 1972, pp. 225-256.

aspectos de peso, como las "normas morales", que en realidad dependen de su importancia en la extendida existencia de la incompetencia.

La razón para centrarnos en este asunto tiene que ser obvia: parece que no estamos enfrentando bien los problemas que nos agobian. Esto requiere la pregunta de si es *factible* que podamos expresar alguna mejor. El libro del profesor Paul Kennedy, *Preparándonos para el siglo XXI*[3], sugiere que quizá sea irreal imaginar que podamos enfrentar, de manera oportuna, los problemas económicos, políticos y sociales que acosan en todo el mundo. Soy lo suficientemente optimista para pensar que tal vez podamos hacerlo en todo un país, así como en empresas de cualquier tamaño; esto ayuda a tener personal calificado en funciones clave. No lo lograremos a menos que (y hasta que) prestemos mayor atención a la capacidad de la naturaleza humana y a los significados de su transformación en sistemas sociales. En un mundo frustrante y peligroso, todo lo que tenemos que ofrecer es nuestra ingenuidad.

■ Consejo práctico número 1 (universal)

Este es un aspecto difícil, en parte porque es complicado y también porque es una causa segura de malestar. Cualquier argumento acerca de las características de las personas "excelentes" sabrá a universalismo. En el mundo "posmoderno" es un anatema. Temo que no haya manera de resolver este problema, como Sir Geoffrey Vickers reconoce (*véase* página 23). Sólo tenemos 70 y tantos años para acumular sabiduría, y las personas más sabias (algunas como Sir Geoffrey, quien comenzó muy temprano a acumularla juiciosamente con el paso del tiempo) están seguras de tener dificultades para comunicar todas sus percepciones a otros. Quizás algunos de esos otros *estén* en capacidad de entender, pero *aún no*.

Simpatizo con la visión "posmoderna" de que el mundo es un objeto demasiado complejo para reducirlo a cualquier fórmula mágica. Además, se puede ver que muchos aspectos del pensamiento posmodernista presentan una vía maravillosa para que los intelectuales de segunda categoría reduzcan el mundo a un tamaño y una complejidad que ellos puedan enfrentar. A medida que la educación superior se difunde, produce cada vez más personas con estudios académicos que se oponen a la idea de que su confusión es producto de sus propias limitaciones intelectuales, así como de la complejidad inherente a su entorno. Inevitablemente, muchas personas han ascendido a altos cargos junto con sus cohortes.

En lo que sigue he recurrido a la idea útil y sencilla del "registro de huella". No puedo demostrar que una persona tenga poderes sobresalientes de juicio pero puedo señalar las evidencias disponibles de que, después de muchos años, haya cometido muchos más errores absurdos que otras personas de igual categoría. Infiero de ello que dicha persona tal vez haga algo correcto y quizá continúe haciéndolo así, incluso cuando cambien las circunstancias. Es demasiado para el universalismo. También puede darse el caso de que la persona esté en lo correcto casi siempre en su juicio de

[3] Kennedy, Paul, *Preparing for the Twenty-First Century*, Londres, HarperCollins, 1993.

carácter y talento. Cómo lo logran es un misterio, pero obviamente no es sabio ignorar esta útil habilidad.

Incluyo un fragmento de George Herbert (del poema "Oración") para agregar el insulto de la revelación o la fe con respecto a la ofensa del "juicio", y no es un elemento teológico pero me acojo a la visión de que los mejores poetas son poseedores de la más alta intelectualidad porque ellos captan las ideas más complejas en un lenguaje cuidadosamente "posicionado". Lo que me interesa de ellos es su capacidad intelectual, es decir, su capacidad de hacer conexiones y moverse con agilidad entre los niveles de abstracción. El tema de Herbert era la naturaleza misteriosa de la *comprensión*, nuestra necesidad prioritaria, para comprender lo que nos sucede.

El lector deberá advertir que el aporte de esta colaboración se relaciona con lo que tenga que ver con asuntos universales. Sin embargo, esto no significa que yo intente concordar con algunas "soluciones". Me esmeraré en señalar lo que tomo como elementos clave de talento que nos conciernen en la década de 1990.

■ Consejo práctico número 2 (antiigualitarismo)

Vivimos en un mundo extraordinariamente confiado que profesa la creencia de la igualdad y la "democracia" (al menos de nuestra parte). La suposición de que algunas personas han nacido con un potencial muy alto genera muchos problemas. Esto tiene sabor a arrogancia platónica. Las propuestas posteriores para los niños que cuenten con la suerte suficiente de ser estimulados de modo que aceleren su desarrollo intelectual, serán muy difíciles de examinar y más adelante causarán malestar.

La idea de que el talento es parcial o totalmente innato o se adquiere durante los primeros años de vida es una "papa caliente" para la política y choca con otra verdad, es decir, que la mayor parte de la capacidad humana simplemente se desperdicia y si encontráramos una manera de explotar la capacidad máxima de cada persona, tendríamos talento de sobra, por así decirlo. Es más, muchos de los problemas importantes se podrían resolver. Claro como el aire, creo que *ambas* posiciones son ciertas:

- Casi todos estamos a medio realizar, como resultado del subdesarrollo.
- La máxima capacidad humana más alta es relativamente rara, dondequiera que el desarrollo pueda darse.

Si este es el caso, necesitamos responder de dos modos diferentes:

- Tomar la educación con seriedad invirtiendo recursos y talento en la maximización de un rango más amplio de las habilidades combinadas que poseen *todos* los niños.
- Abordar el desarrollo de los recursos humanos (adultos) existentes de una manera pragmática, pero sistemática, reconociendo que hay formas de identificar las "mejores" y las "peores" personas y descartar a estas últimas. La manera como podría desarrollarse este enfoque la trataremos más adelante.

Una vez más, el lector está advertido; el argumento aquí puede ofender las sensibilidades igualitaristas. Como he observado, es también el caso en que los "mejores" son con frecuencia sus peores enemigos. Me refiero a su selección más adelante. Generalmente son impacientes, lo que hace que *parezcan* arrogantes, aunque en el fondo rara vez son humildes. Ello confundiría porque las personas más estúpidas *son* casi siempre arrogantes. Wilfred Bion señaló este vínculo entre estupidez y arrogancia en su célebre artículo[4].

■ Muy pocas personas conocidas de mucha capacidad

Al igual que muchos otros escritores sobre el tema de la capacidad, me disgusta destacar la personalidad y los rasgos individuales, y sugiero que el "liderazgo" y el "carisma" son esencialmente proyecciones psicológicas de las personas agradecidas (en especial los subordinados) por un poco de *competencia* en altos cargos. La mayoría de nosotros está conmovedoramente agradecido con cualquier cosa que funcione bien y se inclina a atribuir propiedades especiales a quienes son responsables de ello, *después* del evento. Al momento y en el lugar de escribir (Reino Unido, 1993), aunque haya la denominación usual de "liderazgo" para el primer ministro, sospecho que las personas más sensibles sólo desean una mayor medida de competencia de parte de los ministros y de sus asesores de confianza. Visto de esta manera, el "liderazgo" es, por tanto, sólo una entrega de cualquier persona que ocupe un cargo ejecutivo o gerencial. No es del todo distinto de la "administración", como muchos autores han afirmado, pero sí en parte.

Pero es irreal, incluso si lo deseáramos, considerar la capacidad en términos completamente técnicos. Por tanto, propongo describir los logros de pocas personas que demuestran las ventajas de la alta capacidad y las dificultades que puede acarrearles a las implicadas. He escogido a estas personas porque me parece que tienen la capacidad clave (¿de qué?, más adelante) en gran medida. Es importante que en la juventud todos fuimos desarrolladores precoces, lo que apoya mi aseveración de que necesitamos ampliar la precocidad natural si queremos ganar sabiduría. Aquí el consejo práctico debe ser que la consideración de estas personas *particulares* puede desviar la atención del tema general; yo las admiro, pero ellas no son universalmente admiradas.

John Kenneth Galbraith[5] . . . .

A este lado del Atlántico, Galbraith es considerado como un académico viejo y benévolo con política de avanzada. En los Estados Unidos él se sorprende de la cantidad de personas eminentes que lo detestan. Por supuesto, un aire de superioridad

4 Bion, Wilfred, "*Attacks on Linking*", en una subsección titulada "*Curiosity, Stupidity and Arrogance*", International Journal of Psychoanalysis, vol. 40, 1958.

5 John K. Galbraith es autor de muchos libros mordaces sobre negocios, de los cuales quizá el más conocido es *The Affluent Society*, 4a. ed., André Deutsch, su libro más reciente es *The Culture of Contentment*, Londres, Sinclair-Stevenson, 1992.

de patricio y un gusto por la prosa barroca no son las mejores credenciales de popularidad en un país populista. El problema real de Galbraith radica en que casi siempre ha tenido *razón* durante su vida pública. Él previó los peligros del capitalismo moderno, como también las debilidades esenciales del comunismo. Comprendió que el capitalismo y el comunismo tomaron muchas formas y que las generalizaciones acerca de ambos eran muy insignificantes. También previó que el estilo del capitalismo en los Estados Unidos tiene una limitada vida de anaquel conforme el carácter del mundo cambie, y que la economía del antiguo bloque soviético tenía una utilidad limitada.

Más importante aún, ha visto de manera profunda el futuro de la "democracia". Aquí sus intuiciones son sobrecogedoramente simples, así como agudas. Él ve con claridad cuán difícil es para las verdaderas democracias iniciar guerras (y cuán importantes son) y cuán improbable es para las democracias prosperar en condiciones de pobreza muy extendida. Así pues, la pobreza mundial sumerge los ímpetus democráticos y provoca conflictos. (Willy Brandt, canciller de Alemania Federal, 1969-1974, fue otro de los grandes intelectuales de Occidente. Él entendió esto e hizo más que cualquiera otra persona para crear el marco institucional a largo plazo y tratar las condiciones del Tercer Mundo[6], tarea que lo sobrevivió muchas décadas.) Además, Galbraith ha visto el cáncer de las democracias modernas, las simplicidades de ganar-perder de sus partidos políticos, la poca visión y el egoísmo de las denominadas mayorías satisfechas. Por tanto, no es sorprendente que él esté preocupado por la capacidad de la educación en elevar a corto plazo el nivel de vida del pueblo y afrontar la participación activa en el proceso democrático.

Galbraith está lejos de la principal influencia intelectual de los Estados Unidos. De hecho, Galbraith, Noam Chomsky[7] y Gore Vidal[8] parecen extraños y no son tal vez una terna de influencia, conformada sobre la comprensión de las debilidades de los Estados Unidos y con la audacia de exponerlas. Lo interesante de estos tres hombres es la manera como han perseverado con el paso del tiempo en la resuelta búsqueda de las metas democráticas y liberales. Es difícil pensar en una representación equivalente en el Reino Unido, similarmente arraigada en las funciones académicas y artísticas convencionales pero también dedicada con desinterés al servicio público. Las características que definen a los tres son la previsión, el amor a la justicia y el ideal democrático, la perseverancia, la extensa impopularidad (con frecuencia las personas perciben que atacan lo que ellas más quieren: su país) y el perdurable talento práctico de *posicionarse* (permanecer en la vida pública). Más importante aún, cada uno ha tenido un impacto identificable en sucesos, en particular Chomsky, en Vietnam, y Galbraith, en las elecciones en los Estados Unidos en 1992, porque han estado presentes *justamente* en asuntos importantes. Para un novelista "destacado", los ensayos de Vidal sobre el estado de la nación son devastadores y, en el caso de los

6 Willy Brandt fue director de la Comisión Brandt, que en 1980 produjo el informe *North-South: A programme for survival*.

7 Su libro más reciente sobre los Estados Unidos y las relaciones con el mundo es *Year 501*, Londres, Verso, 1993.

8 Vidal, Gore, *A View from the Diners Club*, Reino Unido, Abacus, 1991.

disturbios en Los Ángeles, California, verdaderamente proféticos. Los tres, por tanto, tienen el "record de la huella".

Wynne Godley[9]

A la hora de escribir, el profesor Godley corría el peligro de ser tan famoso como Sir John Harvey-Jones. Al igual que los tres estadounidenses, Godley es un erudito. Estudió con Nadia Boulanger en París, así como otros grandes músicos profesionales, y ascendió a oboe principal de la Orquesta Sinfónica de Gales, de la British Broadcasting Corporation, de Londres, cargo que ha desempeñado durante sus últimos veinte años. Cuando el estado crónico de sobresalto le puso fin a su carrera musical, se dedicó al comercio y a la economía industrial, al servicio civil y finalmente a la academia como profesor en Cambridge. Como miembro de tiempo completo del comportamiento de las clases británicas, adoptó el mismo aire de superioridad de patricio que tanto enfurece a los enemigos de Galbraith en los Estados Unidos. En 1993, después de muchos años de estar lejos de la atención pública, Wynne Godley se unió a la reserva intelectual de los "Siete Sabios", rápidamente conformada por el gobierno del Reino Unido (después del "Miércoles Negro").

¿Por qué escoger a Godley para la elaboración de un aporte acerca de la capacidad? La respuesta es directa: él y su excelente equipo *acertaron*, a pesar de los demás, sobre los desarrollos económicos británicos por más de una década. El grupo de Cambridge entendió evidentemente las interrelaciones entre los fenómenos económicos británicos, incluidos los psicológicos. Mientras otros economistas se persuadieron mutuamente de que esta o esa panacea pudiera funcionar, el profesor Godley revolvió y examinó con pesimismo las verdades subyacentes y "representó" Casandra. Como los sobresalientes estadounidenses, su intelectualidad no le permitió nunca abstraerse de la verdad deprimente. Durante este periodo se rodeó de intelectuales mediocres, que fracasaron todo el tiempo.

Algo bastante extraordinario sucedió al equipo de Godley en Cambridge a principios de la década de los años 80. Uno de los principales organismos de investigación fundado por el gobierno le retiró todo el apoyo al equipo de ajuste económico, bajo el pretexto de que sus métodos parecían ser demasiado "intuitivos". No pudo romper el hielo el hecho de que el grupo de Cambridge *acertara* de modo invariable. Además, la decisión se tomó sin visitar el sitio, característica propia del trabajo de ajuste económico, imposible de juzgar sin una observación de primera mano del modo como es realizado.

Podemos inferir que los mejores intelectuales nunca están aislados de los hechos. Con frecuencia suben y bajan la escalera abstracta en su búsqueda del conocimiento. El gran filósofo británico Robin Collingwood lo ubicó bellamente en su autobiografía[10]:

9 Godley, Wynne, "*The Godley Papers*", una colección de trabajos publicados entre septiembre de 1988 y abril de 1992 en The New Statesman, Londres.

10 Collingwood, R. G., *An Autobiography*, Oxford, Oxford University Press, 1993.

Nunca he encontrado fácil aprender algo de los libros ni tomar en cuenta los periódicos. Cuando leo los artículos de mis amigos sobre sus profundizaciones de las páginas interiores de *The Times*, o un manual hermosamente ilustrado que me dice cómo ocuparme de cierta clase de motor, mi cerebro parece detenerse. Pero me da media hora de profundización, con un alumno que me enseña qué es qué, o me deja solo con el motor y la caja de herramientas y las cosas funcionan mejor.

Resolver problemas no es asunto de práctica *o* teoría, sino de ambas. Es importante reflexionar acerca del pensamiento del grupo de académicos que tomó la decisión de desmantelar los fondos del grupo de Godley. Además, ellos no estaban avergonzados por citar la "intuición" como el talón de Aquiles del grupo. La intuición es la palabra que empleamos cuando no podemos imaginar cómo se hace o se decide algo: la lógica bien puede estar en alguna parte pero es opaca. Sin duda, es significativo que tales decisiones se tomen en *grupo*; los temores individuales se estancan en lo que Irving Janis denomina "pensamiento de grupo"[11]. Una visita a Cambridge pudo ser una experiencia difícil para otros economistas académicos, separados física y emocionalmente de la materia prima de la economía: la pobreza.

No existe duda acerca de que si todo el trabajo de Wynne Godley hubiera sido tenido en cuenta durante los últimos quince años, las decisiones económicas gubernamentales habrían sido menos perjudiciales para el bienestar económico y espiritual de los británicos; las pérdidas aterradoras del "Miércoles Negro" pudieron evitarse. Durante la década de los años 80 las ideas económicas simplificadas, basadas de alguna manera en la escuela de Chicago, se aplicaron a circunstancias muy complejas, con consecuencias desastrosas evidentes. Esto sucedió porque quienes decidieron el momento no ahondaron lo suficiente en el manejo de la complejidad existente. Redujeron la tarea a adaptarse a la prueba de fuego intelectual necesaria para su desempeño, sin ninguna perspicacia (o intuición) de que ese era su cometido. La mejor prueba son las autobiografías que ahora se conocen de los protagonistas. Por lo general el periodo se caracteriza en términos ideológicos: de hecho, el aspecto más significativo fue la habilidad. Difícilmente pudo ser un caso más claro de desperdicio institucionalizado de gran talento.

John Harvey-Jones[12]

Durante el mismo periodo, Sir John Harvey-Jones[13], en su administración como presidente del ICI (y después de ella), advirtió los peligros de una política industrial y comercial que ignorara el sector manufacturero. Sir John *adora* las fábricas pero fue, mucho más importante su intuición de que las grandes sumas simplemente no fueron la solución. Difícilmente alguien en el gobierno le prestara atención porque la ortodoxia del momento consistía en que el Reino Unido podía tener beneficios suficientes como proveedor de servicios. No ayudó al asunto el que Sir John, junto

[11] Janis, Irving, *Groupthink: psychological studies of policy discussions and fiascos*, 2a. ed., Boston, Houghton Mifflin, 1982.

[12] Harvey-Jones, John, *Getting in Together*, Londres, Heinemann, 1991.

[13] Harvey-Jones, John, *Making it Happen*, Londres, Fontana, 1989.

con un pequeño grupo de líderes industriales británicos, no fuera conservador. Su contemporáneo Sir Peter Parker[14] comparte esta excentricidad, tal vez porque ambos pasaron parte de su infancia en el Lejano Oriente rodeados de pobreza. Ambos fueron capaces, y aún lo son, de asociar grandes economías con sus materias primas: las personas. Al mismo tiempo, pudieron ver con facilidad que la ausencia total de una industria nacional jerarquizada o de una política enérgica conduciría, llegado el día, a grandes ineficiencias. Así, esto se volvió al revés. El asunto fue sólo parcialmente ideológico. Ambos estuvieron, y aún lo están, intensamente comprometidos con la necesidad de presionar por reformas constitucionales en el Reino Unido y preocupados por la continua concentración de poder desmedido en manos de grupos de hombres poderosos (principalmente los hombres de negocios de las grandes compañías y los de Whitehall).

La característica más usual de los líderes industriales que están en los cargos más altos de empresas mundiales consiste en que suelen pensar en términos de veinte a cincuenta años. El modelo británico de participación generalmente está preparado para enfrentar el corto plazo, pero ninguna empresa grande puede prosperar a largo plazo sin tomar extraordinarias decisiones con base en grandes estimaciones. El tiempo límite de los políticos está acortándose en lugar de alargarse. La disparidad es sorprendente. Donde los hombres de negocios logran comprometerse, los resultados son alentadores (por ejemplo, en esquemas nacionales para la capacitación vocacional). Pero la mayoría de los ejecutivos con más proyección, como John Harvey-Jones y Peter Parker, tienden a ser excluidos de las contiendas políticas. Sir John causó un impacto notable mediante sus series de televisión acerca de empresas pequeñas pero su potencial más alto de utilidad fue en el escenario nacional en la década de los años 80 cuando nadie escuchaba.

Esta es una mezcla de excéntricos eminentes: Galbraith, Chomsky y Vidal, en los Estados Unidos, Brandt, en Europa continental, y Godley, Parker y Harvey-Jones, en el Reino Unido. Los alemanes tuvieron la gran fortuna de tener dos cancilleres destacados y sucesivos (Willy Brandt y Helmuth Schmidt) (¿o fue buena administración?). Por lo general, los líderes británicos han sido menos capaces. En la Gran Bretaña el desperdicio de toda la capacidad disponible ha sido escandaloso pero generalmente no se ha visto en estos términos (el propósito de este aporte es llamar la atención sobre esto). Hay un consenso creciente en que la década de los años 80 fue de mala administración en el Reino Unido pero todavía no hay acuerdo en que fue el resultado directo de la reubicación de los empleos del "nivel 4" al "nivel 7". Más adelante explicaré la jerga sobre los "niveles". El punto radica en que necesitamos tener en cuenta la capacidad humana en nuestros problemas, además de otros factores relevantes.

Ahora estará claro para el lector que la capacidad de proceso mental no se puede dar sin el aspecto que he denominado "intuitivo"; el cual debería tener importancia en los años venideros. No se trata de pasar por erudito, sino de restar importancia a las evaluaciones inútiles realizadas por los educadores. Para un operador experimen-

14 Parker, Peter, *For Starters: the Business of Life*, Londres, Cape, 1989.

tado que "siente" que algo está seria y peligrosamente mal en un complejo proceso técnico, un material procesado más complejo sería mejor que el servicio civil mandarín, que muestra su brillantez en un memorando perfectamente hecho a mano o en una frase despectiva elaborada con perfección. Eso no significa que sugiero que la capacidad de proceso mental lo es *todo*, pero fue la deficiencia más perjudicial en el pasado. Quizá la mejor manera de evaluar este asunto sea considerar la capacidad intelectual como la clave *cualificadora* para los altos cargos, estipular que una importante formación de potenciales *descalificadores* esté ausente. Estos descalificadores pueden resumirse con brevedad en orden ascendente de falta de tacto.

■ Carencia de conocimiento

Una sorprendente cantidad de personas recientemente citadas fracasaron en los altos cargos porque carecían de cierta información importante y, por una u otra razón, no eran capaces de sostenerse en ellos por algún *tiempo* para impedir su fracaso personal.

■ Habilidades inadecuadas

Otras personas fracasaron porque sus habilidades resultaron inadecuadas para el cargo al que aspiraban. Eran muy buenas para otra cosa, pero combinaban una información insuficiente y una torpeza general. Por supuesto, las habilidades pueden aprenderse, pero cualquiera que haya visto las clases de *ballet* para niños sabrá que Dios les dio la gracia y la agilidad, como cualquier otra clase de habilidad, sobre una base injusta. A medida que la Gran Bretaña se empobrece, el predominio de ex contadores en altos cargos aumenta. Por lo general, los contadores son buenos en circunstancias normales, pero son las últimas personas en este mundo que se querría tener detectando las *ir*regularidades más creativas de la Robert Maxwells. Las habilidades naturales no son tan importantes en altos cargos como lo son en la industria manufacturera o en el fútbol, pero aun así descalifican.

A medida que nos dirigimos al problema general de cómo vincular personas de gran capacidad a altos cargos, hay que recalcar la manera singular en que los modelos de selección ocupacional pueden afectar la eficacia ejecutiva. Las habilidades en la tarea principal pueden, en efecto, oponerse a las habilidades en los empleos superiores, después de la promoción, en particular cuando las circunstancias cambian. Los pilotos de las aerolíneas ejemplifican este problema. Ellos tienen una vocación abrumadora para su trabajo y son casi perfectos en su desempeño cuando las cosas son normales. Infortunadamente, la mayoría es lo *opuesto* a lo que desearíamos encontrar en la cabina de mando cuando los datos son ambiguos, cuando hay la necesidad de explorar (o intuir) nuevas posibilidades y cuando es imperioso escuchar la opinión de los demás. Un problema similar ocurre en los altos cargos y en la política: dominar el camino por medio de la maquinaria de un partido político no es necesariamente la mejor preparación para gobernar.

■ Ausencia de motivación

La "motivación" es un concepto en desuso, quizá desde que se comenzó a utilizar como verbo transitivo y no como nombre. Sin embargo, no existe duda que si se quiere llevar a cabo un liderazgo efectivo, la motivación permite vincular la institución con su entorno. Es un salto total para la motivación conseguir que el cargo de gerente de ventas logre influir o mejorar el ambiente externo –lo que George Bush denominó "el asunto de la visión", que concierne a los *valores* personales y que es mucho más complicado–. Una vez más, sorprende la frecuencia con que fracasan las personas de la cúpula porque en realidad su corazón no está en la base. Ellos quisieron avanzar pero nunca comprendieron un poco para qué estaban *allí*.

Estos tres descalificadores –la ignorancia, la carencia de habilidades adecuadas y la desmotivación– ocurren con una frecuencia sorprendente en los fracasos ejecutivos. Pero ninguno de ellos es insoluble, ya que se puede buscar el conocimiento, replantear las habilidades y "motivar" inclusive al personal más antiguo. Algo por el estilo se ha logrado, con cierta rapidez, en Europa oriental y la antigua Unión Soviética con los administradores con educación y motivación deficientes. Hay que buscar los descalificadores reales dondequiera que estén, que conducen a los errores más grandes y costosos. Éstas son, más o menos, las fallas *innatas* que pueden ser previstas por los asesores expertos en la carrera de cualquier individuo. Las personas ambiciosas con estas fallas *nunca* deberían ser promovidas, sin importar lo ingeniosas o insistentes que sean. Cuando estas personas se promueven, abandonan *invariablemente* el rumbo intelectual y moral al comenzar a desarrollar las responsabilidades de los altos cargos, por lo general con resultados catastróficos. Cuando esto sucede, quienes hicieron los nombramientos sucesivos quedan estupefactos pero no quienes han trabajado con ellas o dependen de ellas. Cuando estas historias de fracaso surgen (por ejemplo, en la prensa) se hace *obvio* que, en primer lugar, esa persona nunca estuvo *lista para el trabajo*.

■ Peculiaridades psicológicas

El primero de estos fracasos profundamente arraigados es la clase de peculiaridad psicológica sin resolver, por lo general causada por la deficiente relación con los padres. Tal vez estas personas sufran fantasías persecutoras hasta la adultez, busquen aprobación, estén propensas a sentimientos patológicos de impotencia (ocasionándoles el aumento del poder psicológico), y así sucesivamente. Por lo general, estas personas tienen problemas de autoridad, por su ejercicio o su rechazo. No estarán en capacidad de distinguir la *autoridad* (que es una función de propósito institucional) del poder (que es una función del comportamiento humano). Personas como éstas se caracterizan con frecuencia por altos niveles (inclusive maniáticos) de actividad. En una organización burocrática poco compleja tratan de *caer bien* a los demás, en parte por su energía y su ambición o porque su personalidad es esencialmente seductora; también tratan de caer bien a los más antiguos de su misma clase que todavía no se han percatado de su comportamiento.

Hay una cualidad importante respecto de estas personas que no han resuelto sus peculiaridades psicológicas. Es axiomático que una organización sana, como propósito, no tiene cabida para personal antiguo y caprichoso. Sin embargo, hay una cantidad significativa de grandes corporaciones (y algunos departamentos de gobierno) cuya existencia depende de indefinibles actividades. Las grandes empresas tabacaleras, por ejemplo, caen en esta categoría. A mi modo de ver, su administrador más antiguo está obligado a ser bueno o malo. Si es malo, el mercado para los cigarrillos (o, con más precisión, el mercado de los compradores fallecidos) deberá explotarse con cinismo. Si es así, todos necesitan creer que la tarea principal de la empresa es otra diferente de la real, de esta manera la locura miente, pero es una clase de locura coherente e internamente consistente. En tales organizaciones, los ejecutivos *sin* un conocimiento psicopatológico sólido pueden encontrarse en dificultades.

Es importante reconocer que las peculiaridades psicológicas actúan en cierta medida, independientemente de la cualidad más importante: la prueba de fuego intelectual. Los biógrafos de Saddam Hussein descubrieron que una niñez violenta le dejó daños severos, como a la mayoría de los tiranos del mundo. Nadie cuestiona su inteligencia en el manejo político. Como la mayoría de los líderes políticos benignos, estas personas simplemente reducen la tarea del liderazgo a corresponder con un solo e insano propósito personal.

■ Prueba de fuego intelectual inadecuada

El otro fracaso muy arraigado es el *intelectual*. Para decirlo con exactitud, la principal razón de los errores y el fracaso es la incapacidad del personal clave para resolver con éxito los problemas, individual y colectivamente. En general, esta capacidad está relacionada con un pensamiento "estratégico". La mayor parte de los sistemas de desarrollo de carrera triunfan medianamente al excluir de los altos cargos a los caprichosos, desmotivados, inhabilitados y desinformados. Y fracasan, con una frecuencia asombrosa, al promover a esos raros individuos con gran capacidad intelectual a posiciones influyentes. Esta capacidad no es todo lo necesario, pero su ausencia condena a la organización al fracaso, bien sea que los líderes se hundan o no con el barco. Dicho así, el asunto parece simplificado u obvio. Mi argumento radica en que este fracaso por lo general no es considerado en este sentido y, si lo fuera, la incidencia catastrófica de los errores disminuiría enormemente.

Supongamos por el momento que esto es correcto. Entonces el asunto podría presentarse: ¿habrá una manera práctica y confiable de identificar y predecir no sólo esta capacidad central, sino la ausencia de cualquiera de los descalificadores antes enunciados? Yo diría que hay *suficientes* maneras de identificar, educar y explotar a las personas con estas grandes capacidades. Así como la identificación, la mejor manera, la más sencilla y la más económica (recordando a Sir Geoffrey Vickers) consiste en confiar la selección a otras personas igualmente extrañas que nunca se equivocan en sus juicios con respecto a los demás. El joven John Harvey-Jones (de 32 años), sin las credenciales académicas usuales, y a pesar de sus excentricidades, incursionó en el ICI amparado por la credibilidad de una de estas personas con buen juicio. No es necesario saber cómo lo hicieron; cuando se realiza una predicción con base en los antecedentes exitosos de alguien, simplemente se hacen emerger, respaldados –si se quiere– por todos los psicómetros del mundo.

Para muchas organizaciones, las más de las veces, esta no es una propuesta práctica. Se necesita un *método* que tenga en cuenta ciertas dificultades.

1. *¿Cuál es esta habilidad crucial?* Esto es muy problemático porque pocas personas están de acuerdo con lo que es la inteligencia, incluso cuando la definición está limitada a la "inteligencia práctica". El teórico estadounidense Howard Gardner[15], respaldado por muchas investigaciones, aduce que existen más o menos *siete* clases de "inteligencia". La habilidad interpersonal es una de ellas, como lo es la habilidad para bailar con gracia (porque la gracia se "localiza" en los ciclos de retroalimentación neural y no en los miembros). El científico social británico Elliott Jaques escribió persuasivamente sobre el "lapso" como el bloque constructivo esencial de la capacidad ejecutiva y profesional (de la cual el poder cerebral es el componente principal)[16, 17]. Su sugerencia consiste en que esta capacidad para asumir una carga de responsabilidad compleja, sin una guía o supervisión externas y de alguna manera ser responsable de los resultados en el futuro, es la señal de verdadero valor para las instituciones y puede identificarse con facilidad en los jóvenes.
2. *¿Podemos tolerarlo?* Hay algunos datos bastante interesantes que comienzan a emerger de los centros académicos y sugiere que los niños más fastidiosos son, por definición, "los más inteligentes". Las nuevas investigaciones de la doctora Sheila Rossan[18] sugieren que una minoría de niños posee una "inteligencia interpersonal" precoz (una de las categorías determinadas por el profesor Gardner), casi al mismo nivel de un adulto de segunda línea administrativa en la industria manufacturera. Es probable que ellos estén "atrasados" en otra de sus inteligencias, como la "lógica matemática", inteligencia necesaria para aprobar un examen o impresionar a los profesores. Con frecuencia niños como éstos son tan sólo traviesos (porque se aburren) pero se vuelven delincuentes, grave e ingeniosamente, en la adolescencia. La doctora Rossan aduce que los jóvenes que poseen este don *necesitan* manejar algo. Si el colegio no puede o no le proporciona esto, con seguridad estos niños pueden manejar con brillantez la subversión de todo el colegio. O, tal vez, lleven sus habilidades al mundo exterior, quizás a la delincuencia y muy ocasionalmente a empresas semilegales.

   Esta minoría difícil tiene una contraparte en los sistemas de carrera de los adultos. Algunos de los empleados jóvenes más brillantes son de poca utilidad real, hasta los veinte años o después, para las empresas empleadoras cuando su don innato comienza a reforzarse con la experiencia. Hasta entonces, puede percibírseles como insubordinados o arrogantes por los administradores más antiguos y por sus pares, a menos que un "planificador de carrera" o un patrón/mentor esté atento a sus progresos. Si ya ellos hacen parte de un esquema de "huella rápida", está

15 Gardner, Howard, *Frames of Mind*, 2a. ed., Londres, Fontana, 1993.
16 Jaques, Elliott, *Requisite Organization*, Arlington, Va, Cason Hall & Co., 1989.
17 Jaques, Elliott y S. D. Clement, *Executive Leadership*, Oxford, Blackwell, 1991.
18 Rossan, Sheila, *The Expression of Capability in Young People*, Arlington, Va, Cason Hall & Co., 1992.

bien, pero las personas con esta gran capacidad en bajos cargos (posibles víctimas de previas circunstancias familiares o escolares) quizá no la pasen muy bien. Desentrañar esta clase de gran talento en los bajos cargos (si no se atrofia) es una de las principales tareas de un "esquema de desarrollo en equipo" eficaz. Hay una esperanza de fondo de que las formas de organización nuevas y libres superen el problema de luces escondidas "debajo de los bultos". Esto es dudoso, porque la naturaleza humana permanece envidiosa y competitiva, incluso en el sistema más abierto y transparente. Por supuesto, las personas con un potencial sobresaliente necesitan, en esta etapa de su carrera y más adelante, estar libres de cualquiera de los descalificadores antes mencionados, en especial las peculiaridades psicológicas.

3. *¿Cómo identificarlo?* Una cantidad creciente de organizaciones está centrando su atención en la temprana identificación de esta capacidad de pensamiento "estratégico". La tendencia parece privilegiar la combinación del análisis biográfico exhaustivo (observar los registros de huella con la misma minuciosidad que utilizan los japoneses) y los ejercicios diseñados en torno a la contribución del método o enfoque para tareas complejas, en vez de los resultados. No se trata de lo que se hace, *sino cómo se hace*. Estos métodos formales tienen sentido en la selección inmediata de personal, en los escalafones o carreras profesionales y sus planes sucesivos, pero aun así ellos necesitan que los administren personas sagaces y experimentadas, las cuales a su vez deben escogerse con sagacidad. La "apreciación de la trayectoria de carrera", un análisis de apoyo del significado del registro de huella hasta la actualidad (descalificadores y todo), combinado con pruebas de la capacidad del pensamiento estratégico, es el método desarrollado por el profesor Jaques y sus colegas desde hace más de veinte años. Existe ahora un cuerpo de evidencia de la investigación longitudinal que sugiere que los métodos formales de esta clase predicen con gran precisión el éxito de la carrera a largo plazo (más allá del punto de agotamiento intelectual). En realidad, es un problema que estos métodos no se utilicen ampliamente (*véase* más adelante *el numeral* 5).
4. *¿Podemos acomodarnos a él?* Incluso si podemos identificar la capacidad crucial del proceso mental, aún necesitamos "ubicar" a todas las personas, cualesquiera sean sus capacidades, en funciones laborales que las fuercen sin subyugarlas. El gran interrogante de la estructura organizacional sobrepasa este pequeño aporte pero es claro que se necesita alguna clase de teoría organizacional para representar los diferentes pesos de *responsabilidad* que han de combinarse con diferentes grados de capacidad humana. Hay un atractivo rumor de que podemos escapar de algún modo a las jerarquías burocráticas "delegando" o conformando un "equipo de trabajo". Lo dudo. Las organizaciones, incluso las más formales, dependen de la responsabilidad o, si se prefiere, de la confianza y del resultado. Por lo general, podemos hacerlo con pocos niveles de jerarquía en las grandes organizaciones pero tiene que haber un incremento continuo (ininterrumpido) en el peso de la responsabilidad a medida que se acerque al punto estratégico de cualquier organización. El profesor Jaques sugiere que no debe haber más de siete de estos niveles reales de complejidad desde la base hasta la cúspide de la organización más grande, y que los ejercicios de delegar pueden relacionarse precisamente con

dichos niveles. Él argumenta que, con el paso del tiempo, hay una ligera aproximación entre estos aspectos estructurales de la organización (inclusive la más pobre) y los incrementos de la capacidad humana. Un joven del "nivel 4" puede ascender al "nivel 7" hacia el fin de su carrera, pero si se le ubica *ahora* en el nivel 7 reduce su tarea de manera imperceptible (e inconsciente) y la acomoda a sus capacidades normales. La terminología es contenciosa pero ofrece la posibilidad de mayor precisión que una afirmación escueta como: "John Major simplemente no estaba listo para el trabajo". Además, si en verdad se quiere motivar al personal, debe pagársele lo más valioso en ellos con más dinero (en relación con el resultado de la tarea principal) y hacerlo de manera manifiestamente *justa*. La mayor parte de las organizaciones con las que estoy relacionado no están diseñadas en torno a estos fundamentos "sociotécnicos" de equidad o aprovechamiento del talento humano. Algunas están reduciendo costos, despojándose de niveles cruciales de responsabilidad y experiencia y prescindiendo de algunas de las mejores (pero a veces difíciles) personas. En el esfuerzo de competir a corto plazo, estas organizaciones destruyen su capacidad de competir a largo plazo.

5. *¿Podemos prescindir de los funcionarios fanfarrones?* Sería necio subestimar la amenaza que estos enfoques metódicos en relación con el talento y la recompensa representan para infringir los sistemas de poder, casi exclusivos del género masculino. El antropólogo social canadiense Lionel Tiger escribió hace algunos años el libro *Los hombres en grupos*[19], que, en mi opinión, mantiene un texto clave respecto de cualquier discusión acerca del talento humano, la justicia, la recompensa y la eficacia de las organizaciones en la sociedad. Cualquier sistema metódico y transparente para la identificación del gran talento *debe* ser sobornado por las redes de poder que ya *deben* existir. Tiger explicó cómo los vínculos de grupos masculinos protegen la propensión individual a los sentimientos de debilidad, y cómo el proceso de vínculo funciona o se racionaliza inconscientemente. Estos procesos subvierten de manera invariable los sistemas formales de carrera mediante el "impulso" escogido de modo informal pero fiel, y subordinado. Al hacerlo, obedecen a "leyes" emocionales muy arraigadas, y forjadas en nuestra prehistoria.

   Para expresar esta dificultad de otra manera, supongamos que la maquinaria política de la sociedad, carente de verdadera originalidad, siente que necesita vincularse con su clase para sobrevivir. Este comportamiento es tan obvio en las canchas del colegio como en la vida real. Algún comportamiento, no todos, implicará desventajas para otros grupos y la exclusión de quienes "no sean miembros". Los miembros de estos "círculos" pueden ser personas para quienes lo más importante de la vida es sobrevivir, ascender y evitar la exclusión a toda cosa. Podemos inferir que tal vez la mayoría de estas personas se sintieron excluidas en algún momento clave de su infancia, probablemente como resultado de una relación deficiente con sus padres, porque la mayoría de ellos también tiene estas deficiencias. Por esta razón, casi todas las *personas* son así. También temen y

19 Tiger, Lionel, *Men in Groups*, New York, Random House, 1969.

envidian a las personas diferentes, más seguras, independientes y originales, y, sobre todo, más decididas a *hacer lo que tiene sentido para ellas*, en lugar de lo que les daría seguridad o aceptación del grupo.

Cualquiera que busque una explicación a la corrupción del Estado italiano o a la impotencia y estupidez de la vida pública de los gobernantes británicos no necesita ir más allá del libro de Lionel Tiger. Quizás el punto más importante para comprender cómo funcionan los sistemas de poder radica en que la mayor parte de estos procesos es inconsciente para los protagonistas. En realidad, los procesos no podrían ni deberían lograr sus propósitos si pasan a lo consciente, porque las personas cabalmente respetables que se benefician de ellos pueden sentirse avergonzadas. Para retomar el caso, una proporción significativa de las personas que tienen éxito al incrementar su poder posicional lo hacen porque lo necesita. El propósito o la "visión" institucional no son del interés de estas personas en particular, permitiendo a la institución satisfacer la necesidad de mantener a raya profundos miedos de impotencia. Estas personas pueden resistirse a los mecanismos de planificación de carrera diseñados para identificar y promover a las personas más inteligentes e independientes, pero, por lo general, no entienden por qué se resisten. Entre tanto, las instituciones mismas parecen fracasar a pesar de las resonantes afirmaciones de "visión".

Por lo que conozco, esta puede ser una dificultad insuperable. De ser así, estaremos arruinados porque muy pocos de los líderes que surgen de nuestros sistemas y prácticas existentes e imperfectos están listos para el trabajo. Cuando traté estos aspectos con ejecutivos de todo el mundo, surgieron repetidamente preguntas interesantes. ¿En realidad estamos tratando aquí con la inteligencia o con la moral? ¿Con seguridad el liderazgo moderno es un desafío moral? Necesitamos líderes honrados, no "demonios inteligentes". Esta posición se refuerza con la evidencia de que las instituciones que toman la posición de largo plazo y tratan a sus miembros, sus accionistas, sus proveedores y sus clientes de una manera digna y respetuosa, tienden a ser exitosas siempre que ellos se integren también con inteligencia a los ambientes cambiantes.

Estoy de acuerdo con que existe una dimensión ética en todo esto, la cual consistiría en que la forma más acertada de promover al mejor personal a los altos cargos se hace mediante una cruzada moral, que depende de la manera de ver el mundo. Para muchas personas admirables, y en especial para quienes mantienen una creencia religiosa, los sistemas morales apoyan la inteligencia. Es decir, la forma que toma la inteligencia es producto del carácter moral. Respeto esta posición aunque no la comparto. La razón por la cual este aporte se centra en la naturaleza de la inteligencia y su función crucial de determinar la capacidad consiste en lo contrario: la forma que toma la moral está determinada por la inteligencia. Estos hombres admirables a quienes me rereferí al principio parecen ser quienes hacen la moral por su poder cerebral, y no viceversa. El curso de la causalidad no es muy importante.

En mi definición, las personas más inteligentes tienen valores porque su inteligencia se extiende hacia la comprensión de sus motivos, para bien o para mal. No pueden defraudarse a sí mismas, no trabajarían para una organización con productos frívolos o perniciosos porque su inutilidad las ofendería, no son crudamente ambiciosas porque hacerlo sería ofenderse a sí mismas. A medida que su capacidad aumenta (en grados predecibles), tienen una necesidad agobiante de probar más desafíos en relación con la mayor pertinencia profesional. Incluso desde niños parecen anticipar el futuro, al calcular acciones inmediatas previendo las consecuencias a largo plazo. Sienten que el mal comportamiento es contraproducente a corto plazo y, en últimas, corrosivo. Su moral está profundamente dirigida desde su interior, a lo mejor por pensamientos analíticos.

Sobre todo, la razón para llamar la atención en este aspecto de la capacidad se debe a que ofrece las bases más realistas, por lo racionales, para mejorar las cosas. Las cruzadas morales tienen una historia sombría, principalmente porque proceden con agravio contra los grupos marginados (de donde provenimos). Supongo que estamos bastante confundidos y que *tenemos* que reconsiderar el significado de la inteligencia, la capacidad y el juicio, y dar el paso para instalarlo en el corazón de la toma de decisiones de la sociedad. Al comienzo manifesté que no tengo la solución para estos problemas. Tan sólo sugiero lo que debemos discutir.

PALABRAS DE OTROS, 1

"Te doy el extremo de un hilo dorado,
sólo enróllalo en una pelota,
te conducirá a las puertas del cielo
construidas en el muro de Jerusalén".
William Blake

"El gran objetivo de la educación no es el conocimiento sino la acción".
Herbert Spencer

"Existe una lamentable escasez de mujeres entre los 'gurús' administrativos".
Clutterbuck y Craimer

"No existe problema humano que no pueda resolverse si las personas actúan como les sugiero".
Gore Vidal

"Cada situación de la vida tiene su propia autoridad interna, a la que nos sometemos. Por la sumisión obtenemos nuestra libertad. Lo que el sistema educativo debería hacer sería mostrarnos cómo unirnos con nuestros líderes para encontrar esa autoridad interna".
Mary Parker Follett

"El liderazgo es el tema más estudiado y menos comprendido de las ciencias sociales".
Warren Bennis

"Algunos problemas tan sólo son complicados para las soluciones lógicas y racionales. Ellos permiten la intuición, no las respuestas".
Jerome Weisner

"Vivimos en una cultura que nos empuja a no tomar en serio nuestro propio sufrimiento, sino a vislumbrar e incluso reírnos de él. Es más, esta actitud se considera una virtud y muchas personas –yo entre ellas– están orgullosas de la insensibilidad de su propia suerte".
Alice Miller

"Continuamente exploramos otras maneras de mejorar y acelerar los procesos de aprendizaje de nuestras instituciones. Nuestra exploración en esta área no es un lujo".
Shell-Arie P. DeGeus

"Todo cambio se inicia en la periferia y se desplaza hacia el centro".
Donald Schon

"¿Cómo puedo entrar en diálogo si siempre proyecto ignorancia sobre los demás y nunca percibo la mía?".
Paulo Freire

CAPÍTULO 3

Aprender de la destrucción creativa: el desafío de Europa oriental

Max H. Boisot

■ Introducción

Los dos años que transcurrieron entre la caída del muro de Berlín en el otoño de 1989 y el fracaso del golpe de Estado conservador contra Mikhail Gorvachev en 1991, marcaron el fin de la posguerra en Europa y en el resto del mundo. Dos modos incompatibles de ordenamiento y relaciones sociales, políticas y económicas, el comunismo y el capitalismo, se confrontaron directamente el uno al otro durante 45 años en diferentes lugares del mundo y ganó el capitalismo. La política de contención de posguerra de John Foster Dulles, de permitir la lógica imperfecta de los principios económicos del marxismo-leninismo para reconocer que sus economías, desde adentro, no eran sino un gran vacío, a la postre dio resultado. El comunismo, entonces, no fracasó debido al poder invencible del sistema capitalista, sino porque era intrínsecamente débil. Si el capitalismo no hubiera existido nunca, tarde o temprano el comunismo hubiera fracasado por lo que Karl Marx denominó contradicciones internas, aplicada la expresión al sistema capitalista.

Semejantes cambios tan considerables e impredecibles hacen arriesgadas las predicciones. En su libro *Ascenso y caída de los grandes poderes,* escrito dos años antes del desplome del comunismo, Paul Kennedy formuló la hipótesis de que nos estábamos moviendo hacia un mundo multipolar[1]. Argumentaba que los Estados Unidos se dispondrían a compartir el poder y a coexistir con otros centros de poder, cada uno con su propio sistema y su modo de hacer las cosas. Sin embargo, con el colapso del único rival serio del capitalismo, de repente el mundo parecía más monopolar que multipolar. Se ofrecía un solo paradigma político y económico, el capitalismo, con un solo e indiscutible ganador, los Estados Unidos. En efecto, el último título de liderazgo parecía reforzarse ejemplarmente por su deslumbrante despliegue de destreza tecnológica durante la guerra del Golfo Pérsico en 1991.

1 Kennedy, Paul, *The Rise and Fall of the Great Powers*, Nueva York, Random House, 1987.

Si el capitalismo norteamericano es el paradigma geopolítico, entonces ¿en torno a cuáles estrategias colectivas se construirá la Europa posterior al socialismo y la Comunidad de Estados Independientes?

■ La convergencia

Los países libres hace poco de la tutela soviética reconocieron que el realineamiento de sus instituciones y sus prácticas económicas les tomaría algún tiempo con respecto al paradigma capitalista. Las empresas de propiedad del Estado, los gastos burocráticos, los balances materiales y la parafernalia propia de la economía planificada no podían desmantelarse de la noche a la mañana. Sin embargo, en muchos casos el problema se asumió como temporal, por lo que las políticas que recomendó Jeffrey Sachs, de Harvard –en esencia de estabilización macroeconómica unida a un programa acelerado de privatización– les ayudaría a terminar lo que sería un doloroso pero relativamente corto periodo de transición. De igual modo, sería de gran ayuda para las nacientes economías de mercado de Europa central y oriental la cercanía geográfica de lo que prometía ser, después de 1992, el mercado integrado más grande del mundo. El mercado único europeo, con 350 millones de consumidores, sería un recurso de estabilidad y crecimiento económico para las economías posteriores al socialismo que buscan la integración con el sistema capitalista mundial.

En la euforia general que siguió al colapso del comunismo, los artífices de las decisiones políticas en Occidente trataron de dar sentido a los acontecimientos en Europa central y oriental, y más tarde en la Comunidad de Estados Independientes, y utilizaron un modelo que, dentro de la evolución del ambiente económico mundial, había contribuido, en gran medida, a organizar las teorías políticas y económicas desde la segunda guerra mundial. Este modelo se ha denominado hipótesis de convergencia.

En resumen, dicha hipótesis sostiene que como países industrializados que son, adquieren las mismas maneras de tratar los problemas que enfrentan, y por tanto ciertas críticas respecto de las culturas de cada nación serían más parecidas con el paso del tiempo. La convergencia podría hallarse en los hábitos de los consumidores[2], la tecnología[3] o las prácticas institucionales[4]. Por ejemplo, si la exposición de John Kenneth Galbraith sobre la tecnoestructura expresa la creencia en un proceso convergente impulsado por la tecnología[3], el punto de vista de Marx sobre la lucha de clases equivale a la teoría de la convergencia conducido por la institución[5]. Si buscáramos los orígenes de la hipótesis de convergencia los encontraríamos en los escritos del Renacimiento del siglo XVIII, en los cuales la idea de progreso se basaba en la divulgación de la racionalidad universal en las relaciones humanas, la cual poco a poco reemplazó la de las tradiciones culturales específicas, que tenían una función de ordenamiento social.

2 T. Levitt, "*The Globalization of Markets*", Harvard Business Review, Harvard, Estados Unidos, mayo-junio de 1983.

3 Galbraith, John Kenneth, *The New Industrial State*, Londres, Hamish Hamilton, 1967.

4 R., Dore, *British Factory–Japanese Factory: The Origins of National Diversity in Industrial Relations*, Berkeley, Ca, University of California Press, 1973.

5 Marx, Karl, *Capital*, vol. 1, Londres, Lawrence & Wishart, 1972.

La evidencia para apoyar la hipótesis de convergencia no hace falta. Por ejemplo, la globalización del consumo fue citada por Theodore Levitt como una indicación de que cada vez más estamos viviendo en un mundo único e integrado. Después de todo, un McDonald's en Kuala Lumpur no se diferencia de otro en Kansas. Algunos han tomado la difusión internacional de la tecnología y la adopción global de lo que solían ser las prácticas administrativas de estricto manejo local –norteamericano, japonés, europeo– como evidencia del alineamiento creciente de los diferentes modos de pensar[6]. Uno de los laboratorios naturales para probar el alcance de la convergencia ha sido Europa occidental, donde, en lugar de ser tratada como un subproducto emergente de la evolución social y económica, ha sido elevada al estatus de un objetivo político explícito capaz de realizarse mediante acciones supranacionales conscientes y deliberadas. Con la selección cuidadosa de medidas macroeconómicas y microeconómicas, los doce países de Europa occidental, que inician con grados muy diferentes de desarrollo social y económico (por ejemplo, comparemos Portugal con lo que fue Alemania occidental), poco a poco unificarán sus monedas y sus prácticas industriales y comerciales. La integración de los mercados y el crecimiento económico más rápido fueron los frutos de este amplio esfuerzo europeo de convergencia política dirigida.

El desplome del mundo comunista ocurrió en el momento en que Europa occidental estaba interesada en conformar el mercado único. La recesión todavía no se había dado y el Reino Unido estaba uniéndose al mecanismo de tasas de cambio. ¿Qué podía ser más natural que suponer que las economías posteriores al socialismo, una vez superados los ajustes institucionales necesarios, se unirían al proceso de integración de los mercados y, después de cierto tiempo, por ejemplo, una o dos décadas, permitirían a sus economías converger con las de Europa occidental? La idea de que lo más atractivo de la convergencia lo determinaban los logros de un proceso de mercado, que no es sino una actividad de autorregulación que conduce al equilibrio, es decir, a incrementar la estabilidad. Al parecer, todo lo que había que hacer era aceptar el paradigma dominante y permitir a la magia capitalista funcionar sobre las anticuadas estructuras de estas economías. Después de todo, ¿no fueron el capitalismo y las fuerzas del mercado, como el mismo Marx argumentó alguna vez, las "criadas" de la convergencia?

■ Desafíos para la hipótesis de convergencia

Un paradigma es a la vez una bendición y una maldición. Es una bendición cuando permite que una gran variedad y cantidad de personas trabajen juntas armónica y productivamente, coordinando sus actividades con la adopción de un modelo implícito único que se pueda utilizar de manera inconsciente como punto de referencia. En tales circunstancias, ello ahorra tiempo y razones. Es lo que los economistas en otro contexto denominan costos de transacción[7].

6 Kerr, C., J.T. Dunlop, F. Harbinson and C. Myers, "*Industrialism and World Society*", Harvard. Business Review, enero-febrero de 1961.

7 Williamson, O., *Markets and Hierarchies: Analysis and Antitrust Implications*, Nueva York, The Free Press, 1975.

Sin embargo, el paradigma es una maldición cuando genera inercia perceptual y conceptual que enceguece a las personas con respecto a los cambios esenciales y que exige radicalmente un nuevo pensamiento. Las señales que previeron tales cambios se ignoraron o se asimilaron al viejo paradigma y luego se malinterpretaron. Thomas Kuhn, en su estudio clásico de las revoluciones científicas, demostró cuán difícil es deshacerse de un viejo paradigma y adoptar uno nuevo[8]. En realidad, señaló, pocas personas lo hacen. Los esclavos del viejo paradigma simplemente desaparecen y los remplaza una nueva generación que adopta el nuevo.

La necesidad radical de nuevos pensamientos rara vez se manifiesta con claridad en el momento requerido. A menudo se hace obvia sólo de manera retrospectiva. Consideremos algunos de los cambios recientes en las sociedades capitalistas, postsocialismo y socialistas, los cuales, si escogimos tratarlos como señales, podrían formular un desafío a la hipótesis de convergencia.

- La confusión de monedas provocada en gran parte por las dificultades experimentadas por la Alemania nuevamente unificada, al integrar la antigua República Democrática Alemana a su economía. Como consecuencia de la incapacidad de Alemania de reducir sus tasas de interés, el Reino Unido e Italia se vieron forzados a abandonar el mecanismo de tasas de cambio europeo en septiembre de 1992.
- El resurgimiento de nacionalismos y regionalismos latentes en el comunismo en varias regiones de Europa central y oriental, y en la Comunidad de Estados Independientes. Las consecuencias más sobresalientes son el odio étnico y las guerras civiles en la antigua Yugoslavia y en Transcaucasia. La inestabilidad ocasionada por las luchas étnicas y el regionalismo se extiende a nuevas regiones: Crimea, los Estados Bálticos, Moldavia, los nuevos Estados de Asia central y, quizá en el futuro, la República Checa y Eslovaquia.
- El surgimiento de la República Popular China como la economía de más rápido crecimiento en el mundo. En los primeros ocho meses de 1992, su producto nacional bruto (PNB) real subió el 14% anual y su producción industrial aumentó más del 20%. En las provincias del sur, Guangdong y Fujian, la producción industrial subió más del 25% en 1991[9]. A pesar de los experimentos de la bolsa de valores en Shanghai y Shenzhen, se logró este crecimiento sin privatizar una sola empresa estatal. Éstas siguen esforzándose en su desempeño económico y al menos el 40% de ellas reconoce tener pérdidas. Los estimativos no oficiales son más altos.

Los desarrollos, la confusión de monedas, las luchas étnicas y el desempeño económico de China se prestan a varias interpretaciones. Por ejemplo, tal vez parezcan resistencias inevitables en el camino hacia la convergencia real, vista como un amplio movimiento para producir turbulencias y contradicciones locales. Concebida así, la hipótesis de convergencia puede necesitar algún ajuste, pero se mantiene vigente. Además, estas tendencias se pueden tomar como evidencia de una desintegración

8 Kuhn, Thomas, *The Structure of Scientific Revolutions*, Chicago, University of Chicago Press, 1962.

9 *The Economist*, octubre 10-16 de 1991.

incipiente, un retroceso del movimiento hacia una mayor integración política y económica que de manera implícita se tomó como principio de ordenamiento en las relaciones humanas durante casi cincuenta años.

■ La turbulencia como principio de organización

Los paradigmas son principios organizacionales que nos ayudan a enfrentar las complejidades del medio de manera eficiente, con base en el conocimiento. Como tales, los paradigmas no son buenos ni malos: tan sólo son más o menos fructíferos en un determinado grado de eficiencia. Sin duda, considerada como un paradigma o un modelo implícito, la hipótesis de convergencia ha probado su beneficio, al ayudar a comprender las características sociales y económicas de un mundo reducido por la confluencia de las tecnologías de información y de telecomunicaciones. La globalización se ha dado en los mercados financieros y en cierta cantidad de mercados de consumidores y los bajos costos de los viajes han permitido a millones de personas conocer diferentes culturas y modos de pensar, que hace tan sólo 30 años nada más se podían conocer en forma vaga a través de cuentos sobre viajes.

Sin embargo, las tendencias antes esbozadas podían ser tomadas no tanto como indicadores de falsedad sino como limitaciones del paradigma de convergencia. Estas limitaciones son de dos clases. La primera se debe al hecho de que las tendencias citadas, sumadas a las excepciones de la hipótesis de convergencia, puedan así poner en duda su *alcance.* Por ejemplo, esto no se cumple porque China está uniéndose a la categoría de las economías milagro y de ser necesario, adquirirá los hábitos de pensamiento de Occidente o incluso capitalistas. Hace poco los observadores occidentales centraron su atención en ésta más que en otra economía milagro de Asia oriental. Japón, al contrario de las suposiciones tempranas tal vez no esté cobijado.

La segunda limitación es más sutil pero es posible que más insidiosa. He argumentado que subyacente a la hipótesis de convergencia está casi una creencia newtoniana en el poder del autoequilibrio, en la primacía de la estabilidad sobre la turbulencia. Tales creencias afectan la manera de constituir nuestras instituciones y organizaciones, impartiéndoles una disposición que las equipa para manejar competitivamente lo que puede estandarizarse y rutinizarse, pero a veces a expensas de lo discontinuo e impredecible. En otras palabras, las instituciones y las organizaciones que han invertido cognoscitivamente en supuestos de incrementar la homogeneidad cultural y la estabilidad institucional están mal equipadas para manejar cualquier turbulencia no prevista en el paradigma, es decir, la turbulencia que es un producto de la divergencia y no de la convergencia. Si la primera limitación está relacionada con el alcance del paradigma, la segunda lo está con su *utilidad.* Esto identifica las situaciones en las cuales su adopción continua resulta contraproducente. Situaciones que el sociólogo francés Edgar Morin describe como "shakespearianas" y no "newtonianas"[10].

10 Morin, Edgar, *La Methode I. La Nature de la Nature*, Paris, Editions du Seuil, 1976.

La turbulencia puede considerarse, adaptando la fórmula que Ross Ashby aplicó a los sistemas cibernéticos, como un estado cuya tasa de cambio sobrepasa nuestra capacidad de comprensión analítica[11]. Si la turbulencia es inherente al estado mismo como un atributo objetivo, entonces éste queda para siempre por fuera de nuestra comprensión. Sólo un cambio de estado, que se desplace hacia una mayor estabilidad, puede hacer que vuelva a ser comprensible para nosotros. Si, por el contrario, la turbulencia experimentada sólo expresa nuestra ignorancia, desaparecerá poco a poco a medida que nuestra comprensión vaya ganando ventaja.

Por tanto, al confrontarse con la turbulencia, los individuos y las organizaciones pueden aceptar una de dos estrategias. *Tratar de contener la turbulencia,* hasta que pueda comprenderse, o *tratar de manejarla* con la creencia de que, tarde o temprano, vendrá.

La convicción metafísica de que el mundo es en esencia un lugar estable y que la turbulencia es una salida temporal y remediable de la trayectoria hacia una estabilidad y un orden mayores (la hipótesis de convergencia en su fórmula más abstracta) conducirá casi naturalmente hacia la primera estrategia adoptada. No es cierto que se reduzca en vez de absorberse. Cuando se aplica a la naturaleza externa, contener la turbulencia se denomina "dominio sobre la naturaleza" y encuentra su expresión más alta en los logros científicos y tecnológicos comunes. Sin embargo, cuando se aplica a la naturaleza humana, contener la turbulencia llega a convertirse en un proceso de "civilización"[12], mediante el cual la racionalidad humana asegura su dominio sobre la "bestia interna".

Las empresas y las instituciones occidentales se diseñaron en primer lugar para contener la turbulencia más que manejarla, para crear rutinas estables y prácticas estandarizadas dondequiera que la comprensión lo permita, y, en lo posible, mantenerse lejos de las situaciones que no lo permitan. En consecuencia, cuando se encuentran turbulencias *irreductibles*, tales empresas e instituciones las tratan como un caso de turbulencia manejable, a las cuales pueden aplicar de manera ocasional sus rutinas organizacionales y sus procedimientos de operación estándares, o tratan de mantener todo lejos de ellas, confinándolas a un territorio más familiar.

Más tarde argumentaré que la turbulencia irreductible es lo que las empresas occidentales, en su mayor parte, enfrentarán en las sociedades posteriores al socialismo y que el paradigma que en forma implícita emplean, la hipótesis de convergencia, debilitará consistentemente su capacidad de aplicarlo a la única estrategia apropiada, cual es *manejarla.*

Hace pocos años las investigaciones en ciencias naturales –física, química, biología– y en matemáticas transformaron a fondo nuestra comprensión intelectual del fenómeno de la turbulencia. Lejos de ser una aberración temporal, una salida del orden natural e inmutable de las cosas, la turbulencia se percibe ahora como una parte

11 Ashby, R.W., *An Introduction to Cybernetics*, Londres, Methuen, 1956.
12 Elias, N., "*The Civilizing Process*", en *The History of Manners*, vol. 1, Oxford, Basil Blackwell, 1939.

constitutiva de ese mismo orden[13,14,15]. Quizá más importante, la turbulencia también se entiende ahora como *un recurso potencial de nuevo orden*, latente dentro de ella y que sólo *ella puede activar*[16]. La predicción de esta intuición radica en que este nuevo orden puede cambiar el manejo de la turbulencia y, en consecuencia, le permite emerger. Contener la turbulencia sólo represa el nuevo orden y distorsiona su manifestación.

Nuestra comprensión intelectual de la turbulencia todavía tiene que emplear el esquema tradicional de pensar acerca de las empresas y las instituciones. Mucho se ha escrito con respecto de la flexibilidad organizacional frente a la discontinuidad y la incertidumbre, pero aún hace falta un conjunto articulado de conceptos para ocasionar dicha flexibilidad. Las organizaciones que todavía no pueden manejar la turbulencia, controlar la incertidumbre, y que se escudan en la protección de sus rutinas establecidas a la primera señal de inestabilidad, no están cognoscitivamente en armonía con las señales que emite la turbulencia y que permitirían prever el surgimiento de un nuevo orden. Cuando este orden por fin emerge, dichas organizaciones no pueden ser parte de él porque ya invirtieron en otro lugar.

Mi hipótesis consiste en que las grandes empresas de Occidente con sus rigurosos compromisos organizacionales para reducir la turbulencia no están competitivamente bien ubicadas para explotar el nuevo paradigma organizacional, que quizá esté latente en la turbulencia actual que afecta a Europa central y oriental, y a la Comunidad de Estados Independientes. En la siguiente sección analizo esta hipótesis por medio de un esquema conceptual simple y en las conclusiones trato sus implicaciones.

■ El aprendizaje en y por medio de los paradigmas

Las relaciones que estableció Ross Ashby entre la tasa de cambio impuesta por el entorno en un sistema y la capacidad del sistema para comprender el cambio puede representarse en un diagrama, como en la figura 3.1. El punto de vista de Ross Ashby consiste en que los prospectos de supervivencia de un sistema se intensifican en su larga carrera si éste opera en la curva AA′ o a su derecha, es decir, si puede igualar cualquier aumento en la tasa de cambio con un incremento definido en la comprensión.

Dedicarse a estudiar los diferentes grados y tipos de comprensión es un prerrequisito para hacer buen uso del diagrama. Utilizado como recurso para clasificar las diferentes tareas propuestas por una empresa conduce a la tipología que desarrolló Charles Perrow y que se muestra en la figura 3.2[17]. Si bien él no utiliza su tipología para observar o para tratar la turbulencia, ésta sí ayuda a realizar lo que la realidad organizacional necesitaba tratar con tareas muy inciertas y poco comprendidas. Por ejemplo, inves-

13 Thom, R., *Esquisse d'une Semiophysique: physique Aristotélicienne et théorie des catastrophe*, Paris, Intereditions, 1988.
14 Stewart, I., *Does God Play Dice? The New Mathematics of Chaos*, Londres, Penguin, 1989.
15 Atlan, H., *Entre le Crystal et la Fumée: essai sur lorganization du vivant*, Paris, Editions du Seuil, 1979.
16 Prigogine, I., e I. Stenger, *Order out of Chaos: Man's new Dialogue with Nature*, Toronto, Bantam Books, 1984.
17 Perrow, C., *Organization Analysis: a Sociological view*, Londres, Tavistock Publications, 1970.

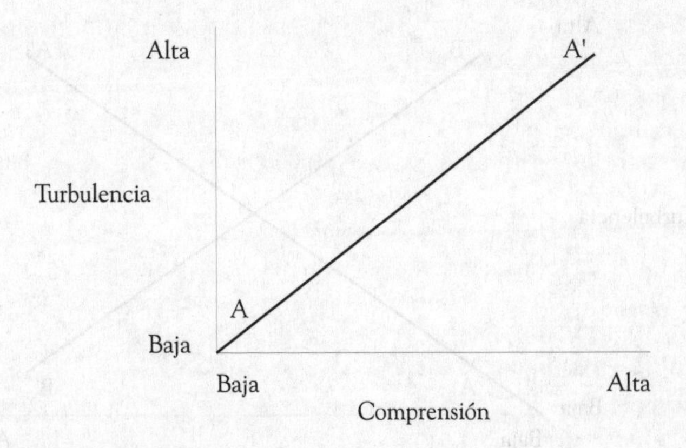

Figura 3.1 Comprensión y turbulencia, I

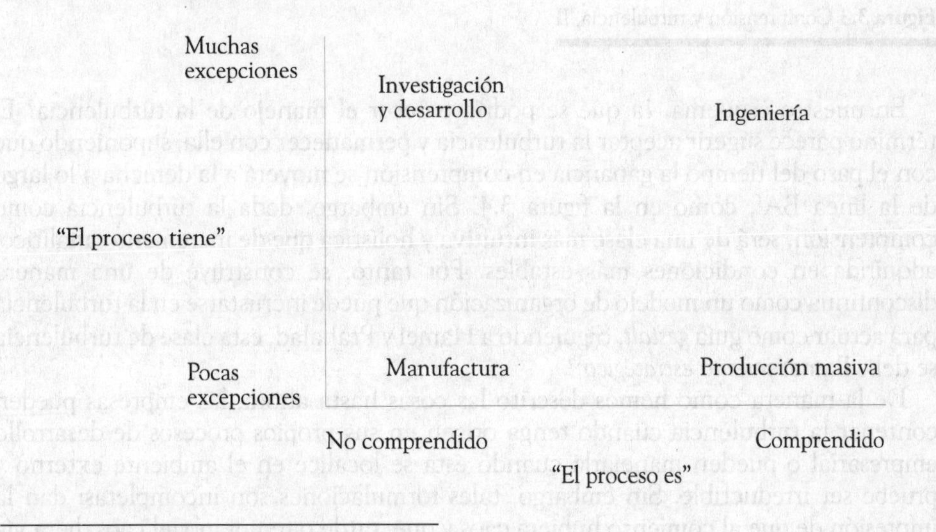

Figura 3.2 "El proceso es" y "el proceso tiene"

tigación y desarrollo (I&D) mide la creatividad, la imaginación y la disponibilidad de arriesgar en *empresariazgo*.

El "empresariazgo" puede caracterizar el estilo organizacional de cierta clase de empresas que inicia operaciones en los primeros y heroicos días cuando todavía todo está por hacer y que son intrínsecamente inestables. Aun así crecen y desarrollan sus rutinas, poco a poco estabilizan sus actividades conteniendo la turbulencia de manera eficaz y se desplazan a lo largo de la curva BB′ de la figura 3.3. Así tratan de seguir la orientación de Ross Ashby, al moverse a la derecha de la curva AA′. En realidad, van más allá, ya que no sólo se mueven a la derecha de la curva sino que al mismo tiempo se desplazan hacia *abajo*, a aquellas regiones estables en las que puede entrar en juego una clase más analítica de comprensión, como la *planificación estratégica*.

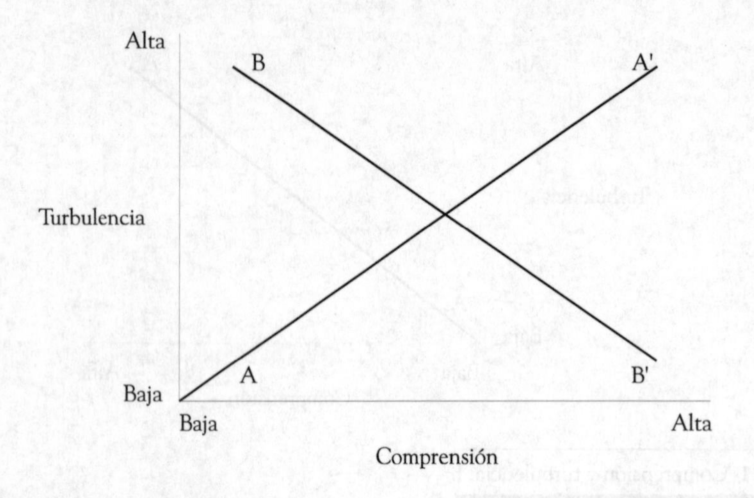

Figura 3.3 Comprensión y turbulencia, II

En nuestro esquema, ¿a qué se podría parecer el manejo de la turbulencia? El término parece sugerir aceptar la turbulencia y permanecer con ella, suponiendo que con el paso del tiempo la ganancia en comprensión se moverá a la derecha a lo largo de la línea BA′, como en la figura 3.4. Sin embargo, dada la turbulencia como comprensión, será de una clase más intuitiva y holística que de incremento analítico, adquirida en condiciones más estables. Por tanto, se construye de una manera discontinua como un modelo de organización que puede incrustarse en la turbulencia para actuar como guía *gestalt*. Siguiendo a Hamel y Prahalad, esta clase de turbulencia se debe llamar *intento estratégico*[18].

De la manera como hemos descrito las cosas hasta ahora, las empresas pueden contener la turbulencia cuando tenga origen en sus propios procesos de desarrollo empresarial o pueden manejarla cuando ésta se localice en el ambiente externo y pruebe ser irreductible. Sin embargo, tales formulaciones son incompletas: dan la impresión de que al comienzo hubiera caos y que, tarde o temprano, el caos diera vía al orden. Es más, nada podía ser más estable en apariencia, por ejemplo, que la antigua Unión Soviética antes de la llegada de Gorvachev al poder en 1986. Ahora, la región está en caos, antes no lo estaba. La observación sugiere que habrá ocasiones en que las organizaciones se muevan hacia *arriba*, de un estado donde gozan de estabilidad a otro donde enfrentan turbulencia. Sin embargo, mi punto de vista consiste en que las organizaciones estructuradas sobre todo para asegurar y mantener la estabilidad no están constitucionalmente dispuestas para ascender. El crecimiento y el desarrollo organizacionales, en su mayor parte, las ubica casi con naturalidad en la trayectoria

18 Hamel, G. y C. K. Prahalad, "*Strategic Intend*", Harvard Business Review, julio de 1989.

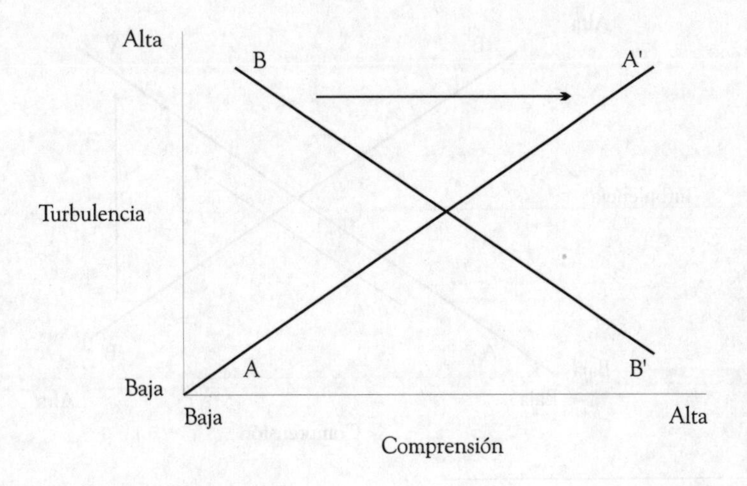

Figura 3.4 Comprensión y turbulencia, III

que conduce de un estilo de administración empresarial de sus primeros años de turbulencia a un estilo de planificación estratégica más analítico a medida que logran estabilidad interna.

Las empresas pequeñas, a medida que crecen, por lo común tratan de moverse de B a B′ encaminándose por A′, donde adquieren suficiente visión para manejar la turbulencia irreductible, pero lo hacen con la creencia de que el mundo es, en el fondo, un lugar ordenado y que, cuando termine la turbulencia, estarán en capacidad de continuar sus progresos descendiendo a B′, que es su destino final.

Por supuesto, no todas las empresas buscan una existencia tranquila en las partes más bajas de la gráfica, y hay otras dos trayectorias disponibles, además de la señalada en la figura 3.4, para las que desean ascender hacia A′. La primera, de B′ a A′, es adecuada para las empresas que han consolidado su estructura según su crecimiento y operan con un estilo de planificación estratégica interactuando con su entorno. Tales empresas pueden disponer de cierta "carencia" organizacional que les permita manejar una mayor turbulencia sin muchos riesgos. La segunda, de A a A′, es adecuada para las empresas pequeñas que han surgido en condiciones de estabilidad relativa –tal vez muchas de ellas– y eligen buscar lo que Mintzberg denomina *estrategias emergentes*, o sea, estrategias de ajuste incremental para los hechos basados en una comprensión limitada y parcial de sus relaciones causa-efecto. Sin embargo, a medida que esas comprensiones parciales se acumulan, también lo hace la capacidad de la empresa para manejar la turbulencia y explotar su capacidad incrementada de ascenso. Las dos trayectorias se muestran en la figura 3.5 y las cuatro estrategias analizadas, en la figura 3.6.

Aun cuando parezca sorprendente, es más fácil demostrar el movimiento hacia A′ de las empresas ubicadas en A, que el de las grandes ubicadas en B′. ¿Por qué? *Porque las últimas se comprometen con un paradigma estratégico existente que se incorpora a sus prácticas organizacionales y que no las hace receptivas a cualquier nuevo paradigma*

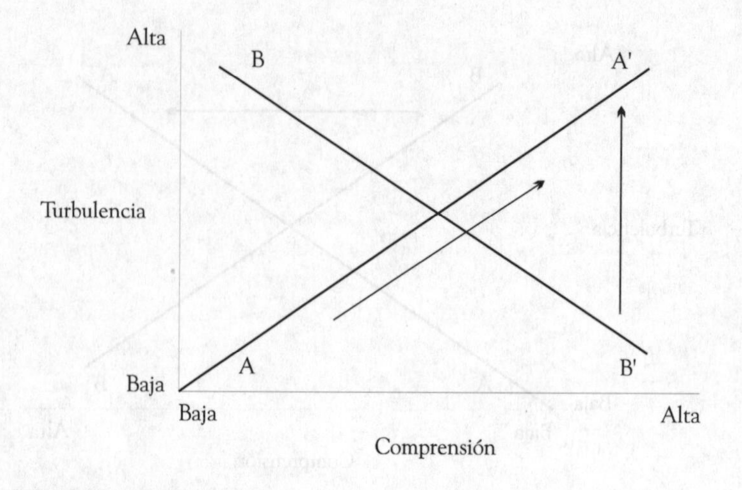

Figura 3.5 Comprensión y turbulencia, IV

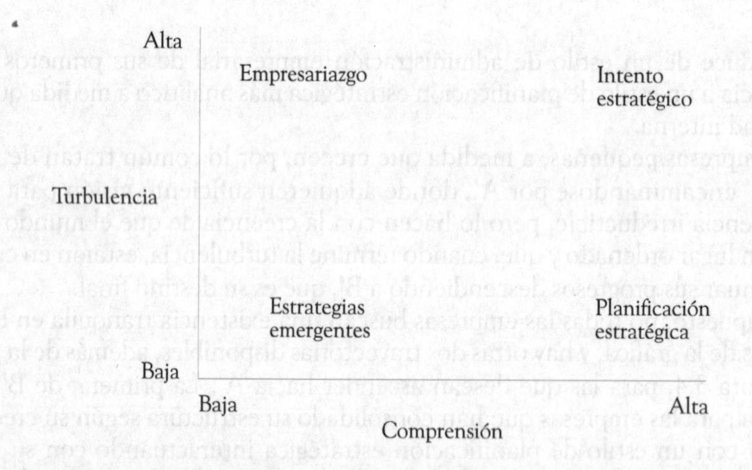

Figura 3.6 Comprensión y turbulencia, V

emergente latente en la turbulencia en A′. En otras palabras, las empresas más pequeñas que se mueven a lo largo de A′ se encuentran menos bloqueadas por compromisos paradigmáticos anteriores que las empresas que se mueven a lo largo de B′A′. Estas empresas requieren para su desempeño un "cambio de paradigma" antes que puedan moverse hacia A′, lo cual significa tratar muchos de sus compromisos cognoscitivos anteriores como costos de inversión.

Al generalizar, se puede describir el descenso de B a B′ como aprendizaje *en* un paradigma existente –lo que Kuhn, refiriéndose a las ciencias, describió como solución del rompecabezas– y el ascenso de A a A′ como aprendizaje *a través* de paradigmas. Ellas son asimétricas; la primera busca consolidar lo aprendido y la segunda, desafiarlo. Ambos aprendizajes mueven una empresa hacia la derecha y hacia una comprensión mayor pero, de hecho, la una es la antítesis de la otra. Aunque creo que sólo una empresa capaz de llevar a cabo ambos aprendizajes puede reivindicarse como *organizadora del aprendizaje*.

La hipótesis planteada en la sección anterior puede ahora replantearse en términos más concisos: *sólo las organizaciones de aprendizaje estarán en capacidad de explotar de manera fructífera la turbulencia que en la actualidad aflige a Europa central y oriental, y a la Comunidad de Estados Independientes*. Esto se debe a que sólo las organizaciones de aprendizaje tendrán la flexibilidad cognoscitiva para pasar de los paradigmas organizacionales actuales en los que ellos han invertido, a los que necesitarán adquirir para manejar la turbulencia. ¿En realidad, en qué consisten estos paradigmas organizacionales?

Tal pregunta es difícil de responder en abstracto; sin embargo, un país con trece años de reformas económicas, con éxito aparente, que aún hoy reivindica por completo sus credenciales socialistas, la República Popular China, ofrece algunos consejos útiles.

■ La experiencia China: lecciones para Europa central y oriental

El milagro económico chino es, en principio, el fenómeno de una empresa pequeña. Las primeras reformas a finales de la década de los años 70 tuvieron como objetivo las áreas rurales generadoras de excedentes agrícolas que encontraron su destino en las industrias livianas. Visto desde Occidente, la actividad económica de las áreas rurales aparece como un cambio considerable de tipo burocrático, en el cual los partidos oficiales coordinaban cada aspecto de la producción a través de medios jerarquizados con el objeto de ordenar el mercado. Con esta medida las familias podían decidir por sí mismas qué querían producir. Este cambio de jerarquías a mercado, se extendió luego a los municipios y a las empresas colectivas. Era una variante china de la empresa manejada por los trabajadores, cuyo propietario era "parte del pueblo", a diferencia de las grandes empresas del Estado, cuyo propietario era "todo el pueblo". Hoy estas empresas se cuentan como parte del sector privado y no del público; una razón es que el estatus de propiedad es un poco ambiguo y opera en favor de los trabajadores de lo empresa, no del Estado. A esta clasificación ambigua hay que sumar el hecho de que en 1991 se estimaba que más del 50% del producto industrial chino se originaba en el sector privado.

Los observadores occidentales se vieron tan condicionados por la polarización económica que opone burocracia y mercados, que pocos se han detenido a preguntarse si lo que vemos emerger en China es en realidad un ordenamiento producido por el mercado. La responsabilidad implícita parece ser que si no es una burocracia, entonces, por deducción será un mercado. Si por mercado entendemos un grupo atomístico de productores compitiendo en anonimato con productos homogéneos (definición económica de mercado), entonces, para ser enfáticos, lo que está emergiendo en China no es un mercado. Es una colección de redes interconectadas basadas en contactos personales y obligaciones recíprocas que equivalen al concepto de la empresa como estructura unificada de gobierno en el sentido occidental.

Un punto clave es que estas redes personalizadas han evolucionado como respuesta a los problemas de operar en un entorno socialista caracterizado por una profunda escasez, corrupción oficial, un marco conceptual inexistente para llevar a cabo los negocios y hostilidad ideológica para los procesos de mercado[19,20].

Un segundo punto clave consiste en que todos los intentos para reformar las grandes empresas del Estado y hacerlas más competitivas, hasta ahora, han experimentado un fracaso abismal. Los pocos recursos han sido invertidos en estas empresas con débiles resultados. Los arraigados hábitos de pensar y los privilegios extendidos las han hecho cambiar casi de manera imperiosa.

Si tomamos juntos estos dos puntos, ¿qué se observa? *Las empresas estatales chinas que ascienden (véase* figura 3.3) *hacia una mayor turbulencia de la posición B' requieren para su desempeño un cambio de paradigma y dejan la práctica de estrategias emergentes a las pequeñas empresas familiares, ascienden de A y adoptan un nuevo paradigma organizacional casi inconscientemente.*

Si todavía no se puede definir el nuevo paradigma organizacional, ¿se podrán por lo menos, identificar sus lineamientos constitutivos? Creo que se pueden identificar cuatro de ellos.

1. *Las redes personalizadas hacen los ámbitos organizacionales más permeables.* La diferencia entre lo propio y lo ajeno de las organizaciones se basa menos en un contrato de trabajo que en el compromiso individual relacionado con la red. En muchas situaciones los clientes y los proveedores se consideran prolongaciones de la organización.
2. *En las redes personalizadas la contratación relacional llega a ser más importante que la contratación de mercado.* La ausencia de un marco conceptual legal y confiable y los costos de transacción asociados con su uso despiertan interés en las relaciones verdaderas basadas en los valores y en las metas compartidas.
3. *Las autoridades locales son parte de la red personalizada y ésta es parte de las autoridades locales.* En muchas regiones de China las autoridades locales participan de la red como proveedoras de los recursos esenciales para las empresas familiares y en consecuencia tienen algunos derechos sobre su lealtad y sobre los beneficios que generan. Esto ocurre en especial en el sur del país y en las regiones costeras.
4. *La propiedad colectiva de recursos, más que la pública y la privada, convierte estas empresas en red en maximizadoras de beneficios y no en maximizadoras de utilidades.* Los derechos de propiedad permanecen ambiguos y el conflicto social se minimiza, acentuando más los beneficios colectivos de la participación en red, que los privados; estos últimos no desaparecen sino que se relegan a un último término.

19 Boisot, M., "*Industrial Feudalism and Enterprise Reform–Could the Chinese use some more bureaucracy?*", en M. Warner (ed.), *Management Reforms in China*, Londres, Frances Pinter, 1987.

20 Boisot, M., y J. Child, "*The Iron Law of Fiefs: bureaucratic failure and the problem of governance in the Chinese economic reforms*", Administrative Science Quarterly, diciembre de 1988.

Ninguno de estos lineamientos emergentes es exclusivo del caso chino. Por ejemplo, algo similar sucede en las empresas familiares italianas de la región Emilia Romagna, denominada "la tercera Italia"[21,22,23], en el sudeste asiático y en ciertas regiones de Alemania. Todavía ninguno de estos casos ha adquirido el estatus de paradigma. Por tanto, no sirven de ejemplo para guiar esfuerzos futuros en el desarrollo organizacional.

■ Conclusiones

La turbulencia económica que acompaña los esfuerzos chinos en la reforma del sistema, convierte las empresas familiares de rápida propagación en organizaciones de aprendizaje. Al respecto ha habido muchas discusiones en los círculos administrativos de Occidente pero muy poco se ha dicho en relación con la clase de aprendizaje que una empresa requiere para sobresalir en el entorno en que se encuentra. Quizá lo más desafiante es que ninguna de ellas ha vinculado tal aprendizaje con las *aceleraciones* en la tasa de cambio. Donde se ha discutido sobre el aprendizaje, con frecuencia el foco ha sido cómo desacelerar las condiciones de la tasa de cambio, ascendiendo hacia una mayor estabilidad, equilibrio y convergencia. Ésta es no sólo una visión parcial de los procesos de aprendizaje, falacia en la que no incurrieron las empresas de Occidente, las cuales sí comprendieron la clase de desafío que el medio les iría a plantear, en las sociedades posteriores al socialismo, sino, peor aún, se les ha ocultado el alcance de los cambios organizacionales necesarios para explotar cualquier nuevo orden quizá latente en la turbulencia que necesariamente irían a encontrar. Muchas prácticas organizacionales diseñadas para reducir la turbulencia tendrán que descartarse en favor de otras concebidas para ayudar a manejar la empresa.

Por paradójico que sea, parece ser eficaz en los ambientes posteriores al socialismo en Europa central y oriental, y en la Comunidad de Estados Independientes, las empresas de Occidente tendrán que desentrañar el arraigado significado del capitalismo, aquel utilizado por Joseph Schumpeter entre 1930 y 1940[24,25,26] y más recientemente por el historiador francés Fernand Braudel[27], el cual se ha interpretado de dos modos diferentes (*véase* figura 3.7), a saber:

- Un proceso de equilibrio opera de manera gradual por medio de *mercados* que poco a poco traslada los intercambios económicos hacia las regiones más bajas y estables de la figura 3.7.

21 Brusco, S., *"The Emilian Model"*, Cambridge Journal of Economics, vol. 6, 1982, pp. 167-184.
22 Piore, M. y C. Sabel, *The Second Industrial Divide: possibilities for prosperity*, Nueva York, Basic Books, 1984.
23 Best, M., *The New Competition: Institution of Industrial Restructuring*, Cambridge, Polity Press, 1990.
24 Schumpeter, J., *The Theory of Economic Development*, Londres, Oxford University Press, 1934.
25 Schumpeter, J., *Capitalism, Socialism and Democracy*, Nueva York, Harper Torchbooks, 1942.
26 Schumpeter, J., *Business Cycles: A theoretical, historical and statistical analysis of the capitalist process* (abridged), Philadelphia, The Porcupine Press, 1989.
27 Braudel, F., *Civilisation Matérielle, Economic et Capitalisme, XVeme–XVIIIeme Siecle*, 3 vol., Paris, Armand Colin, 1979.

- Los procesos de desequilibrio operan por medio de "ventarrones de destrucción creativa"[28] que en forma periódica traslada los intercambios económicos hacia las regiones superiores de turbulencia de la figura 3.7.

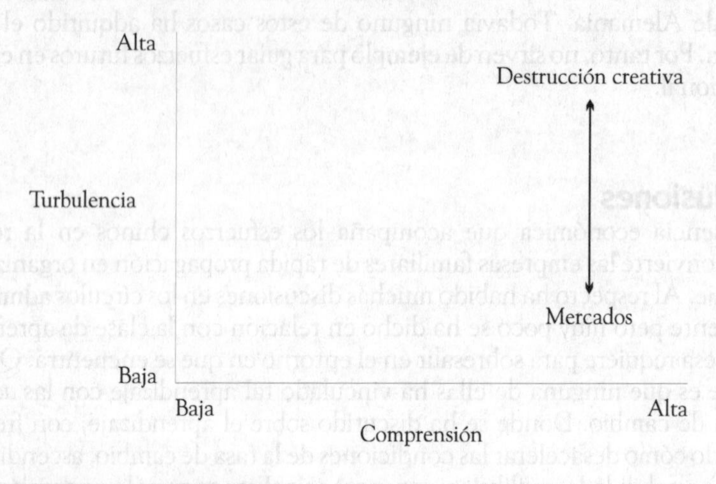

Figura 3.7 Comprensión y turbulencia, VI

No se requiere escoger entre estas formulaciones alternativas. *Ambas* son aplicables en el ambiente apropiado. En el momento, Europa central y oriental y la Comunidad de Estados Independientes se caracterizan por turbulencias irreductibles. Sin duda, con el tiempo disminuirán, pero no por acciones organizacionales individuales, e inclusive colectivas. Sólo la marca schumpeteriana del capitalismo parece ser eficaz en tal ambiente de turbulencia, un capitalismo que destruya modelos obsoletos de organización y los sustituya por nuevos.

El problema radica en que muchas de estas políticas adoptadas en Occidente por economistas orientadores de mercado y con poder de decisión en las sociedades posteriores al socialismo, están fundamentadas en el punto de vista del capitalismo, que fomenta la creencia de que por ubicar las grandes empresas del Estado en un ambiente de mercado (por ejemplo, privatizarlas) de algún modo estarían eximidas de la amenaza de destrucción creativa al aumentar la turbulencia. Las grandes empresas han sido motivadas por los gobiernos de la región para proveer los recursos y la estabilidad que hagan funcionar estas políticas. Mi análisis sugiere que a las pequeñas empresas de Occidente, pragmáticas y de rápida propagación, que hasta ahora no se han comprometido con el paradigma organizacional de las grandes empresas, les iría mejor. Esta hipótesis se sostiene por la experiencia de inversionistas extranjeros en China. Durante diez años hasta ahora los inversionistas extranjeros han estado invirtiendo con creces en la República Popular China dispuestos a soportar la frustración, el acoso oficial y las ineficiencias burocráticas por el beneficio de las

28 Schumpeter, J., *The Theory of Economic Development*, Londres, Oxford University Press, 1934.

ganancias que de algún modo siempre parecen estar en el horizonte. Algunos han hecho dinero, muchos más han tenido pérdidas. Sin embargo, mucho más que las empresas extranjeras, han sido lucrativas las pequeñas empresas de Hong Kong administradas por sus dueños que operan con flexibilidad en las áreas rurales de las provincias de Guangdong y Fujian, a veces más allá del alcance de la burocracia central, que trabajan por medio de una densa red de contactos personales. Las provincias de Guangdong y Fujian han estado controlando las tasas de crecimiento del producto interno bruto, que son por lo menos dos veces las de las provincias chinas. ¿Tendrán los inversionistas de Occidente en Europa central y oriental y la Comunidad de Estados Independientes la capacidad para ignorar esta lección?

Puerto de K, 1939, Paul Klee. *Fuente*: reproducido con autorización de Paul Klee Stiftung, Kuntsmuseum Bern. © DACS, Londres.

EL TRABAJO SOBRE EL LIBRO, 1

Expresiones escuchadas en la conferencia, el taller y las reuniones editoriales:

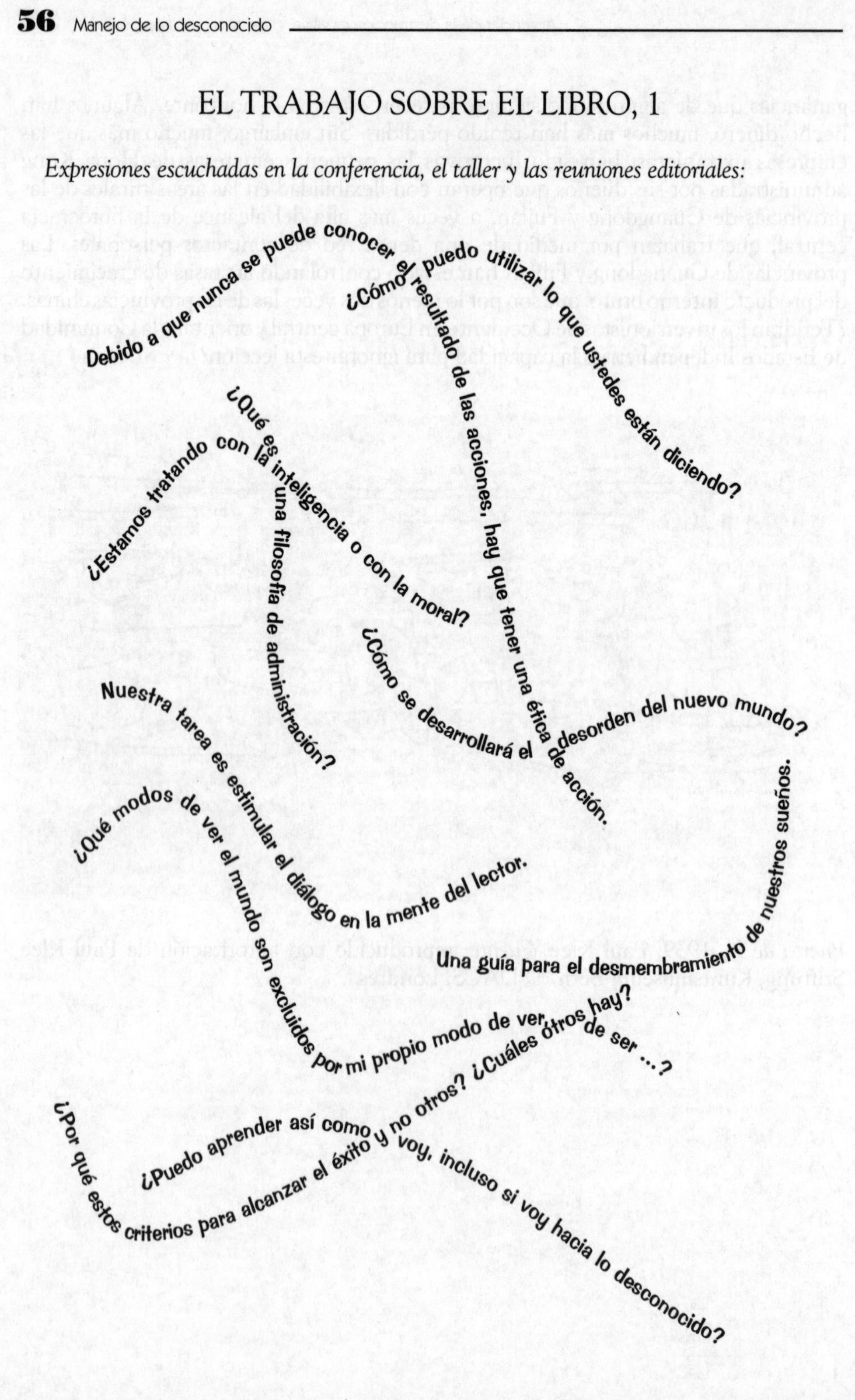

Debido a que nunca se puede conocer el resultado de las acciones, hay que tener una ética de acción.
¿Cómo puedo utilizar lo que ustedes están diciendo?
¿Estamos tratando con la inteligencia o con la moral?
¿Qué es una filosofía de administración?
¿Cómo se desarrollará el desorden del nuevo mundo?
Nuestra tarea es estimular el diálogo en la mente del lector.
¿Qué modos de ver el mundo son excluidos por mi propio modo de ver, de ser ...?
Una guía para el desmembramiento de nuestros sueños.
¿Cuáles otros hay?
¿Por qué estos criterios para alcanzar el éxito y no otros?
¿Puedo aprender así como voy, incluso si voy hacia lo desconocido?

CAPÍTULO 4

La compañía equitativa

La justicia social en los negocios

Coralie Palmer

No puedes controlar tu vida... nadie puede. Esa es una ilusión. Pero puedes influenciarla. Y si aplicamos nuestra influencia a la mejor de nuestras capacidades, de esa manera el cambio puede darse.

JOHN TRUDELL
Poeta norteamericano.

■ Parte I. Equidad, crecimiento y futuro

Hace una década acepté el desafío de tomar el cargo de secretaria en la Manchester Business School. La visión de "ojo de gusano" que me dieron los administradores y la administración, sumado a un curso acelerado acerca de la vida organizacional de la base de la pirámide es decir, lo experimentado por la mayor parte de los empleados en las organizaciones y que se denomina recursos humanos.

La característica principal del mundo que encontré fue su completa e increíble introversión. En mi ingenuidad encontré del todo desconcertante que el mundo de los negocios pareciera autoevaluarse como si tuviera el derecho divino de ignorar las consecuencias desagradables de sus acciones en las organizaciones y fuera de ellas: desde la situación de empleados aburridos y frustrados en casa, hasta la cercanía de la Tercera Guerra Mundial. En un campo dominado por el desempeño financiero, los costos reales de ese valor (de local a global) eran conspicuos por su ausencia en la hoja de balance; y si no estaban en la hoja de balance no se consideraban importantes. Entonces esto me pareció, y todavía me parece, una actitud propia de adolescentes y bastante inapropiada en un adulto, lo cual no guardaba relación con la riqueza y el poder de estas organizaciones. Irónicamente, a pesar de todo, cuestionar era considerarse inmaduros además de idealistas.

Pero para mí, sólo un adolescente intentaría concebir este insólito principio: riqueza-creación. Existe un popular resumen esquemático de una organización A.N., parecido al de la figura 4.1.

Las flechas hacia el ambiente y desde él indican la manera de influir sobre un negocio, y viceversa; lo que se pierde es la noción de responsabilidad por los resultados

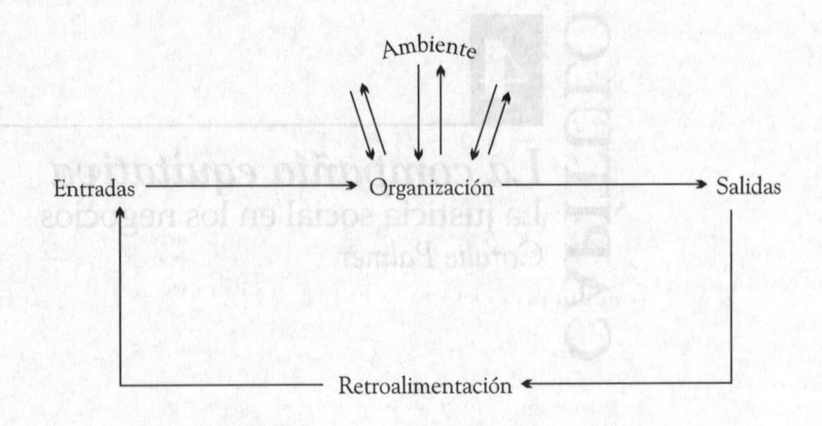

Figura 4.1 Estructura organizacional, I

de esas influencias. Tal actitud todavía es, con tristeza, demasiado evidente en muchas de las personas bien intencionadas e inteligentes que de estar mejor informadas, habrían procedido de manera diferente.

De igual modo, sólo un adolescente debería o podría desarrollar el tortuoso *argot* de la comunidad de negocios. Como las jergas de los adolescentes, éste constituye un mundo cerrado. Las convenciones de la jerga de administración eliminan del vocabulario aquellos conceptos que la mayoría de nosotros juzga como fundamentales para la vida civilizada. Las verdades de la vida de los negocios no se encontrarán en lo que se dice sino en lo que no se dice. Al abrir un libro común de administración será difícil abolir las palabras "liderazgo", "conformación de equipo", "cultura" o "servicio al cliente". Además, no se encontrarán palabras como "comunidad", "justicia", "ética" o "madurez".

Sin duda, como persona lega en el campo de los expertos, vine equipada con un conjunto inmoderado de prejuicios respecto de la necesidad de claridad, brevedad y exactitud en la expresión. Una y otra vez oigo personas que utilizan el lenguaje en un intento desesperado de enredar la verdad: cuanto más desagradable sea la verdad, más barroco será el enredo. Tómese como ejemplo el hecho de la consultoría que ha desarrollado toda una industria lingüística propia. Así se tiene "administración por objetivos", "círculos de calidad" y "administración de calidad total"... a esto se le denomina consultoría. En las organizaciones, la mayor parte de la jerga disfraza la horrible necesidad de un discurso plano, de la base hacia arriba y no de la cúspide hacia abajo.

Todos los administradores parecen familiarizarse con el síndrome de la jerga, aunque la mayoría de ellos la detesta; pero (como "el nuevo vestido del emperador") cualquier clase de sobrevaloración le ha concedido el poder de autoperpetuación. Como lo señaló George Orwell con deprimente precisión en *1984*, si se quiere evitar o falsificar algún aspecto de la realidad, simplemente se omite o se inventan otras palabras para lo que no es y se utilizan en su lugar. Algo así aconteció con la palabra: Recursos Humanos.

Son los seres humanos los que aquí me conciernen, y es aquí donde la *equidad* se hace presente. Si esta palabra se busca en el *Diccionario Oxford de inglés* se encontrarán dos significados sin relación aparente. El primero se relaciona con "acumulación y distribución de interés improductivo fijo de una compañía o el valor de una empresa para compartir los problemas". Con este conjunto de significados los negocios están cómodamente familiarizados. Pero la segunda definición describe la equidad como "justicia; recursos de los principios de justicia para corregir o complemetar las leyes..." Este es el sentido de la palabra "equidad" que necesita ser restaurado en el mundo de los negocios, si va a estar en capacidad de moverse de la adolescencia inmadura a la adultez responsable.

La esencia de la adolescencia es el cambio, y tratar con cambios requiere a la vez imaginación y valor. El valor sin imaginación con mucha frecuencia genera estupidez; y si sobrevive o no, las consecuencias son más asunto de suerte que de buen juicio. La imaginación nunca ha sido una característica muy valorada por la industria británica, razón por la cual sus científicos se marchan a los Estados Unidos y sus diseñadores se orientan hacia el continente europeo. El problema con las personas imaginativas radica en que hacen preguntas difíciles, como "¿por qué?" y "¿para qué?" En ausencia de estas preguntas idiotas necesarias, la industria insiste en imponer su punto de vista, realizando cambios muy superficiales.

Durante mi trabajo en Manchester Business School, cuando la discusión adquirió un grado de aspereza como el de ahora, se sacaron a relucir los mismos tópicos viejos y marchitos: 1) no se puede cambiar la naturaleza; 2) no se puede dirigir un negocio de esa manera. Muchas veces siento ahora lo que sentí entonces acerca de estas aseveraciones. Primero, la naturaleza humana debe ser una mezcla atroz de impulsos generosos y destructivos, pero el comportamiento humano es de manera abrumadora un asunto de hábito. Lejos de mí está disputar el férreo poder del hábito; pero los hábitos mismos son asunto de elección. Segundo, un negocio *sí puede* dirigirse de esa manera. La segunda y la tercera partes de este artículo ofrecen ejemplos comunes de negocios que hacen eso. También puedo pensar en un sinnúmero de maneras como deben y pueden ser los negocios que no se dirigen así. Sin embargo, se requiere cambiar las prioridades. En la agenda tienen que figurar aspectos que no estaban antes.

Para cuestionar la racionalidad de la vida laboral se requieren un tiempo y un espacio disponibles para la reflexión, diferentes de la jornada laboral. Manchester Business School fue semillero de conferencias y seminarios diseñados para cubrir estas demandas, en la búsqueda específica de lo que los textos denominan "reconstruir". Pero incluso una familiaridad limitada con el ámbito de conferencias deja claro que la mayoría de los administradores asiste a estas actividades con la esperanza de sentirse energizados por esos mecanismos invaluables de compartir algunas risas y una bebida con personas de igual modo de pensar, lo cual puede ser comprensible. Sin embargo, ellos no aprovechan del todo estas experiencias pues no es fácil por ejemplo, tener un punto de vista propio sobre un mundo abatido y considerarlo como un asunto prioritario, después de una semana tediosa.

No obstante, las personas en proceso de cambio estaban atemorizadas por lo que ha venido sucediendo desde hace diez años, durante los cuales tuve un pie en ambos extremos del espectro de los negocios, por así decirlo, trabajando como capacitadora en administración de negocios cooperativos y convencionales. Cuando comencé no había entre ambos más que una brecha cultural a modo de abismo. Las cooperativas, como lo demuestran sus estructuras de propiedad, tomaron la equidad como valor central, pero, de manera lamentable, como ocurrió, tenían pocas habilidades básicas de administración. Las compañías convencionales se centraron con fuerza en las habilidades administrativas pero todavía no habían descubierto la importancia de la fuerza laboral.

Durante esa década el "ambiente de turbulencia" que al fin encabezaba muchas agendas en Manchester Business School logró imponerse. Para las compañías convencionales esto ha representado diferentes clases de demanda de empleos en todos los niveles necesitados tradicionalmente, pues para ganar la buena voluntad del inversionista, los negocios han de tener la confianza del cliente en un grado sin precedentes. Así pues, la tan pregonada necesidad de flexibilidad, innovación y rapidez de respuesta impulsó la creación de un equipo de asesores con habilidades y compromiso respecto a calidad, servicio, elección y demás exigencias para la satisfacción del cliente.

En la medida en que cambió el enfoque, cambió el lenguaje. La "cadena de órdenes", que durante mucho tiempo constituyó los cimientos del principio organizacional, tuvo que replantearse. Las organizaciones convencionales, por tradición dominadas por la metáfora de campañas militares, empezaron a hablar de valores y culturas, aptitudes y visiones: la organización "dirigida al cliente" generó la necesidad de la organización "dirigida al valor".

Entre tanto, ya las cooperativas habían despegado desde una base "dirigida al valor". Los valores de justicia social y responsabilidad empezaron a generar más métodos prácticos y flexibles para sus implementaciones por medio de habilidades de mercadeo, investigación y desarrollo, desarrollo de personal y método organizacional, y a impulsar modelos innovadores característicos de administración efectiva de realidades sociales y comerciales.

Así, desde donde estoy, he visto cómo se reduce, de manera lenta pero segura, la brecha cultural entre los negocios convencionales y los cooperativos en respuesta a las duras demandas del ambiente turbulento que ha ejercido presiones comunes sobre todos los negocios. En la búsqueda de la supervivencia de la equidad, las cooperativas han llegado al perfeccionamiento del desarrollo de las habilidades necesarias para el éxito comercial, en cuya búsqueda los negocios convencionales han descubierto estructuras y valores "centrados en las personas".

Pero aquí las cooperativas que conozco están avanzadas, por la sencilla razón de que es más fácil adquirir nuevas habilidades que practicar nuevos valores. En los negocios convencionales, es asunto de prioridad preguntarse ¿qué tan simétricos son los valores "centrados en las personas" Uno de los escritores más influyentes en los negocios de la última década ha sido Tom Peters[1], cuyo libro *En busca de la excelencia* tuvo acogida internacional y presentó la noción de organización centrada en valores, como lo más importante. Una de las razones de la acogida que tuvo el libro fue su

1 Peters, T. J. y R. H. Waterman, *In Search of Excellence*, Nueva York, Harper & Row, 1982.

estilo pseudoacadémico, caracterizado por el entusiasmo, la rectitud y la sencillez. Por desgracia, a mi modo de ver, su sencillez limitaba con la simplicidad, como lo indica la suerte ulterior de muchos de sus mejores ejemplos, evidencias de algunas contradicciones inherentes y profundas que parecieron desecharse con la importancia que se le dio a la acción.

La excelencia fue la meta planteada: la excelencia "como se ha definido, continuamente por grandes compañías innovadoras". Para Tom Peters, grande significa grande *de verdad*. Grandes ejecutoras en el mercado de valores. Se pudo innovar más allá de lo imaginado, pero si no se tenía a la vez un "buen puntaje en las medidas de crecimiento y la medida absoluta de bienestar económico", entonces no podía permanecer en la lista. Había que ser "*grande*, vigoroso, bueno e innovador" (el énfasis es mío).

Tratar la innovación como componente de la excelencia es una proposición razonable. Pero, anteponiendo preguntas "tontas" como: ¿qué clase de innovación?, ¿con qué propósito?, ¿a quién le interesa? Desde el punto de vista de Tom Peters, para que un negocio permanezca grande, con vida, bueno e innovador, hay que suponer que tales virtudes son buenas para todos nosotros.

Pero, ¿es la innovación *como componente de la excelencia,* simplemente algo que asegura la compra necesaria por parte de clientes suficientes para que la compañía permanezca grande, con vida y bien? Desde ese punto de vista, una compañía que elabora comida rápida, grasosa, muy procesada y envuelta en clorofluorocarbono (CFC) es una excelente compañía. No argumentaría que McDonald's es un imperio con influencia en los negocios, bastante rico, que le gusta ver a sus clientes satisfechos. Pero debatiría que eso constituye la excelencia. Se requiere pues, una actitud de cambio capaz de obtener consecuencias sociales importantes en una política de negocios, en este caso, las acciones y los productos son menos importantes.

El cambio va unido a la adhesión al trabajo como valor primordial, lo que de hecho no es excelencia sino crecimiento financiero. El fundamento de todo esto, como lo concibe la jerga, es la maximización de los beneficios. Pero existe un talón de Aquiles en esta medida sagrada del éxito en los negocios. A diferencia del beneficio, herramienta que puede servir para un sinnúmero de fines, su maximización sólo es útil en sí misma, consume los otros valores a su alrededor, como el azúcar, que en el torrente sanguíneo aprovecha las vitaminas en su propia combustión. Aquí no se sugiere que la excelencia y la maximización del beneficio deban estar siempre en conflicto y que además ese conflicto sea una realidad en los negocios convencionales.

Es un conflicto que ha permanecido desconocido a pesar del éxito general del libro de Tom Peters. Por el contrario, la noción de negocio como un medio donde la excelencia opera mano a mano con el crecimiento financiero galopante llegó a ser motivo primordial en la década de los años 80 y fue la metáfora dominante de la década. Si se dirigiera toda la sociedad como "Reino Unido, S. A.", tendríamos un hecho de desbocamiento y todos seríamos ricos. Pero, como lo dice Tom Peters en su libro, eso no es tan simple. Hay un conflicto desconocido en contienda.

Uno de los ejemplos más claros de este conflicto es el cataclismo que tiene lugar en las instituciones públicas británicas. En la década pasada se presenció un trasplante sin precedentes de la razón fundamental y los métodos de los negocios convencionales en el área de los servicios públicos. Existe el hecho de que las burocracias rígidas y muy centralizadas inherentes a muchas de estas organizaciones fueron en bastantes casos responsables de grandes ineficiencias, empleados frustrados y provisión de malos servicios. Desmantelar tales estructuras y construirlas mejor sólo se puede hacer con el compromiso de todos. Pero, ¿cómo serían? y ¿qué valores incorporarían?

Las palabras que fructifican de manera constante en este contexto son la trilogía de las "tres 'E'": economía, eficiencia y eficacia. Pero, como lo señaló en forma persuasiva el profesor James Stewart, en el reino de los servicios públicos siempre ha estado involucrado otro principio fundamental: la equidad, o sea, esos recursos se deberían utilizar y distribuir de una manera no sólo económica sino eficiente y eficaz. En el camino hacia la reestructuración se corre el peligro de "arrojar el bebé con la bañera".

La clara evidencia de esto es la agudeza quirúrgica para arrancar este principio del lenguaje de las organizaciones. Por mucho tiempo no se es pasajero, paciente o estudiante, sino cliente. Este es un intento de preparar los servicios públicos para proveer lo que los clientes compran, es decir, lo que *desean.* Ellos no lo hacen y no deben hacerlo: ellos suplen *necesidades.* El transporte, la salud y la educación son necesidades básicas para una sociedad civilizada. Y, además de todo, se tiene el hábito de considerarse a sí mismo como tal. Si se recibió un tratamiento del National Health Service que no fue lo suficientemente bueno, el reclamo no se haría diciendo que el servicio no es equivalente al pago, sino insistiendo en que se está ejerciendo un derecho de ciudadano.

Los ciudadanos tienen derechos por ser miembros de la sociedad. Los clientes los tienen por su compra. Estos dos grupos y circunstancias no son lo mismo y nunca lo serán, y si se intenta tratarlos como tales sería crear una sociedad en la cual los derechos se basan sólo en el poder de compra, donde de hecho se convierten en privilegios y no en derechos. Si se desea construir un modelo más efectivo de servicios públicos, lo mejor sería dejar el valor central de la equidad justamente donde está y desarrollar una nueva estructura que permita ofrecer servicios "económicos, eficientes y eficaces".

En el sector público la aplicación un poco indiscriminada de valores en los negocios convencionales ha tendido a distorsionar la realidad con consecuencias desastrosas en potencia lo cual también es cierto en el sector privado, excepto que las consecuencias están acumulándose. En la última década se ha visto un ascenso en la conciencia pública con respecto a algunas de ellas, desde el desempleo y la contaminación ambiental hasta la crisis de pobreza del Tercer Mundo. Pero mientras se mantenga sacrosanta la maximización del beneficio como la primera medida del éxito de un negocio, no habrá cambios fundamentales en algunos principios y prácticas de la vida comercial. A medida que la mayoría de los administradores toma conciencia, lo que se mide son sus prioridades y las medidas son las del adolescente en desarrollo. ¿Qué tan poderoso soy? ¿Cuán grandes son mis músculos? ¿Cuánto peso puedo levantar? ¿Para qué se utilizan esos músculos? ¿Para qué deberían utilizarse? ¿Cómo ser responsables de las consecuencias? Todas estas son preguntas para un adulto. Pero si lo principal es el éxito en los negocios, estas preguntas permanecen sin respuesta.

Soy consciente de que cuestionar el derecho inalienable de la maximización de las utilidades es quizá provocar una reacción de estremecimiento en el lector por el hecho de ser atractivamente idealista, peligrosamente subversiva o sólo necia: porque involucra el cuestionamiento de supuestos que están muy arraigados en el mundo de los negocios y que se ven como verdades incontrovertibles, tales como: no se puede cambiar la naturaleza humana y no se puede dirigir un negocio así. La historia nuestra es convivir con las consecuencias catastróficas de cambiar tales supuestos: el sufragio universal, la abolición de la esclavitud... Sin embargo, aun así la responsabilidad social, sin mencionar la justicia social, se considera más allá del alcance del gremio de los negocios, "No es asunto nuestro". "Eso lo arregla el tiempo".

Hace diez años la idea de un seguimiento ambiental se consideró en general como punto de comportamiento fanático. Ahora el principio ha sido aceptado internacionalmente, debido en gran parte al cambio y a la fuerza de la opinión pública, que reconoce el problema como de supervivencia universal, y que contrarrestó los criterios previos del comportamiento de los negocios. Esta conciencia es el primer paso tentativo hacia la promoción del crecimiento de la madurez en los negocios, no sólo de pequeños a grandes, sino de adolescentes a adultos, organizaciones responsables de las consecuencias de sus acciones.

Esta clase de crecimiento es el que los negocios convencionales a través de la historia han estado rehusando hacer, pero que requiere un cambio en las prioridades que en realidad es menos discontinuo de lo que parece. Los límites percibidos de la responsabilidad corporativa se han extendido poco a poco desde la Revolución Industrial. En su infancia era obligatoria sólo para sus dueños; el movimiento sindical amplió los límites para incluir los intereses de los empleados. La plaza de mercado extendió mucho más ese límite para incluir a los clientes; los negocios equitativos se extienden cada vez más para incluir a los ciudadanos. La equidad como valor central afecta sus relaciones no sólo con los empleados y los clientes sino también con la comunidad en la que operan y con los países con los que mantienen intercambio comercial. Y esto parece un enfoque constante de verdadera madurez.

Si se trata la madurez como oportunidad y no como amenaza, es posible hacer algunos "replanteamientos" interesantes. Al ubicar el valor de la equidad en el centro de una empresa se abren más puertas de las que se cierran, muchas de las cuales son difíciles de negociar, pero, al final, la experiencia será familiar para los innovadores. Pero si se invierte el sentido del énfasis general, trasladando los métodos de los negocios a las instituciones sociales y en cambio se busca trasladar los valores y las medidas sociales a los negocios, habría que manejar una gran variedad de ejemplos exitosos que sólo demuestren lo controvertible de las verdades incontrovertibles.

Los negocios equitativos que ya existen se han considerado por mucho tiempo como "margen" de operaciones destinado a no tener nunca un impacto significativo en la sociedad británica, parecido a los sufragistas y abolicionistas de antaño. Son organizaciones que han implementado los valores de justicia, democracia, ética y comunidad en una década que deificó la adquisición rápida de riqueza individual por encima de todo.

Muchas de ellas no sobrevivieron, como es de esperarse de empresas sin suficiente audacia para correr esa clase de riesgos. Pero muchas más mantuvieron intactos sus negocios y sus valores durante esa década. Las nuevas continúan fortaleciéndose, las viejas, prosperando. Lo que tienen en común con los negocios convencionales es el ambiente turbulento en que ambas existen. Agradézcase o no, es un ambiente que exige madurez como precio por asegurar no sólo el futuro propio sino también el de los descendientes. Los negocios equitativos han aprendido mucho de la prudencia y del buen juicio de los negocios convencionales. Es tiempo de que los negocios convencionales devuelvan el favor.

■ Parte II. La compañía equitativa, guía del usuario

Lo que sigue no se reivindica como modelo, sino como un bosquejo de lo que constituyen los negocios equitativos. De ningún modo significa que sean definitivos, pero reflejan mi experiencia en negocios que intenta tratar la equidad como valor central (*véase* figura 4.2).

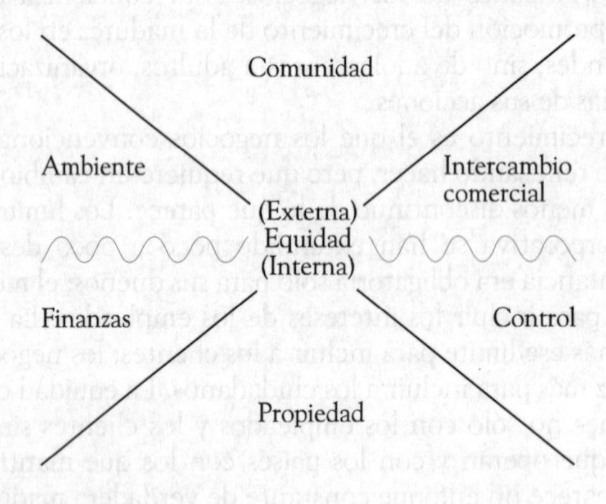

Figura 4.2 Estructura organizacional, II

No todos los negocios equitativos estarán relacionados de igual modo y en la misma medida con todos los aspectos de la figura; eso depende de la naturaleza del negocio. Pero es un factor importante que estas partes constitutivas no funcionan aisladas. Se integran, como los adultos, en virtud de sus relaciones con el valor central de la equidad.

Había pensado explorar la implementación de este mapa utilizando diferentes compañías, pero las limitaciones de espacio hubieran hecho el resumen resultante muy superficial para tener uso real. Por tanto, sólo hice alusión a ello mediante ejemplos breves para orientar al lector.

Propiedad . . . .

La justicia, al igual que la caridad, comienza por casa; es necesario preguntar quién es el propietario del negocio y si las utilidades están en consonancia con el capital del dueño. Nos referimos a la ejecución y la recompensa de la fuerza de trabajo. La última década presenció la proliferación de esquemas diseñados para reunir los intereses de los dueños y los empleados de una organización.

En un extremo del espectro de posibilidades están los planes de opción compartida y los problemas de distribución de beneficios. Más arriesgados son los esquemas de propiedad compartida con el empleado, como los de la corporación National Freight, en la cual el 10% de los valores compartidos lo maneja la fuerza de trabajo no administrativa. Al otro extremo del espectro se presenta la estructura cooperativa de la compañía Derbyshire Bus, en la cual todos los valores compartidos son manejados por los empleados y todos tienen igual voto en las reuniones de empleados/accionistas.

Finanzas . . . .

Todavía no se ha dicho que una compañía en bancarrota no beneficia a nadie. Los negocios equitativos ponen los rendimientos financieros al servicio de la equidad. En lugar de utilizar una medida absoluta de "más = bueno", cada una de estas compañías encuentra un grado de beneficio que no sólo hace sostenible su negocio, sino también el estilo de éste. Ello no es de manera necesaria una contraindicación para su crecimiento.

Productos Blackwall inició el negocio como cooperativa en 1984 vendiendo recipientes para abono elaborados con tambores de aceite reciclados. Ahora tiene más de una docena de líneas de productos principales y entre sus clientes corporativos están Littlewoods y Grattans. Un estudio reciente describió así su tasa de crecimiento:

> en el rango del 80% anual. En 1990 las transacciones comerciales llegaron a £383.000; en 1991, a £640.000; en 1992, a £1.140.000; y en el año fiscal que finalizó el 31 de marzo de 1993, a £1.750.000... [La compañía] ha alcanzado tasas de crecimiento notables, en gran medida debido a su compromiso de innovar y al desarrollo de sus operaciones de mercado directas. Tiene un sistema computarizado complejo que controla su manufactura y sus actividades de venta y distribución, capaz de manejar hasta 2.000 pedidos por semana. Ha hecho incursiones significativas en los mercados norteamericano y escandinavo por medio de vínculos con las compañías que hacen pedidos por correo. Ahora ha establecido una fuerte base de capital, ha pagado todos sus créditos originales y busca un movimiento mayor, que son premisas para la consolidación de propósitos en un futuro cercano[2].

Control . . . .

Este aspecto se relaciona con los niveles de poder y responsabilidad que mantienen los propietarios del negocio, y también en lo concerniente a sus grados de satisfacción y de implicación. Muchos negocios equitativos están comprometidos no con la "jerarquía más plana y más amplia" de moda, sino con el funcionamiento conjunto sin jerarquías.

2 Bound, Brown and Baker, *Going for Growth: A marketing handbook for cooperatives and other ethical small businesses*, ICOM/DTI, 1993.

Esto no significa acabar con la organización, ¡nada de eso! Suma Wholefoods es una de las grandes compañías proveedoras de alimentos al por mayor. Influida por el trabajo del profesor Sttaford Beer, quien utilizó los principios de la cibernética para desarrollar "sistemas factibles", Suma ha desarrollado una estructura que divide la fuerza de trabajo en grupos autónomos de no más de once personas[3], con la ayuda de la última tecnología de información. Éstos se coordinan por medio de una serie de reuniones de equipos entre sectores, se controlan por tarjetas de cumplimiento gestionado hechas a mano por cada grupo y se hace seguimiento diario. Hoy Suma emplea un equipo de 55 asesores de tiempo completo, tiene transacciones comerciales de £8.000.000 y todavía no tiene jerarquías.

Comunidad

Un compromiso con la comunidad en la cual se establecen los negocios significa más que una contribución incidental a la caridad local o un apoyo ocasional a un grupo comunitario, lo que significa integrar las necesidades de los negocios y los beneficios de la comunidad.

Emplear fuerza laboral local es importante y se convierte en una responsabilidad mayor a medida que el negocio se extiende. Alimentos Derwent Valley, conocido mejor por su nombre de marca Phileas Fogg, ha contribuido a la recuperación de Consett, del desastre de los trabajadores del acero a finales de 1982, que dejó sin empleo a más del 50% de la población. En la ola de esta primera expansión se resistió a la tentación de reubicarse y la compañía ha ayudado con planes de diversificación que crearán una economía más duradera en la región.

Ambiente

La prioridad debe ser la responsabilidad ecológica antes que el producto final que se ha aceptado sin restricciones. Las compañías equitativas utilizan un enfoque de "compañía total", controlando sus actividades provenientes de la compra de materias primas mediante la producción minorista para identificar sus impactos ambientales.

Paperback, Ltd. comenzó a principios de la década de los años 80 especializándose en la provisión de útiles de oficina, y aconsejaba a sus clientes transferir sus necesidades de útiles de oficina a productos reciclables, a ahorrar papel y a reciclar útiles de oficina usados. La compañía ha continuado su expansión en lo que en su origen fue un mercado subdesarrollado, con otras actividades, como el desarrollo conjunto de nuevos productos hechos de papel reciclado para la industria editorial. Entre sus clientes corporativos principales se encuentran Safeways, Tesco, HMSO y British Telecom.

Intercambio comercial

Existe una economía mundial basada en el intercambio comercial que ha estado balanceándose al borde del desastre durante casi una década. Muchas naciones de

[3] Beer, S., *Diagnosing the System for Organizations*, Chichester, John Wiley, 1985.

poco desarrollo en el hemisferio sur están ya en ese borde. Las consecuencias –pobreza, hambruna, enfermedad y guerras– se documentan con detalles deprimentes. En lugar de resignarnos a bien intencionada impotencia, estos aspectos podrían incorporarse a la política de negocios.

Desarrollar tales relaciones requiere compromiso e inversión a largo plazo, lo cual significa iniciar con sistemas de infraestructura de intercambio comercial como las comunicaciones, la banca, las finanzas y el transporte. Soft Solution, un negocio de *software* de computadores radicado en Londres y Manchester, se describe como "trabajadores" cooperativos comprometidos con el crecimiento de la telemática general. Ofrece una extensa gama de servicios en línea y en el Reino Unido tiene licencia para operar una red internacional de comunicaciones por computador llamada GeoNet. Esto permite a dos negocios en cualquier parte del mundo, con acceso a un computador, línea telefónica y *modem*, comunicarse entre sí. Un cuadro de boletín se abre para todos los usuarios de la red y muestra información comercial. Vinceremos, comerciantes mayoristas de vinos y bebidas espirituosas en el norte de Inglaterra, especialistas en vinos orgánicos y tercer productor del mundo, utiliza GeoNet para enviar pedidos a la cooperativa productora de vino Flame Lilly, en Zimbabwe. Vinceremos distribuye en Europa los vinos de Flame Lilly y le ha ayudado a aumentar sus exportaciones diez veces más.

La siguiente sección analiza a fondo una compañía. He evitado el estilo académico, que tiende a limitarse a información cuantificable, pues la compañía equitativa no se reduce sólo a estadísticas. Espero que esto capacite al lector para obtener algunas impresiones en ambas situaciones de la compañía y qué se siente trabajar con y en ella.

■ Parte III. De Broadgate a Brick Lane, Constructive Individuals (London) Ltd.

Es fácil perder la ubicación del mercado Spitalfields. Las calles comerciales rugen en un extremo, Bishopsgate, en el otro, y entre ellas, a 100 yardas del nuevo e impetuoso desarrollo de Broadgate, está el inesperado remanso de Spital Square. A ambos lados las callejuelas del este de Londres; en el medio, calmado, está el viejo edificio del mercado, una estructura victoriana de hierro puro, techo de vidrio, columnas que encierran un pasillo con eco, delineado con galerías, tiendas y talleres.

También en este espacio está Constructive Individuals (London) Ltd. Algunos de nosotros llegamos una mañana listos a comenzar el curso de capacitación de cuatro semanas sobre construcción de edificios. Nos reunimos en el mercado próximo al taller CI (Constructive Individuals). Cerca de nosotros, campos deportivos cubiertos ocupan el espacio. Al otro extremo del pasillo, una máquina Emmett (amalgama delirante de vacas, carros, sombrillas flores y luces) reducía la acción cada 15 minutos con un tono alegre. Extraordinarias esculturas de chatarra metálica, un pterodáctilo, un corredor agazapado, un guerrero con cuernos y una lanza afloraban en todo el mercado como guardianes mitológicos.

Simon Clark, gerente administrativo de CI, estaba allí para presentarnos al personal de la compañía. Con gafas y vestido con *jeans* y chaqueta de piel, ambas ligeramente empolvadas. Clark tiene abundante cabello prematuramente gris. Mientras él hablaba, la vacilante luz del sol atravesaba el techo para calentarnos los pies y los dedos.

A medida que nos conocíamos se hacía evidente que algunos habíamos aplicado un poco el concepto "hágalo usted mismo"; la mayoría no tenía idea de construcción como tampoco de exteriores. El grupo estaba conformado por trece personas con edades entre los 18 y los 52 años. Tres éramos mujeres (Kate, Di y yo); luego estaban Abayomi, Daniel, Ahmed y Pete; un par de Pauls (Paul el joven y Paul el escocés); Graham, Justin, Alan y Brendan. A excepción de dos, todos eran desempleados. Tim, Olly y Simon son arquitectos de CI (London). Jenny es administradora, John es ingeniero civil y Jyoti se preparaba para serlo. Andy es constructor, Mark es carpintero. Simon explicaba:

> Constructive Individuals es una compañía de arquitectos, constructores y administradores de proyectos. Fundada en 1985 para ayudar a las personas alejadas de la industria de la construcción a edificar sus propias casas y que ese desarrollo incluyera un edificio comunitario. Ahora lleva a cabo cursos de capacitación en construcción de edificios y administración de proyectos y está comprometida en proyectos de autoconstrucción en todo el país.
>
> En Spitalfields, este proyecto es parte de la iniciativa de Bethnal Green City Challenge para desarrollar el mercado como facilidad comunitaria. Aquí nuestro trabajo, y el de los capacitadores, es construir una serie de unidades minoristas, dentro del mercado y fuera de él.

Descubrimos que cada curso de capacitación es responsable de construir un grupo particular de unidades. A nuestro alrededor podíamos ver cuatro conjuntos de edificios de madera, situados al lado del mercado: tres están completos y dos están parcial o totalmente ocupados por vendedores de alimentos. El cuarto aún estaba en construcción sin techo. Simon continuaba:

> Lo que haremos será construir edificios de madera como los que vemos alrededor, aunque implique más impermeabilidad, por estar afuera. La tendencia de CI es promover la madera como material con el cual pueden adquirirse habilidades básicas con rápidez y agrado, y lograr mucho. El enfoque total de estos cursos consiste en que las personas aprenden lo mejor, haciéndolo. Obviamente, existe una guía de los tutores del curso pero la idea es vincularse y aprender de las propias experiencias.

Teníamos tres tutores: Mark, Andy y Tim. Tim es el arquitecto de los edificios en los que íbamos a trabajar y explicaba la evolución del diseño:

> Por un lado, teníamos un espacio pequeño entre Bishopsgate y la ciudad, y, por el otro, Spitalfields y el antiguo Extremo Este. Por tanto, potencialmente es un puente entre dos comunidades diferentes.
>
> Hay tres grandes entradas en el lado del mercado en Bishopsgate, por tanto, en esa misma línea hemos construido avenidas en el lote que atraviesa Bishopsgate. Ellas estarán alineadas con las tiendas que estamos construyendo, entonces todo el espacio conducirá a la gente al mercado.
>
> El proceso de construcción actual incluye, en lo posible, prefabricados en el taller. Por lo tanto aquí costruiremos las paredes tan lejos como podamos, luego nos encargaremos de levantar las paredes en el lote, la próxima semana.

Salimos y observamos el lote. Era un terreno grande y lleno de piedras. Alguien estaba haciendo rodar nuestro pequeño diseño en un rollo. Simon dijo:

> Antes de la semana pasada esto era un hueco enorme, por lo que lo han estado rellenando con recebo, que es una mezcla de arena y roca, encima de eso se construirán nuestros cimientos.

Detrás de nosotros una rampa de tierra conducía hacia a otra, un hueco oblongo del tamaño de un almacén. Rodeado de vigas aparentemente parecía que fuera a ser una piscina. Sin embargo, era un hueco muy impresionante.

De regreso al taller, Mark nos dio una guía poco útil para medir, aserrar y martillar, y los principios básicos que "sostienen los *niveles* horizontales, las *plomadas* verticales y entonces todo es un *cuadrado*. Incluyó otros consejos importantes, tales como la valoración de detalles que no apreciamos en el momento.

> Asegúrense de tener consigo un lápiz porque van a necesitarlo *todo el tiempo*. Detrás de la oreja está bien. Bueno, en realidad no para mí, porque mis orejas lo dejan caer.

Sin necesidad de decirlo, procedimos a tratar de proveernos de lápices con despreocupada alegría. Recordaremos las palabras de Mark más adelante cuando las personas guardan de mala voluntad los lápices sobrantes.

Esa tarde nos dividimos en grupos, cada uno trabajaba en una pared. Mi primer problema era mi primer martillazo. Mi martillo era un holograma por los efectos que tenía. Andy se apresuró a darme un poco de orientación. Era alto y fuerte y usaba el pantalón más trajinado del mundo. Andy es tan relajado como ningún ser humano tiene derecho. Decía: "Correcto, sostén el martillo por el *extremo*... y detenlo sobre el clavo... y ahora puedes darle un golpe fuerte, si lo pierdes, todo lo que golpearás será la madera"... Es como el judo, no es asunto de fuerza bruta sino de utilizar el peso en beneficio propio.

Tuvimos teoría y práctica a la vez. En una de las primeras conferencias diarias, Simon nos mostró filminas del trabajo de la compañía. Acostumbrados a pensar en las casas de madera, de algún modo como algo provisional, me desconcertó la absoluta elegancia de estos edificios. Además de ser económica su construcción, no hay nada espartano en ellos, en efecto, clásico es la palabra que salta a la mente. Como lo indicó Simon:

> La mayor parte de las casas en el mundo están hechas de madera. En este país eran poco usuales y cuando las personas comenzaron a construirlas hace pocas décadas, tuvieron muchos problemas sólo porque no sabían cómo hacerlas de manera debida.
>
> Uno de los factores más importantes para utilizar madera consiste en que es el principal material renovable del planeta –a diferencia del ladrillo, el concreto o el plástico, que están hechos de materiales no renovables–. Se requiere menos energía para obtener la madera del bosque y llevarla a su forma construible que cualquier otro material, y una vez se tiene, es más fácil aislarla.

En la segunda semana las paredes estaban completas y fuimos al solar para comenzar a disponer los cimientos. Con una cuerda, señalamos dos niveles cuadrados con perfección (espero). La caja superficial que construimos con las dimensiones exactas de la guía es capaz de sostener el concreto.

A las 12:30 p. m. del día siguiente llegaron las dos primeras mezcladoras de concreto. Allí estábamos con vasijas y palas, advertidos de antemano por Mark y Andy de lo que pasaría si no habíamos construido la caja adecuadamente. "Esas son las esquinas que sostienen el peso, –explicó Mark–. Si ceden –continuó sonriendo–, toda la caja se vendrá abajo y el concreto simplemente 'salpicará, todo el lugar... y, por supuesto, nunca podrán devolverlo otra vez".

Las mezcladoras retrocedían hacia la caja, dirigían el tubo de metal sobre la primera mitad y luego... lo vaciaban. Al principio, no mucho; luego, de repente, un poco más y, entonces, Dios, con seguridad ¡no puede haber más concreto en el mundo! Comenzamos a dar paladas como si nuestras vidas dependieran de esto. Lo esencial del concreto radica en que mientras se vea como una masa completa, rehúsa extenderse bien y uniformemente por sí solo, y se cuenta con un límite de tiempo para moverlo.

Mientras tanto, Mark y Andy construían un pisón de madera a lo largo, clavado a un tablón grueso. Un tronco con forma de cuerno sostenía una manija a ambos lados. El efecto general era de vikingo, las dos personas se turnaban a cada extremo de este *wotan* entre los pisones, golpeamos el concreto para nivelarlo. Mientras terminamos, vi a Di en otra esquina haciendo lo mismo que yo en ésta, es decir: adornando encantada nuestra plancha de concreto.

—¿No es lindo?

—Lindo.

Encabezamos un triunfante "¡a la taberna!"

Las sesiones en la taberna la noche del viernes eran parte integral del curso. Aquí supimos por Mark que, al dejar el lote esa tarde, algunos de los muchachos de otros lugares cercanos (que no son parte de CI) se acercan con cautela para inspeccionar la obra. "Ellos están –declaró Mark– del todo aturdidos por la presencia de mujeres en el lote". Nos los podríamos imaginar mirando esta plancha de concreto y diciendo: "¡Por Dios, es un trabajo muy bueno!" No estábamos sorprendidos, ellos estaban impresionados. *Nosotros* estábamos impresionados.

Di y yo estábamos de acuerdo en que era inmensamente satisfactorio refutar los estereotipos femeninos con acciones y no con argumentos. Para ambas estar en el curso era una experiencia en la que ser mujer no tiene que ser, por primera vez, motivo de discordias.

—Hay que confesar que los muchachos tendían a moverse con pesadez y gritar sátiras.

—Así es como lo hacen. Pero con cierta risita mirando bloques que son bloques...

Más tarde, Andy dijo que esa era la primera vez que trabaja en el lote con mujeres.

—¿Cómo te sientes?

—Bueno, en realidad es grandioso. Una atmósfera completamente diferente. Y hay más para reírse...

Ese fin de semana, Justin y yo salimos al mercado en Spitalfields, una cuadra detrás. Brick Lane está repleto de cazadores de ofertas. En el pasillo del mercado el paso es lento, y se presta así para pasear y charlar. Había bicicletas para los niños y se estaban construyendo gran cantidad de lugares donde comer y beber. La verdadera atracción era una completa sección que entregaba los alimentos orgánicos, que, en conjunto, era una revelación. Olvídense de los tristes grupos de flácidas y geriátricas verduras predilectas de las tiendas vegetarianas locales. Estaban amontonadas en variedad de colores, frescas, grasosas y suculentas. Los precios eran semejantes a los del supermercado. Los panes y los quesos eran sensacionales.

Es natural que, el domingo, el mercado ofreciera más de lo que necesitaba para tener éxito –con el tiempo–. Pero el tiempo era un factor incierto. El proyecto de la comunidad de Spitalfields era un desarrollo provisional basado en el arriendo de cinco años de la tierra. Cuando eso terminara, nuestro lote y la mitad del edificio del mercado que no estaba en lista sería nivelado con motoniveladora para dar vía al tipo de desarrollo de Broadgate. Es una estrategia ridícula pero en extremo común, que parece implicar que esas comunidades están fuera de opciones artificiales que puedan inventarse y desmantelarse a voluntad.

Al día siguiente, de regreso al trabajo, pregunté a Tim cómo se sentía respecto de los proyectos de los edificios que estaba diseñando. Es sorprendentemente confiado y contestó: "Siento que ustedes deben trabajar con lo que tienen y, además, nada es cierto, ¿quién sabe lo que pueda suceder en cinco años? Quizás el clima no sea bueno para el desarrollo". Simon sentía lo mismo y justo señalaba: "Es un ambiente de 'oficina en Y'. Pero una vez que comience a convertirse en un área social puede haber más presiones sobre los fomentadores de la infraestructura social".

Entre tanto, era la tercera semana y estábamos levantando las paredes. Nuestro trabajo no se hacía más fácil por el hecho de que el viento fuera fuerte y nuestra pared inclinada de catorce pies estuviera ansiosa por comportarse como una bandera de peso pesado. Nosotros la pusimos plana y la "recorrimos" verticalmente. La segunda pared la terminamos el día anterior y llovió toda la noche; se formaron varios charcos grandes. A medida que la levantábamos, una cantidad desproporcionada de agua le caía a Mark como cascada. Por desgracia, no estaba en situación de moverse. ¿De dónde salió tanta agua? –se sorprendió el joven Paul–. ¡Oh, hombre! –gimió Mark ante una corriente de agua que bajaba frente a él–. No sé de dónde viene pero sí adónde va..."

Una vez que las paredes estuvieron levantadas, emparejadas y derechas, las clavamos. Esta era una nueva experiencia, preferible cuando se hace en sentido vertical y no horizontal. Una esquina soportaba en silencio, testigo de los esfuerzos resultantes, con tres clavos que describían las enroscaduras barrocas sobre el éxito del cuarto clavo. "Hay una parte extraña de martillado en adelanto". Andy observaba con la modestia habitual.

De hecho, la modestia era un constituyente importante en el método de nuestros tutores. "Hay algo *anómalo* aquí", dijo Andy un día al descubrir un pedazo de madera donde no debía estar. Todo esto ayudaba a establecer un clima en el que ninguna pregunta era estúpida o igualmente importante y nos mantenía entretenidos mientras *aprendíamos haciendo*, haciendo las cosas mal y luego haciéndolas de nuevo.

El enfoque de modestia apareció una vez que nos paramos sobre el techo, con el fieltro ya instalado; teníamos que asegurarlo con listones y entecharlo. "Traten de no caerse con el fieltro –decía Mark–, sería un obstáculo, tendríamos que hacerlo todo de nuevo... y es probable que ustedes ya estén muertos... sólo será un obstáculo".

Orientábamos para evitar poner manos, pies, rodillas y codos sobre el fieltro, mientras deteníamos de repente el cuerpo. Total compostura, comenzamos con las tejas: éstas se entrelazan y son fáciles de colocar una vez formábamos una serie, pero hay que revisar la distancia de cada extremo. "No olviden revisar sus irregularidades –nos recordaba Andy–, aquí está el revisor de irregularidades", y me lanzaba la cinta.

Es sorprendente descubrir que Andy y Mark no se conocían antes del curso, porque como tutores trabajaban como el jamón y los huevos. Sus tareas eran poco envidiables, pero reales como la construcción, el programa y el presupuesto. Entonces la enseñanza y la construcción a la vez tienen que mantenerse en buenas condiciones. De vez en cuando ellos se inclinaban por administrar proyectos en los que estuvieran presentes; y los veíamos agachados en alguna esquina dedicados a charlas serias, que, cuando se resolvían, terminaban inevitablemente en carcajadas. Como los papeles modelos, el mensaje es claro: hay que tomar el trabajo en serio, pero no es necesario ser solemne para ser serio. Así, el edificio se construye para probar fortuna, los aprendices adquirimos habilidades y mantenemos el buen humor de milagro. Pero no es sorpresa que al final de la tercera semana ellos dos den muestras de fatiga.

Luego en la taberna, pregunté a Mark y a Andy por qué hacían este trabajo, ya que no tenían seguridad por ser subcontratistas, además, de otro modo podrían ganar más dinero.

—Porque es divertido –dijo Mark–. La mentalidad es diferente, es un ambiente de aprendizaje.

—El aspecto más importante que he adquirido de esto –opinó Andy–, es el interés renovado en las personas. Aquí veo un gran potencial... Nuestra sociedad está derrumbándose, hasta donde puedo apreciar, y aquí hay algo positivo.

Ninguno de ellos tenía ilusiones acerca de las dificultades o las desventajas del estilo de la compañía, que consistía en tener máxima libertad y máxima responsabilidad, que son de trabajo difícil.

Lo mismo opinan Tim y Olly.

—Se hace lo que se quiere hacer –interpeló Tim–. Si hay un desnivel, es porque como arquitecto solía cubrirme con la sombrilla académica y esto es como abandonarlo en las profundidades del mundo real.

—La idea –dijo Olly– es sólo pensar en el trabajo, lo cual es una manera brillante de aprender. Simon siempre tiene tiempo para todos los que desean hablar con él y siempre está dispuesto a ayudar... por lo general es así. Hay que hacer esto, aquí tienen, esto es de ustedes. Siempre sugiere pero nunca ordena.

Le pregunté a Simon dónde consiguió su equipo de colaboradores y dice que ellos tienden a encontrarlo a él. Jyoti es uno de esos casos:

—Vine en enero para un curso y lo disfruté en realidad, pero pensé que debían tener un instructor que no fuera blanco ni hombre. Entonces, le dije a Simon que deseaba trabajar con él, y aquí estoy.

De regreso al lote nos dispusimos a maniobrar con elementos eléctricos, lo que significaba recibir una conferencia de Johnny Sparks, alto, pecoso y con cola de caballo, con un paso largo y un estilo inimitable. Trabajaba bastante pero no tenía objeción de volver a sus principios:

Hace millones y millones de años había muchos bosques y grandes bestias vagaban por la Tierra; las bestias y los bosques murieron y otras malezas crecieron sobre todo eso y con el tiempo se convirtieron en petróleo y carbón. Hoy muchas personas hacen grandes fortunas en el Líbano, extrayéndolo y vendiéndolo.

Y así la historia continúa por medio de estaciones y subestaciones de generación hacia

el usuario doméstico, o sea, ustedes mismos. Excepto que usted se irá. Soy un radiotelegrafista. Entonces, ¿qué es lo primero que se hace antes de hacer cualquier cosa? *Correcto. Desvíe el asunto* *******. Si usted está en el piso de una casa, desvíe *toda la casa* *******. Porque nunca se sabe si alguien está espiando antes de convidarlo y ningún radiotelegrafista quisiera tener una carga de voltaje extra.

Al momento de terminar no sólo tengo un respeto saludable por la electricidad, sino que estoy muy intrigada con ella. Las pocas y confusas impresiones que me dejaron las clases de física del colegio las han remplazado una amalgama de dinosaurios y turbinas.

Y continuando con el asunto real. "Correcto, primero, reparar los elementos eléctricos", declaraba Tim con imponencia (tan imponente como puede mientras hace reminiscencia de Just William, con botas deportivas, pantalones cortos y corte de cabello similares a los de William). Por supuesto, en la práctica, instalar alambres es trivial. Paul el escocés y yo estábamos haciendo un anillo principal e intentando pasar el cable por un hueco en ángulo recto. Todo iba bien, pero al voltear la esquina se necesitaba un buen manejo de pelar, enrollar y halar. "Lo que en realidad necesita Paul es una pinza quirúrgica". En ocasiones el extremo del cable salta a la vista. "¡Es un niño!", grita Paul.

El último viernes se escogió para una fiesta no sólo para nosotros sino para los participantes de otros cursos que habían estado programados hasta la fecha. Sin embargo, todo lo que sabíamos acerca de la fiesta era suponer que se realizaría. La idea original era hacerla afuera, pero cuando llegó el día, el clima estuvo húmedo, frío y nublado. Ninguno parecía saber si habría o no, si sólo iríamos a la taberna, si traeríamos comida y bebida o si no haríamos nada. Todo esto era una exasperación latente al estilo CI y en realidad parecía que la idea se desvanecía del todo. Fui a tomar un baño mientras se llevaba a cabo el partido de fútbol del viernes.

Al volver, el partido se acabó, el cielo se aclaró y un Sol tardío brillaba con suavidad en una tarde maravillosa y sobrecogedora. A lo lejos, Jenny llevaba a las afueras del taller una camioneta cargada con alimentos y bebidas. Tim organizaba el traslado de pesados pedazos de madera detrás de la camioneta para hacer una fogata. A medida que avanzamos sobre la carretera, otras personas comenzaron a llegar de todas partes con destino al lote. Me acerqué a la "oficina" por un par de cervezas. Para entonces regresé y la fiesta comenzó. Ubicados con comodidad en el piso de la piscina ficticia. A la luz de la fogata, la música sonaba y se daba buen uso de los refuerzos de comida y bebida. Y a su debido tiempo el Sol se ocultó, apareció una rodaja de Luna y detrás de nosotros las luces de Broadgate convierten su fachada en una fantasía de gorra de húsar de Berkeley.

Se me ocurre que los problemas de Broadgate no son sólo un espejismo, que se han situado detrás de nuestro edificio a lo largo del curso, sino que lo más importante es su aplicación poética. Como centro de atención, tiene todas las cualidades bidimensionales de una pieza de un escenario. Cerca, la ausencia de profundidad y detalles es penosamente evidente y le dan un carácter de lumpen. Pero moviéndose hacia los antecedentes, viene a la vida... como un telón de fondo, es perfecto.

■ Verificaciones

Propiedad. Los tres directores comparten acciones en Constructive Individuals y Constructive Individuals (London) Ltd. "Nunca ha habido ningún peligro para nuestros ingresos y dividendos": Phil Bixby, director.

Comunidad. CI está interesado en el desarrollo de esquemas de autoconstrucción para alquilar o compartir propiedad para las personas de bajos ingresos. El grupo de autoconstrucción es el contratista; el fomentador es usualmente una asociación de vivienda; los arquitectos y los consultores son de CI (London) Ltd., que se estableció específicamente para administrar el proyecto Spitalfields.

Finanzas. "Hemos tenido éxito en un nivel sostenible de beneficios. Si nos proponemos más, estimulamos la naturaleza de la empresa; si nos proponemos menos, fallecemos. Mantenemos nuestros gastos generales muy bajos y cultivamos una relación muy estrecha con los gerentes de los bancos": Phil Bixby, director.

Ambiente. CI considera la vivienda ecológica como un proceso igual a un producto, que implica el diseño y el funcionamiento del edificio y el proceso de construcción. Los materiales y los sistemas de calefacción y de potencia se consideran según su durabilidad, su mantenimiento, su belleza, la poca energía utilizada en su fabricación y por no ser tóxicos.

Control. Todos los empleados a diferencia de los contratados por los directores son autoresponsables. "Hay un trabajo para hacer, cuándo lo haces y cómo es asunto tuyo... como lo que usas cuando estás haciéndolo, que es en realidad agradable porque detesto usar trajes formales": Olly, la arquitecta.

Intercambio comercial. Muchas provisiones provienen de Escandinavia, donde la industria maderera y de la construcción tienen bastante conciencia ecológica.

PALABRAS DE OTROS, 2

"Cuando doy comida a los pobres, me llaman santo. Cuando pregunto por qué son pobres, me llaman comunista".
Dom Helda Camarra

"La gente de negocios ha tenido mala prensa desde que los periódicos se escribían en papiros".
Sheena Charmichael

"El mayor propósito de nuestra vida, es decir, nuestra contribución a lo que el nuevo mundo desea ver surgir del caos actual, es esa época que nos traerá libertad individual mediante el control colectivo".
Mary Parker Follett

"El cambio de poder más importante de todos no va de una persona, un partido político, una institución o nación a otra. Está en el cambio oculto en las relaciones entre violencia, riqueza y conocimiento con los cuales las sociedades avanzan hacia su confrontación con el mañana".
Alvin Toffler

"¿Puede el aleteo de una mariposa en Brasil crear un tornado en Texas?".
Edward Lorenz

"En todo hombre se esconde una semilla indestructible de oscuridad desde su nacimiento".
Simone de Beauvoir

"Tejemos redes de suposiciones en las que llegamos a ser nuestras propias víctimas".
Peter Senge

"'¿A dónde vamos?', dice Pooh, apresurándose detrás de él,
y sorprendiéndose de si iba a ser un explorador o
un qué haré acerca de ya sabes qué.
A ninguna parte, dice Christopher Robin.
Así ellos comenzaron a ir allá".
A. A. Milne

"Puede haber muy pocos hombres y mujeres en el mundo actual, dondequiera que vivan o cualquiera sea su color, de lo que sea que estén (o no) hechas sus casas, ¿quién no tiene algún grado de preocupación cuando piensa en el futuro de sus vidas?".
Gurth Higgin

"A todas las mentes Dios ofrece su elección
entre verdad y reposo.
Toma lo que deseas,
nunca puedes tener ambos".
Ralph Waldo Emerson

CAPÍTULO 5

Trabajo y valor en la organización del año 2010

Sholom Glouberman

Todo el mundo está de acuerdo con algunos aspectos del futuro. El avance tecnológico transformará muchos aspectos de nuestras vidas, las comunicaciones mejorarán y se utilizarán nuevas fuentes de energía. También hay consenso acerca del trabajo y las organizaciones del futuro, las cuales se apoyarán menos en la cúspide, serán más planas y más flexibles, menos comprometidas con la planificación racional y menos jerarquizadas. El trabajo estará mucho más ligado al conocimiento y a los valores. La organización del futuro requerirá personas más autónomas en la búsqueda de su visión y que a la vez mantengan sus valores.

Es probable que en los próximos veinte años el mundo cambie más de lo que cambió en los pasados veinte años, pero es difícil predecirlo en detalle. Estamos al borde de una serie de avances sensacionales en las nuevas y decisivas tecnologías energéticas, pero es difícil saber dónde y cuándo tendrán lugar las innovaciones particulares y si los esfuerzos continuarán en la actual dirección.

Construir escenarios coherentes que sigan la lógica de los acontecimientos alternos existentes es un buen modo de pensar acerca de las posibilidades. ¿Qué sería del mundo de los negocios si en todo el universo se adoptaran políticas, ideas o valores particulares?

El King's Fund College capacita administradores, médicos y otros practicantes del sector de la salud. Sus intereses están sobre todo, en el sector de las organizaciones promotoras de salud y trabajo. Se han hecho diversos estudios sobre futuros que utilizan múltiples escenarios, y un buen modo de explorarlos sería colocar nuevas ideas en éstos. Mis experiencias con los otros autores de este libro en Templeton College me han permitido corregir y, espero, mejorar los escenarios, los cuales se centran en el cuidado de la salud, pero tal vez tengan una utilidad más general.

Al parecer, es de gran utilidad observar los peligros del futuro; por eso he mantenido un enfoque escéptico y algo negativo frente al pensamiento del futuro. Esta actitud negativa es reforzada con mi estadía en Templeton College. Se profundizó al recordar las profecías de destrucción que presagiaron el final del primer milenio y que están surgiendo de nuevo hacia el final del segundo. Se definen cuatro escenarios con diferentes valores e impactos básicos en el trabajo y en las organizaciones del Reino Unido en el año 2010.

Escenario 1. Mercado libre en el año 2010
Valor. Libertad de empresas
Organización. Corporación flexible
Tipo de trabajo. De contratación externa

En este escenario posterior al comunismo, la libertad individual se relaciona con una noción de supervivencia casi hobbesiana en un estado (mercado) de guerra. Se cree que eliminando las interferencias del gobierno, las fuerzas del mercado libre darán como resultado economías cada vez más eficientes y productivas. La regulación burocrática impide la competencia auténtica y obstaculiza el verdadero espíritu empresarial. Un valor corporativo central es la flexibilidad. En este escenario la economía se vuelve propiedad corporativa y se consolidan las fronteras entre los insumos y los productos. Los trabajadores venden sus conocimientos y habilidades en la demanda del mercado de valores. La contratación externa se utiliza de manera amplia en el mercado laboral intensamente competitivo.

Escenario 2. Europa unida en el año 2010
Valor. Igualdad de oportunidades
Organización. Sector público
Tipo de trabajo. Posesión de meritocracia

Hay un deseo creciente y ampliamente extendido de ofrecer a todos los ciudadanos europeos un estándar de vida igual. Hombres y mujeres de diferentes etnias y/o antecedentes de clase desean igual oportunidad de acceder a la educación, la atención médica, la vivienda decente y el trabajo. La unificacción europea se hace necesaria debido a las lamentables consecuencias de una Europa dividida. El aumento de la regionalización es paralelo al desarrollo de políticas para nivelar el estándar de vida en el continente. Más regulaciones producen mejores condiciones de trabajo, aumenta los avances con base en el mérito y debilita el sistema de clases. La vida laboral británica es significativamente diferente.

Escenario 3. Control ecológico en el año 2010
Valor. Salvar la Tierra
Organización. Comunidad tribal
Tipo de trabajo. Habilidades múltiples de autosuficiencia

Este futuro hace énfasis en los valores que resultan al tomar en serio la importancia del medio ambiente en la organización social. Salvar la Tierra es lo primordial. La corrección política de comienzos de la década de los años 90 se ha convertido en corrección ecológica y en ese sentido cuenta con el apoyo de leyes y políticas. Después de una serie de desastres mayores, el pueblo atemorizado da el control del país a los políticos ecologistas. Ellos cambian por completo el sistema económico para contemplar los costos ecológicos. El resultado es la desindustrialización que transforma la vida laboral en unidades descentralizadas autosuficientes, responsables de mantener el equilibrio ecológico.

Escenario 4. Tiempos difíciles que conducen al año 2010
Valor. Sobrevivir
Organización. Maquinaria burocrática muy controlada
Tipo de trabajo. Jornada laboral

En este futuro desolador la supervivencia es el valor central. La competencia por los pocos trabajos y la escasez de recursos aumentan el conflicto. Las infraestructuras industrial, social y política se deterioran. Las organizaciones son jerárquicas y despiadadas en busca de supervivencia y beneficios. La lucha por mantener los derechos profesionales y gremiales es brutal. Muchos trabajadores caen por la crisis y hay protestas y manifestaciones de desempleados.

■ Métodos

Se considera que los escenarios no se ven, se construyen. Sin embargo, la metáfora más frecuente para pensar en el futuro es la bola de cristal; no se intenta dilucidar el futuro. En cambio, se consideran las tendencias, las ideas y la manera en que éstas pueden desarrollarse. Se construyen estos mundos posibles al considerar primero y con seriedad los valores básicos diferentes, aplicarlos al tipo de organización y a la clase de trabajo en que irán a evolucionar.

Los valores o escenarios no se desarrollan en los lineamientos de los partidos políticos: el futuro orientado a los mercados no depende del cumplimiento de la regla de Tory, que considera que las actitudes del mercado libre predominarán en todas partes, de modo que los partidos políticos asumirán sus directrices en este sentido.

Hay elementos que todos los escenarios comparten en grados diferentes: la futura tecnología de información ejerce una fuerte influencia sobre el trabajo, pero los impactos están retrasados en algunos y acelerados en otros. Con la fibra óptica las redes permitirán a los sistemas inteligentes mejorar el acceso a los registros de información, aunque esto no se difundirá en el futuro inmediato. Hay una proliferación de equipos baratos basados en los computadores que en el futuro se convertirán en nuevos aparatos domésticos, como lo diagnostican pruebas múltiples. En todos los escenarios hay avances importantes en la ciencia y la tecnología. Nuevos modos de comunicación, miniaturización y reducción de costos dan una posibilidad masiva de descentralización del conocimiento. Hay más trabajadores del conocimiento y grados diferentes en futuros diferentes.

Las similitudes y diferencias más sutiles entre los futuros son más notables en las tablas 5.1 a 5.4. Éstas establecen un dato o describen el alcance relativo de la evolución de las tendencias en cada mundo posible.

Otros factores varían un poco pero todavía son significativos en todos los escenarios. Un buen ejemplo es la estructura poblacional por edades en el año 2010. La tabla 5.5 indica que en el Reino Unido la población será sustancialmente de más edad que la de hoy y la demanda de servicios sociales y de salud aumentará en todos los escenarios considerados.

Los siguientes escenarios se guían por uno desarrollado con la ayuda de Clement Bezold, director ejecutivo del Instituto de Futuros Alternativos, y Martin Fischer y Eva Lauermann, colegas del King's Fund College.

■ Los escenarios

Las fuerzas del mercado en el año 2010

En este escenario hay menos barreras internacionales para el intercambio comercial. Las superpotencias mejoran mucho las relaciones comerciales. Hay unión económica en una Europa unida. La disminución del control en el comercio de armas origina conflictos entre las naciones pequeñas bien armadas. No hay muchas fuentes de energía nuevas y abundantes. Los reactores nucleares son más seguros y producen energía más barata pero los combustibles fósiles costosos se mantienen como la principal fuente de energía. Los barriles siguen siendo reyes.

El Reino Unido es un gobierno pequeño y desarrolla la reducción de impuestos, la privatización de los servicios públicos y la desregularización de los negocios. Incluso el recaudo de impuestos es ahora un servicio privado contratado. El mercado libre aumenta la competencia y la productividad en muchas industrias. Hay más desempleo que en otros escenarios.

Londres ha retenido su preeminencia como capital financiera de Europa a pesar de la fuerte competencia de Francfort, debido a su continuo papel como centro cultural y turístico del mundo y a la adopción del inglés como el idioma mundial del trabajo.

Los consumidores adquieren educación y atención médica privadas. Las diferencias de clases continúan, avivadas por la baja tributación y las actitudes sociales habituales. Los administradores y los tecnólogos adquieren estatus socioeconómicos más altos.

Las nuevas técnicas educativas siguen dos direcciones: la capacitación para la industria y la educación tradicional. La cobertura de la capacitación crece y utiliza nueva tecnología. La educación es un proceso continuo a lo largo de la vida laboral. La ciencia y la tecnología responden a las necesidades de las grandes industrias. Los intereses ecológicos aumentan pero el mercado requiere su validación.

La venta de productos y de servicios de salud aumenta y más de la mitad de la población recurre a los privados. Nuevos equipos permiten a las personas controlar su salud y tener acceso al autodiagnóstico.

Tabla 5.1 Entorno mundial

	Mercado libre	*Europa unida*	*Control ecológico*	*Tiempos difíciles*
Gastos de defensa	Bajan un poco en Occidente los conflictos locales mayores	Bajan. Conflictos locales menores.	Cambian hacia política ecológica. Pocos conflictos locales.	Estables. Conflictos internacionales mayores.
Promedio de crecimiento en el intercambio comercial	3,5%. Se globaliza a medida que caen las barreras.	2,5%. Las barreras regionales se mantienen.	2,8%. El Tercer Mundo se beneficia a partir de menos obligaciones.	1,5%. Más proteccionismo. Europa oriental y el Tercer Mundo permanecen fuera.
Energía	Los precios reflejan altos costos. Recursos.	"Reparación técnica". Energía al precio de 1990.	Altos precios. Variedad de recursos energéticos. Énfasis en la conservación.	Precios muy altos. Incertidumbre sobre el suministro.
Europa	Unión económica completa de la Comunidad Europea un poco ampliada. Mercado único coincide con muchos países europeos.	Estados Unidos de Europa. Vínculos económicos y sociales más fuertes con Europa central.	Funciona inicialmente como Eurocops (seguimiento complejo de legislaciones con amplio rango).	El peso de la excesiva burocracia y de la política impiden la unión económica.
Influencia norteamericana y japonesa	Fuerte.	Débil (Europa crea barreras).	Débil (dirigida hacia el interior).	Débil (lucha por mantener la influencia).
Flujos de población	La economía se mueve. Salida de la Comunidad Europea por razones sociales. Afluencia para aprender inglés.	Medianos (niveles económicos regularizados).	Bajan (no se estimulan aspectos del estilo de vida).	Refugiados económicos y políticos.
Gran Bretaña				
Aumento en el producto interno bruto	58%	61%	55%	40%
Gastos de consumo	54%	43%	45%	35%
Gastos gubernamentales	24%	72%	44%	40%

Tabla 5.2 Reino Unido, ambiente social

	Mercado libre	*Europa unida*	*Control ecológico*	*Tiempos difíciles*
Población	59,3 millones (aumento del 3,3%).	60,8 millones (aumento del 6%).	62,1 millones (aumento del 8,2%).	57,4 millones (sin aumento).
Desempleo	2,8 millones.	0,9 millones.	0,9 millones.	4 millones.
Educación continua	Tradicional y de habilidades prácticas.	Habilidades administrativas y de la vida cotidiana.	Capacitación y actualización personales.	Modelos inconsistentes.
Dirección de la investigación	Industria.	Proyectos mayores que tratan de escoger a los ganadores.	Intereses ecológicos. Defensa de la ecología.	Cambio de productos.
Naturaleza del trabajo	Jubilación a los 50 años. Las organizaciones se apartan de las operaciones descentralizadas. Incremento de negocios pequeños.	Servicios voluntarios antes y después de la jornada de trabajo. Disminución de negocios pequeños.	Mayor parte del trabajo en empresas pequeñas y medianas. Aumento del trabajo en el hogar.	Trabajo remunerado. Corporaciones simplificadas.
Igual salario para las mujeres	Para el año 2005.	Para el año 2000.	Finales de la década de los años 90.	Para el año 2010.
Igualdad de oportunidades para las mujeres	Para el año 2005.	Para el año 2000.	Finales de la década de los años 90.	Todavía no.
Apoyo para los padres trabajadores	Descuentos en los impuestos por niños a cargo.	El Estado impulsa y proporciona atención a los niños.	La comunidad proporciona atención a los niños.	El empleador apoya a los empleados clave con la atención de los niños.
Estilo de vida	Esposas y amantes o esposos y amantes.	Estabilidad y seguridad de la familia nuclear replanteada.	Pertenencia a una tribu.	Ruptura familiar. Acentuación de la indigencia.
Dieta	Se conocen las consecuencias de los alimentos procesados.	El mejoramiento dietético reduce las enfermedades cardíacas y el cáncer. Regulación del alcohol, el tabaco y los aderezos de las comidas.	Los hábitos alimenticios más saludables reducen las enfermedades cardíacas, el cáncer, la diabetes y otras.	Consumo de menos calorías, mejor dieta para unos y desnutrición para otros.
Ejercicio	La preocupación por el sobrepeso hace aumentar la práctica de ejercicios con efectos positivos en la morbilidad.	Aumento moderado, efectos medianos.	Aumenta.	La preocupación por el sobrepeso incide levemente en la morbilidad.

Tabla 5.3 Cambio social

	Mercado libre	*Unión europea*	*Control ecológico*	*Tiempos difíciles*
Movimiento de clases	Aumento del estatus económico y social de las empresas y los negocios pequeños.	Algunos cambios en las clases debido a la igualdad de oportunidades.	Los nuevos valores aumentan el estatus de grupos anteriormente subvalorados.	Algunos grupos (por ejemplo, los profesionales desempleados) bajan de estatus. Dificultad de todos para "ascender".
Motivación	Dinero.	Respeto, oportunidad.	Actualización espiritual.	Supervivencia.
Disparidad de clase	Aumenta, si se mide por el número de personas que las integran.	Disminuye.	En general, la importancia de clase disminuye.	La división de clases se agudiza; cada uno protege su grupo.
Distribución de la riqueza	Hay más ricos que se hacen relativamente más ricos.	El salario mínimo reduce las desigualdades.	Los valores sociales reducen los extremos.	Todos son explotados. Los pobres sufren más.
Crecimiento del crimen	Crímenes de cuello blanco.	Menos crímenes. Más corrupción burocrática.	El crimen ecológico es muy vigilado. Disminuye en otros países.	Propiedad relativa: saqueo y robo de automóviles.

Tabla 5.4 Cambio organizacional

	Mercado libre	*Europa unida*	*Control ecológico*	*Tiempos difíciles*
Clase de organización	Control militar. Mercado centrado en la periferia. Proveedores de fuentes externas.	Plana. Regulación por consenso.	Centrada en la inteligencia. Estructura tribal. Cooperativa.	Supervivencia difícil, lo mismo para las organizaciones. Autocrática y jerárquica.
Atención a pacientes y clientes	Alta. Dirigida por incentivos comerciales.	Alta. Protección de los derechos de los consumidores. Valores colectivos.	Mixta; un valor central, pero depende de la aceptación.	Moderada. Se hacen esfuerzos para sobrevivir.
Función de los sindicatos	Muy débiles.	Fuerte.	Sin aplicación.	Militantes contra esquiroles.
Selección de personal	Escasez de habilidades.	Contraimagen de la población.	Adecuación de valores (preferencia tribal).	Muchos solicitantes.
Aumento del conocimiento de los trabajadores	Orientado a la productividad. Las habilidades llenan las necesidades del mercado.	Capacitación para cumplir los objetivos de la política. Amplio acuerdo.	Separación entre agricultura y alta tecnología: cantidad suministrada a todos.	Moderado: autodidacta y estudios a distancia.
Rivalidades profesionales	Desprofesionalización. Orientación de habilidades. Alta rivalidad.	Se mantienen los límites profesionales. Se amplía la calidad de miembro.	Irrelevante. Vigilancia de profesionales y educadores.	Los militantes luchan por sobrevivir. Ascenso del mercado negro.
Función de los administradores	Ejercen funciones directivas.	Están al servicio de los profesionales.	Colaboración entre administradores y profesionales.	Competencia entre administradores y profesionales.

Tabla 5.5 Estructura poblacional por edades en el año 2010

Grupo de edades	*Cambio*
20-24	-600.000
30-34	-1.100.000
35-59	-700.000
60-64	+1.200.000
65-79	+100.000
de 80 en adelante	+600.000

En este escenario la fortaleza corporativa y las disparidades de clase influirán enormemente en el trabajo y los valores. Habrá más división. Los mejores y más antiguos trabajadores tendrán un reto de mayor libertad y responsabilidad en las organizaciones más horizontales que vinculen en pocos cargos a 'trabajadores del conocimiento, con niveles educativos más altos y con más habilidades. Un mayor sentido de supervivencia en este mundo corporativo extendido los impulsará a adoptar o racionalizar sus valores. Los empleados con menos antigüedad operarán en un modelo jerárquico. Serán formados en los valores de la organización. Su apreciación de dichos valores se controlará por su comportamiento en el trabajo.

Un buen ejemplo de esta clase de organización es el de Hamburguesas McDonald's. Su lema no sólo identifica su negocio, sino que, a la vez, trata de identificar el valor agregado de éste en términos sociales, éticos y económicos. El negocio de McDonald's es hacer hamburguesas pero su misión es mantener unida a la familia en tiempos de cambio social; da valor a la nutrición, el ambiente y a todos los rasgos distintivos norteamericanos (y, cada vez más, los británicos).

Este lema con frecuencia interpreta una autojustificación de la racionalización de las principales actividades de la compañía. Los valores se asumen de modos diferentes por dos grupos de empleados, quienes están "en" los niveles más altos los aceptan con celo autoengañoso, en tanto que quienes están "afuera" en el extremo operativo los aceptan con sarcasmo.

En este escenario el efecto de las fuerzas de mercado limita la eficacia de los sindicatos y las organizaciones de profesionales. Los trabajadores venden sus conocimientos y sus habilidades en un desregularizado mercado libre. El resultado es un ininterrumpido entrenamiento para desarrollar las nuevas habilidades necesarias en un mercado siempre cambiante.

Europa unida en el año 2010 . . . .

Una unión política y económica completa en Europa se hace necesaria por las presiones económicas provenientes de América y de Asia. Se valora la igualdad de oportunidad y la justicia social. Las tres "R" son republicanismo, regionalismo y regulación. La unidad europea debilita los gobiernos nacionales y fortalece los locales. Hay más regulación en todos los ámbitos.

En el mundo posterior al comunismo, las Naciones Unidas se convierten en fuerza significativa en la política mundial y su amplia colaboración disminuye los conflictos entre naciones. La regulación internacional promueve la reducción de armas, el control ambiental y el intercambio comercial.

Aunque la energía nuclear se utiliza todavía, nadie está planeando nuevos reactores. Los acuerdos recientes reducirán el consumo global de energía en los diez años siguientes.

La unión política y económica conduce a la Comunidad Europea Unida. Los Estados Unidos mantienen un protagonismo mayor en Europa y conservan desacuerdos con la Comunidad Europea Unida. Los lazos más fuertes entre los países y la adopción del inglés como el idioma del trabajo impulsan los movimientos de la población en Europa.

El gobierno invierte más dinero para fortalecer los sectores de salud, educación y servicios sociales en toda la Comunidad Europea Unida. Menos subsidios, directos e indirectos, van a los sectores privados de educación, salud y servicios de apoyo. Éstos permanecen en el sector público.

El gobierno de Escocia será el primero en deshacerse de la monarquía a partir del año 2004. En Irlanda del Norte ha habido un auge económico. Muchos trabajadores griegos han llegado y han forzado la realización de un plebiscito para considerar la unión con el sur. Inglaterra tiene un norte republicano y un sur monárquico. Gales no puede decidirse.

El sistema de clases se ha desgastado. No hay una aristocracia hereditaria. Los títulos de nobleza son neutrales, aunque permanecen comisionados, no electos, para conformar la cámara alta.

Los ciudadanos han emergido como una fuerza mayor en los ámbitos local y regional en una Europa unida. Un amplio acuerdo de nuevas regulaciones y servicios asegura la igualdad de oportunidades, y un procedimiento cuidadoso de contratación garantiza el trato justo para los trabajadores extranjeros. Hombres y mujeres reciben salario igual y por igual trabajo, aunque las leyes y los servicios extensivos para la atención de los niños apoyan a las madres que tienen hijos pequeños.

El gobierno crea incentivos considerables para la inversión de dinero en investigación y desarrollo. Los impuestos suben y el desempleo es menor que en el escenario de mercado; además, los consumidores gastan menos en salud y educación y la canasta de bienes y sevicios es un poco menor.

Aquí cada uno puede comprender qué valores pueden agregarse; habría que preguntarse cuál es el negocio y cuáles los elementos de un sistema que logren mejorar estos resultados y cómo encajarían entre sí.

Un buen ejemplo es el Servicio Nacional de Salud. No se cuestionan los valores que éste agregó. Todos están de acuerdo respecto de dichos valores y, de hecho, la misión establecida (ahora visión) por la mayor parte del sistema es, de manera desconcertante, la misma. Pocas personas coinciden con las empresas promotoras de salud.

En este escenario los problemas se relacionan con parálisis política y la posibilidad de evitar los negocios gubernamentales. Andrew Pettigrew ha manifestado su temor de que quienes elaboran esa política tal vez confundan cambiar el sistema con mejorarlo. La reorganización constante se convierte en el orden del día y no la evaluación cuidadosa del funcionamiento de las organizaciones. En el Servicio Nacional de Salud hay algunos indicios de que esto ya comenzó a suceder.

Control ecológico en el año 2010

Los cambios de actitud rápidos y masivos se difunden por el mundo después de una serie de desastres ambientales a mediados de la década de los años 90. El conflicto internacional se disipa y los desacuerdos locales se disuelven después de la crisis mundial. En el ámbito local el autogobierno se reglamenta con el apoyo del gobierno central para afianzar los valores más fuertes. El dividendo de la paz libera los gastos militares y la mano de obra para ayudar a la recuperación ambiental. Los medios de conservación reducen la demanda mundial de energía.

La Comunidad Económica Europea se convierte en Comunidad Económica y Ambiental Europea, controla las medidas de protección ambiental y las hace cumplir. Los japoneses y los norteamericanos se vuelven más espirituales y observadores de su interior.

En la Gran Bretaña el gobierno interviene en los macroniveles para mantener los esfuerzos individuales de los microniveles. Etiquetas claras e inspección obligatoria de productos contaminantes generan control biológico de los cultivos. La alimentación es más costosa que la vivienda.

Londres es el centro cultural y espiritual del mundo, y ha retenido su lugar como capital musical. Los ritmos neural, mantra, *rap* y *rock* encajan justamente con los espectáculos de la realidad virtual. Los seguidores de David Icke invaden la ciudad en peregrinaje y otros miles buscan terapias médicas alternativas. Londres remplaza a Beijing como centro de investigación de la medicina naturista china. El centro de Londres está libre de automóviles. Los triciclos eléctricos de Clive Sinclair, *junior*, están por todas partes. ("Londres libre de automóviles" es el lema de los turistas.)

Las nuevas técnicas educativas acentúan el desarrollo personal, la convivencia con los demás y con la naturaleza. En los centros educativos de los Estados Unidos es obligatorio un periodo de meditación diaria. Las clases prenatales tienen tres semanas de duración pagadas para ambos padres. Todos aprenden los últimos desarrollos de la agricultura, la conciencia social, la ecología y la historia natural. La inflación es insignificante. Los altos precios del carbón y el estricto control de la contaminación mantienen el ambiente limpio. El índice de desempleo es bajo.

Con las redes de *software* de multimedios el trabajo en el hogar ayuda a más personas a vivir en familias extensas con valores comunitarios más fuertes. Las diferencias entre las funciones masculina y femenina se disipan. En este escenario las enfermedades relacionadas con el ambiente tienen poca incidencia. El ambiente es limpio, existe un bajo índice de desempleo y una población autosuficiente que se alimenta bien y se ejercita.

En los sitios de trabajo se promueve la salud: un receso "alejandrino" diario es obligatorio para respaldar el proyecto. Existe una presión social para asumir un estilo de vida saludable. Las personas gordas están socialmente más aisladas que los fumadores a mediados de la década de los años 90.

Un nuevo programa para reducir la morbilidad entre las personas de más de 65 años incluye la eutanasia voluntaria en el caso de enfermedades degenerativas. El programa

"Regreso a la tierra" sugiere que la vejez y la muerte son parte de un orden natural. Cuando llega la senilidad puede pensarse en que el cuerpo vuelva a la naturaleza.

La educación combina la holística con la técnica. El control se mezcla con la curación y el tratamiento. La policía, el sector salud y los trabajadores ecológicos utilizan diagnósticos y herramientas de información avanzados con consejos muy cuidadosos y servicios de apoyo. Los profesionales deben tomar un curso de filosofía en ecología humana y se vuelven adeptos a las redes de computación. El tratamiento relacionado con el estilo de vida se difunde de manera amplia como consecuencia de los desastres ecológicos. La tecnología de información asegura el acceso a los registros médicos. Confidencialmente no incluye intereses ecológicos.

En este escenario los nuevos valores éticos se orientan a aumentar la responsabilidad, es decir, los empleados trabajan para compañías menos jerarquizadas con menos administradores intermedios. En cambio, hay una comprensión forzosa de muchos valores centrales vigilados por el mejoramiento de la tecnología de información. La sociedad, el trabajo y las organizaciones se descentralizan más aunque los controles centrales se mantienen fuertes. La tecnología que permite la descentralización y la miniaturización de muchos esfuerzos con el mejoramiento de las comunicaciones también aumenta la posibilidad de un control central más fuerte. En este escenario el riesgo del fascismo ecológico es alto.

Una vez que la economía no dependa del dinero por mucho tiempo, sino de otros factores, la desviación de valores de ideologías que pregonan el día del juicio final genera una abusiva concentración de poder. Las emergencias y la posibilidad de ser condenado pueden llegar a legitimar muchas acciones perversas. Los excesos ya evidentes de algunos movimientos ecologistas, disculpados ahora por la emergencia del barco insignia Tierra, pueden imponerse en la vida y la libertad de quienes divergen.

Tiempos difíciles en el año 2010 . . . .

En tiempos de dificultad la necesidad principal es sobrevivir y tratar de esperar mejores días. Las cosas van mal. No sólo fracasa la "*Pax Americana*", sino otros negocios similares e inclusive los cultivos. Los costos de la energía son muy altos y su suministro se hace más difícil.

Hay más tensión mundial, entre las superpotencias y entre los países desarrollados y el Tercer Mundo. El terrorismo se extiende y utiliza técnicas más complejas. La creciente necesidad de seguridad mundial consume el dividendo de la "paz". La postulación del general Norman Schwarzkopf a la presidencia a mediados de la década de los años 90 no sirve de mucho. El crecimiento económico es tan sólo del 1,5% anual y el desempleo mundial es alto.

La Comunidad Económica Europea se deteriora en disputas burocráticas que apenas enmascaran las políticas partidarias y los intereses nacionalistas. Los Estados Unidos tienen sus propios problemas y se retiran del escenario mundial. Todavía las personas se desplazan a ciudades como Londres en busca de trabajo y crean problemas de desubicación.

Pocos turistas vienen a la Gran Bretaña porque hay menos dinero disponible para viajar y, además, porque Londres es mucho menos atractiva debido al deterioro notable y el aumento de la criminalidad.

Los intentos de tratar la crisis constante son más difíciles por la infraestructura débil y la carencia de voluntad política. La estructura social del país es menos estable. El deterioro de la comunidad se refleja en el aumento de la criminalidad y la ruptura familiar. El sistema educativo de la década de los años 90 no preparó a la población para las dificultades del año 2010, en los cuales los pasos del cambio son más rápidos. Aunque ahora las mujeres tratan de trabajar, los índices de desempleo y subempleo entre ellas son altos.

Hay una división notable entre los trabajadores sindicalizados y los esquiroles. El aumento de la militancia de los trabajadores sindicalizados se combina por la disponibilidad de muchos que desesperadamente buscan trabajo de cualquier condición. Existe poca seguridad de trabajo y la creencia de que la oferta es ante todo para trabajadores por días. Inclusive los empleadores sienten que sus negocios no están seguros y que pueden perderlos.

En este escenario las privaciones hacen diabluras con nosotros. La lucha por mantenerse a flote hace que el trabajo sea agotador –y un modo de mantenerse vivo–. Para algunos los valores sociales más amplios quizá se extiendan a los vecinos o a quienes más los necesiten. Para muchos otros éstos son tiempos de egoísmo extremo y se desconocen las dificultades de los demás.

Organizaciones como el BCCI, que cierran de repente, son buenos ejemplos de que la misión y los valores de la organización desaparecen en un santiamén. Nunca más han de verse. Ford Reino Unido cataloga la lealtad de sus empleados entre sus valores pero no duda en dejarlos sin trabajo en tiempos difíciles. Las organizaciones están llenas de visiones y valores que no significan nada.

■ Lecciones de los escenarios

Nuestra experiencia en la construcción de escenarios ha demostrado que el desarrollo de escenarios alternativos puede hacer más profundas nuestra comprensión y capacidad de encajar con las condiciones actuales. Puede ayudar a ubicarnos de manera estratégica para diferentes posibilidades.

Al considerar posibilidades futuras hay una propensión general a confundir "vislumbrar" el futuro con construir posibilidades para el futuro. También hay una confusión menos común entre aversión y probabilidad. Con frecuencia se tiende a pensar que lo que quisiéramos evitar sucederá, a menos que se subestimen las medidas rigurosas para evitarlo. En el pasado esto era una excusa para todas las formas de excesos. Se trata de mostrar algunas de las consecuencias del entusiasmo excesivo en nuestros escenarios.

Por último, nosotros, al igual que la mayoría, creemos que el desarrollo del futuro puede controlarse. También sostenemos el punto de vista que los valores básicos tienden a influir fuertemente en la configuración de las organizaciones y la naturaleza del trabajo. Se recomienda una consideración más cuidadosa de las consecuencias de adoptar cualquier conjunto de valores.

EL TRABAJO SOBRE EL LIBRO, 2

Expresiones escuchadas en la conferencia, el taller y las reuniones editoriales:

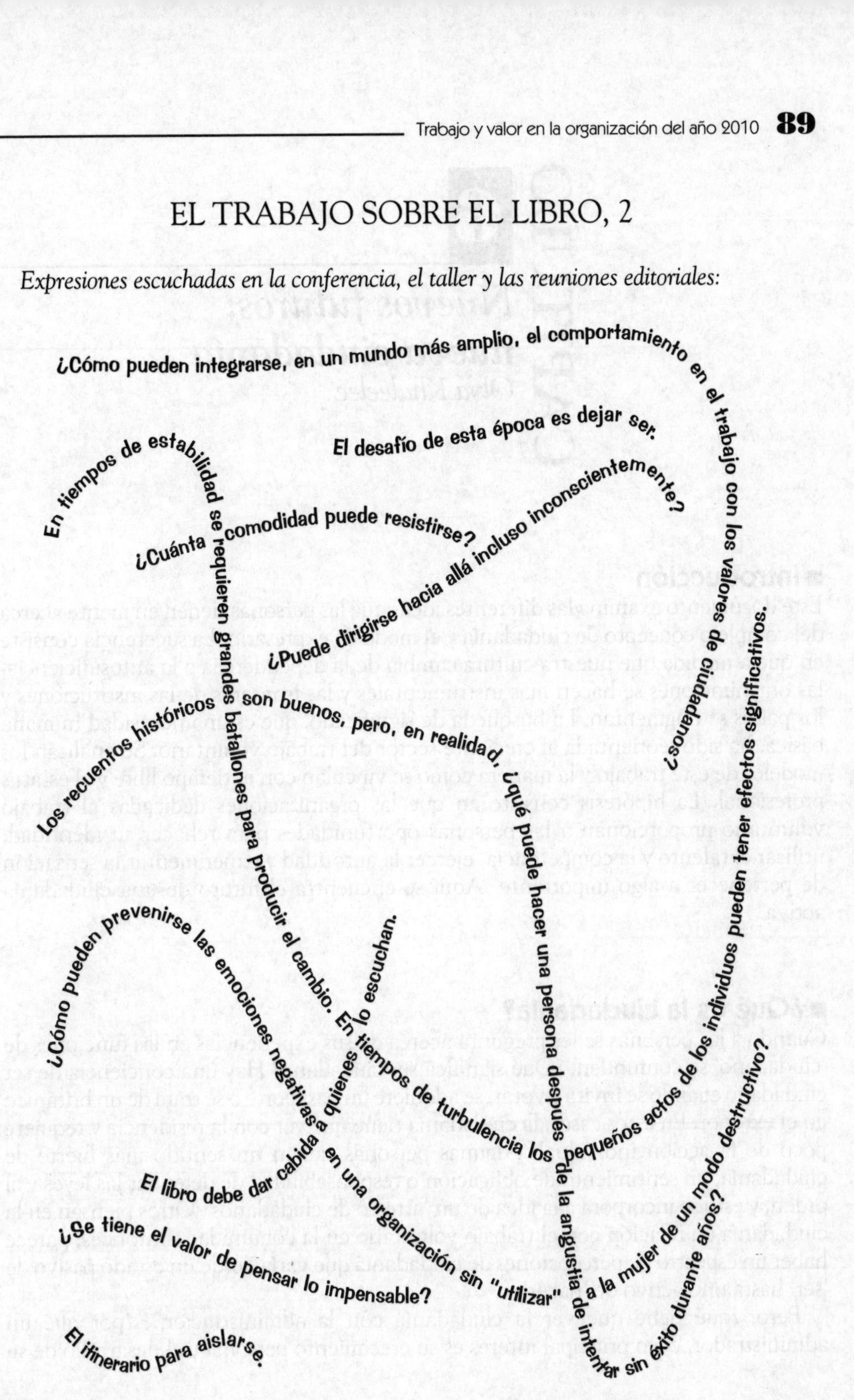

¿Cómo pueden integrarse, en un mundo más amplio, el comportamiento en el trabajo con los valores de ciudadanos?
El desafío de esta época es dejar ser.
En tiempos de estabilidad se requieren grandes batallones para producir el cambio.
¿Cuánta comodidad puede resistirse?
¿Puede dirigirse hacia allá incluso inconscientemente?
Los recuentos históricos son buenos, pero, en realidad, ¿qué puede hacer una persona después de la angustia de intentar sin éxito durante años?
En tiempos de turbulencia los pequeños actos de los individuos pueden tener efectos significativos.
El libro debe dar cabida a quienes lo escuchan.
¿Cómo pueden prevenirse las emociones negativas en una organización sin "utilizar" a la mujer de un modo destructivo?
¿Se tiene el valor de pensar lo impensable?
El itinerario para aislarse.

CAPÍTULO 6

Nuevos futuros: nueva ciudadanía

Olya Khaleelee

■ Introducción

Este documento examina las diferentes ideas que las personas tienen en mente acerca del complejo concepto de ciudadanía y el modo de expresarlo. La sugerencia consiste en que a medida que nuestra cultura cambia de la dependencia a la autosuficiencia, las organizaciones se hacen más instrumentales y las fronteras de las instituciones y los países se fragmentan. La búsqueda de significado, que es una necesidad humana básica, ha sido reorientada al creciente sector del trabajo voluntario. Se analizan los modelos de este trabajo y la manera como se vinculan con el tiempo libre y el estatus profesional. La hipótesis consiste en que las organizaciones dedicadas al trabajo voluntario proporcionan a las personas oportunidades para rehacer su identidad, utilizar el talento y la competencia, ejercer la autoridad y experimentar la sensación de pertenecer a algo importante. Aquí se encuentra el futuro de una ciudadanía activa.

■ ¿Qué es la ciudadanía?

Cuando a las personas se les pregunta acerca de sus experiencias en las funciones de 'ciudadano' se confunden. ¿Qué significa ser ciudadano? Hay una conciencia de ser ciudadano cuando se invita a votar, se adquiere un pasaporte o se trata de un británico en el exterior. En estos casos, la ciudadanía tiene que ver con la residencia y requiere poco de la acción individual. Algunas personas tienen un sentido más fuerte de ciudadanía, un sentimiento de obligación o responsabilidad de defender las leyes y el orden, y esto se incorpora a la idea de un 'arresto de ciudadanos'. Otros piensan en la ciudadanía en relación con el trabajo voluntario en la comunidad. Entonces, parece haber un espectro de percepciones de ciudadanía que varía desde un estado pasivo de 'ser' hasta uno activo de 'hacer'.

Pero, ¿qué tiene que ver la ciudadanía con la administración?, ¿por qué un administrador, cuyo principal interés es su crecimiento personal y el desarrollo de su

* La autora agradece a Bruce Drew, a los doctores Adrian Gozzard y Eric Miller, a Mark Tennant y al equipo administrativo de OPUS por su valiosa contribución.

carrera, habría de interesarse práctica o teóricamente en esta noción? Una razón podría ser que, además del logro de sus intereses personales, tiene la función de un trabajo específico, una función implícita más amplia como 'ciudadano de la organización' y de la sociedad. Esta función incluye un interés acerca de la organización como entidad, los valores que ésta expone y las acciones que ejecuta, los cuales se expresarán en el modo de tratar a los empleados, a los proveedores y a los clientes, y que inevitablemente tienen un impacto en la sociedad en la cual opera la organización.

Las tendencias sociales se desplazan del pleno empleo hacia una cultura de contrato que también afecta la función administrativa, los valores que tenía el ciudadano al asumir las funciones de empleado y su sentir respecto del comportamiento administrativo. La ciudadanía y la administración se pueden percibir como conceptos entrelazados. El administrador tiene que conciliar sus valores como individuo social con lo que requiere la función administrativa. Con frecuencia, la impotencia y la culpa se generan en la función laboral. En efecto, donde la disonancia es muy grande el administrador tendrá que salir. Sin embargo, algunos tratan de restaurar el equilibrio con actividades reparadoras, como el trabajo voluntario, además de su función administrativa normal.

Para captar el concepto de ciudadanía también sería útil revisar el significado original que está relacionado con el concepto de civilización. 'Ciudadano' es el habitante de una ciudad o el miembro de un Estado. Del latín *civilis* proviene civil (relacionado con civilización) y *civis* significaba ciudadano con derechos políticos en el Imperio Romano. A pesar de que se piensa que el concepto de ciudadano del mundo es un cambio reciente paralelo a los conceptos de la economía global y las implicaciones planetarias de la contaminación ambiental, fue Cicerón quien escribió sobre "*civis totius mundi*", es decir, ciudadano del mundo. La noción de 'comunidad' proviene del latín *communis*, o sea, común, general, público (a diferencia de privado) y *communitas* significa comunidad, sociedad, compañerismo, es una idea diferente. Pero éstas se suman a las nociones de ciudadanía, pasiva y activa, que existen en la mente de las personas.

■ "Ciudadanía activa"

En la preparación de este libro los colaboradores también discutieron el principio de ciudadanía y lo que significa para nosotros. Uno de ellos comentó que cuando Margaret Thatcher manifestó: "No existe otra cosa como la sociedad", le fue difícil pensar en su función como ciudadano o como sujeto leal, y le fue más fácil sentir que fueron sus relaciones profesionales las que le dieron su identidad. Algunos colaboradores no británicos y de otros grupos étnicos experimentaron una sensación de marginación. Otros tuvieron un *sentimiento* de ciudadanos: esto se relacionó con el hecho de tener profundos puntos de vista en cuanto a ciertos aspectos o un profundo sentido de compromiso y deseo de colaborar. Una mujer pensó que la capacidad para expresar estos compromisos acerca de la sociedad parecía fácil para quienes vivían en pequeñas comunidades, donde se desarrollan lazos de interrelación más fuertes, de los que pueden surgir actividades tan diversas como un programa para plantar árboles o la capacidad de proporcionar atención cuando alguien en la comunidad está enfermo. En lo individual la ciudadanía está relacionada en forma clara con la comunidad, la actividad comunal, y un fuerte sentido de identificación y de pertenencia. Al mismo tiempo, el concepto de 'comunidad' pasa de ser un lugar –un vecindario– a ser una comunidad con intereses compartidos por personas con algo en común, por ejemplo, la comunidad homosexual, la comunidad negra y la comunidad gujerati.

La mayoría de nosotros piensa que la función del ciudadano fue establecida sobre todo por las mujeres que crearon la estructura social de la comunidad y proporcionaron "la adhesión social" quizá por medio del trabajo voluntario recíproco que se lleva a cabo con la función de parentesco. A pesar de esta percepción, la división del trabajo comunitario voluntario distribuido equitativamente entre hombres y mujeres define la función del ciudadano.

Esto se confirmó cuando en julio de 1992 se realizó un breve cuestionario que indagaba acerca del compromiso con la comunidad mediante el trabajo voluntario; se envió a 60 profesionales, 40 hombres y 20 mujeres, que trabajan en doce organizaciones. Dos tercios de los encuestados estaban en posiciones administrativas superiores. La tasa de respuestas fue del 71%. De éstas, más de la mitad (59%) estaba en el momento comprometida dinámicamente en lo que denominaron actividades comunitarias. El 10% restante estuvo comprometido con anterioridad en dichas actividades, el otro 31% nunca ha trabajado en la comunidad. Tres cuartas partes de las mujeres que respondieron el cuestionario estaban involucradas con dicho trabajo, o lo estuvieron, en comparación con más de los dos tercios de los hombres, lo que confirma ampliamente que el trabajo voluntario se distribuye con equidad entre los dos sexos. El rango de edad con mayor participación estaba entre los 45 y 54 años. Se podría especular que los grupos más jóvenes y más viejos pueden tener otras preocupaciones, como conseguir el sustento de la familia o trabajar hasta la jubilación, que podrían reducir su tiempo disponible.

El campo de actividades extendió sus funciones a la educación, la consecución de fondos y el entretenimiento para adultos y niños, saludables y no saludables, y relacionó el trabajo con los colegios, los hospitales, la Iglesia, los partidos políticos y la comunidad local. Los comentarios provenientes de quienes no están comprometidos en la actualidad con el trabajo comunitario activo expresaron sentimientos de culpa, aunque, a pesar de otros compromisos, se sintieron mal o egoístas por no ser ciudadanos activos. Uno de ellos dijo:

> Me considero súbdito de Su Majestad y no ciudadano de la Gran Bretaña y mucho menos ciudadano de Europa. Por tanto, el sentido amplio de la palabra evoca una idea con la cual tengo dificultades de identificación... Sin embargo, yo sí cumplo con mucha seriedad los deberes que tengo con la comunidad... quizá para mí la comunidad tiene más significado que la ciudadanía...

Otro hizo alusión a estas dos ideas:

> Ciudadanía tiene que ver con responsabilidad y compromiso... Esto significa, en el aspecto más simple, no lanzar el empaque de los cigarrillos por la ventana del automóvil, hasta dar la vida por los conciudadanos.

Aquí el concepto de ciudadanía está en el ámbito social de la comunidad y no en el local.

En 1991 el Centro de Voluntarios del Reino Unido comisionó un estudio principal sobre el voluntariado, se proponía actualizar los datos sobre su extensión y su naturaleza para compararlos con otro estudio similar llevado a cabo en 1981. El trabajo de campo lo realizó Investigación en Planificación Social y Comunitaria y se diseñó para presentar ejemplos representativos de adultos en el Reino Unido de la Gran Bretaña e Irlanda del Norte. Los datos se ponderaron después para proporcionar estimativos imparciales. El estudio calculó que más de 23 millones de adultos estarían involucrados en actividades de voluntariado cada año. La proporción de la población dedicada a esta actividad ha aumentado desde 1981 con un crecimiento más alto para los grupos de 18 a 24 años y de 45 a 64.

El 53% de las mujeres eran voluntarias en el momento, en relación con el 50% de los hombres. Tal vez el grupo de edad más comprometido con las actividades de voluntariado era el de 35 a 44 años, y quizás el menos comprometido era el de más de 75 años. Había una fuerte relación entre voluntariado y posición socioeconómica, con un 72% de personas que desempeñaban cargos administrativos o profesionales, comparado con el 58% de trabajadores calificados y el 37% de trabajadores no calificados. El voluntariado se creó para aumentar los ingresos y la cualificación educativa. La mayoría de los voluntarios se comprometieron porque se les solicitó ayuda o porque la organización los relacionó con sus propias necesidades e intereses. Sin embargo, un número significativo de personas, en particular mujeres, se vinculó al voluntariado por razones altruistas; más de la tercera parte lo hizo porque quería mejorar las cosas o ayudar a las personas, y más del 30%, porque la comunidad lo necesitaba[1].

Evidentemente, el tiempo libre se incrementó porque los ingresos son suficientes para cubrir los gastos, lo que es una buena razón para que el voluntariado aumente. Pero también puede ser esclarecedor para examinar la naturaleza de los cambios en tal actividad en nuestra sociedad con una visión acerca de lo que puede traer el futuro. Una percepción es que en la actualidad hay señales de cambio de una cultura "transaccional" a una "autoexpresiva", en la que las personas puedan mirarse a sí mismas.

Al asumir las funciones de ciudadano, los sentimientos de impotencia o culpa provenientes de la experiencia en las funciones laborales pueden disminuir con el compromiso en actividades reparadoras e integradoras. Esto despierta sentimientos de pertenencia plena, para ejercer más autoridad y movilizar la capacidad para iniciar acciones, aunque no produzcan impacto. Lograr el sentido de "ciudadanía" puede además relacionarse con la competencia para utilizar las instituciones bien sean de conflicto o de colaboración. Entonces la función de ciudadano puede recuperar una competencia y una confianza que quizá estén deterioradas en otros aspectos de la vida.

1 Smith, J. D., *The National Survey of Voluntary Activity*, Reino Unido, The Volunteer Centre, 1991.

■ "Ciudadanía reflexiva"

Desde 1980 la *Organization for Promoting Understanding in Society* (OPUS) ha estado examinando la dinámica de la sociedad contemporánea y la función del ciudadano. La idea subyacente es que usemos o no la autoridad como ciudadanos, seamos activos o pasivos, interesados o desinteresados, consciente o inconscientemente creamos la sociedad en que vivimos. El postulado consiste en que la configuración de la sociedad es un campo de estudio intangible que puede ser comprendido y desde el cual se pueden hacer predicciones del futuro.

Los aspectos que determinan su configuración pueden dilucidarse por la función de cada ciudadano, que a través de un proceso "introyectivo" o proyectivo internaliza y expresa la "sociedad mental"[2]. La OPUS impulsa al individuo a pensar en su experiencia en la sociedad contemporánea. Presiones internas y externas determinan cuán activo se es en la función de ciudadano. Un espacio reflexivo en el cual se toma de la mente la función de ciudadano ayuda a pensar en el impacto de la sociedad en el individuo y las proyecciones de éste en la sociedad.

¿En qué consisten estos procesos proyectivos e introyectivos? Hacen parte de funciones psicológicas normales por las cuales el individuo mantiene su identidad y hace su mundo interior más coherente de lo que es en realidad. La proyección incluye atribuir inconscientemente a otros, aspectos de uno mismo con los que se pueda estar incómodo. La introyección tiene la función contraria, internaliza de manera inconsciente y lleva al mundo interior sentimientos, actitudes y valores que pertenecen a figuras clave del entorno.

¿Cómo se manifiestan estas proyecciones? Eric Miller describió teóricamente el desarrollo del proceso[3].

> Tengo una imagen mental de lo que es la 'sociedad'. Está conformada por los significados que le doy y los sentimientos que tengo hacia toda clase de agrupaciones que creo existen afuera. Mi experiencia con estas agrupaciones es fragmentaria, incluso nula; y la noción de que *son* agrupaciones quizá sea mucho más una función de imágenes y estereotipos que un sentimiento que en realidad deben compartir las personas, de quienes creo estar hablando. Con algunas de estas agrupaciones tal vez puedo identificarme, "son gente como uno". Sin embargo, muchos otros son importantes para mí porque los veo diferentes en una u otra dimensión, quizás aspectos míos que quisiera desconocer. Con esta suma de diferencias e igualdades puedo ubicarme a mí mismo, establecer mi identidad. Pero esta no es una configuración estable. Quizá las cosas que veo, escucho o leo cambien mi imagen o tal vez modifique mi posición, cambie de casa, me case, me convierta en padre, pierda mi trabajo, consiga uno nuevo, como resultado de lo cual tengo que reconstruir mi identidad.
>
> Esto en cuanto a mí. Pero cada uno hace esto. Con mis relaciones con los demás y con los medios masivos de comunicación tal vez me siento parte de alguna agrupación particular, un "nosotros", por encima de un particular "de ellos". Por supuesto, no sólo soy parte de un "nosotros", sino de muchos "nosotros" entrelazados e incluso contradictorios. Algunos están arraigados de manera profunda, otros, más superficial. Y las imágenes negativas "de

[2] Khaleelee, Olya y Eric Miller, "*Beyond the small group: society as an intelligible field of study*", en *Bion and Group Psychotherapy*, M. Pines (ed.), *Routledge and Kegan Paul, Londres, 1985.*

[3] Miller, Eric, en "*After 1984: New Directions*", OPUS Conference Report, Bulletin No. 20-21, OPUS, 1985.

ellos" tienen un hábito de ser autoconfirmados: si pienso que la policía es violenta y tomo un arma para protegerme, tengo todo el derecho de probar que estoy en lo correcto.

"Dinámica de la sociedad contemporánea"

Las relaciones del individuo con la sociedad parecen tomar una nueva forma en la década de los años 90. Desde la Segunda Guerra Mundial hasta comienzos de la década de los años 70, el estado de nuestra nación cambió de lo que W. Bion denominaría el supuesto básico "lucha" a "dependencia"[4]. Con dependencia quiso decir que las personas se comportaban como si pudieran confiar en un empleo y en otras organizaciones que cuidaran de ellas, como si los administradores fueran padres y ellos fueran niños. El modo en que se vivía, los sentimientos y las expectativas otorgadas a nuestras instituciones estaban en transición. Harold Macmillan expresó que 'nunca había habido algo tan bueno', y en esa época de pleno empleo, un sistema económico estable, la dependencia de instituciones como la Iglesia y la familia, y una fuerte inversión en educación y construcción de vivienda. Él tenía razón.

A comienzos de la década de los años 70 esta cultura dependiente empezó a desintegrarse, al igual que las instituciones cuya tarea de contener los sentimientos de ansiedad social –los partidos políticos, la Iglesia, las instituciones educativas, la familia y las organizaciones que proporcionan empleos– no estaban en condiciones de "mantenerlos". Esta fase terminó en la recesión de los años 1979 a 1982, que trajo consigo tres millones de desempleados. Esto también se anunció en el gobierno de Margaret Thatcher además de su fuerte adhesión al individualismo.

La década de los años 80 demostró ser un periodo en el cual la misma Margaret Thatcher se convirtió en el principal "recipiente" de ansiedad social –una "supermadre" indestructible–, por lo menos hasta los últimos días de su liderazgo[5]. Durante esa época hubo un cambio social que se diferenciaba por la manera como los individuos se relacionaban con las instituciones. Las relaciones de las organizaciones proveedoras de empleo se hicieron más eficaces y mejor orientadas. Se establecieron más negocios y empresas.

En la década de los años 90 la percepción de la Organización para la Conciliación Social consistía en que la sociedad en la Gran Bretaña se trasladaba a una cultura de contrato, con derechos y obligaciones contractuales que remplazaban las obligaciones sociales relacionadas con la anterior cultura de dependencia. Este cambio tiene un sinnúmero de efectos sobre las instituciones y los ciudadanos.

Primero, las organizaciones que hacían parte del Estado benefactor, plenas de relaciones de dependencia, poco a poco se convierten en parte de esta cultura. Por tanto, los centros educativos se manejan más como negocios, "con la dulcería" parecen ser responsables del impuesto al valor agregado (IVA). El director o la directora

[4] Bion, W., *Experiences in Groups*, Tavistock Publications, Londres, 1961.

[5] Khaleelee, Olya, "*The Thatcher Phenomenon*", en *Contributions to Social and Political Science, Proceedings of the First International Symposium on Group Relations*, F. Gabelnick y A. W. Carr (eds.), A. K. Rice Institute, Washington, D. C., 1988.

necesitan ahora, además de enseñar las habilidades organizacionales, la pericia en negocios generales para comercializar en forma eficaz sus "productos" y desarrollar los centros educativos como una propuesta comercial. Lo mismo corresponde a las universidades, que comercializan las actividades relacionadas con el campus. Los hospitales están saliendo de la cultura de dependencia y se están animando a buscar un mejor posicionamiento. Los conceptos 'comercializar', 'compradores' y 'proveedores' al servicio de los hospitales incorporan lenguaje comercial contractual a la tarea de ocuparse de la salud de los ciudadanos y hacen más difícil que las necesidades de dependencia recaigan sobre ellos.

Segundo, las instituciones mantienen cada vez más sus acciones ajustadas a la ley, como se hace evidente por los juicios hechos, a finales de la década de los años 80 y a comienzos de la de los años 90, a un sinnúmero de ejecutivos y personal directivo en las esferas industrial, comercial y financiera. Así mismo, entre las instituciones relacionadas con la atención a los niños y lo concerniente al maltrato de éstos por parte de la familia, o al abuso sexual y la "obligación" del cuidado familiar, normalmente se mantienen muchas razones válidas para examinar el trabajo en este campo. Se harán recomendaciones útiles aunque no haya recursos para implementar muchas de ellas. La Carta del Ciudadano, al dar ciertos derechos a los consumidores, parece ser parte de este proceso de hacer instituciones más responsables.

El proceso tiene dos efectos. Crea una ilusión de realidad –una "realidad virtual"– que satisface una parte moral de nosotros mismos, que desea lo justo, pero esto es inalcanzable en la realidad *real*. También crea una sociedad de conflictos a medida que las personas operan sobre la base de la "realidad virtual" y no da cabida a la ansiedad social llevada a las cortes o a quejarse ante las organizaciones profesionales cuando no se satisfacen sus expectativas o visiones de la realidad.

En cambio, esto está produciendo una cultura de descrédito en la cual las instituciones establecidas e individuos dentro o fuera de ellas son atacados. Las investigaciones acerca de las convicciones de los terroristas del Ejército Republicano Irlandés (*Irish Republican Army*) han deteriorado de manera seria al poder judicial y a la policía. Se investiga a miembros de la policía implicados por mala conducta; también se critica a los científicos forenses. Profesiones "de alto riesgo", como las de policía, trabajador social y profesor, y en especial sectores sumidos en la pobreza absoluta, son testigos de ataques personales a medida que la ira y la agresión se extienden en la sociedad.

Lo que se está experimentando es el fin de un modelo de sociedad que se constituyó en torno al concepto de cohesión social y no al individualismo de la década de los años 90. Hasta hace poco un llamamiento contra las convicciones del Ejército Republicano Irlandés se podía ver como un debilitamiento de la cohesión social, aunque con este modelo es frecuente que los "representantes" del populacho o los terroristas sean convictos. Hoy hay un modelo basado en lo individual, por tanto, la culpabilidad del individuo tiene que probarse por completo. Muchas de las convicciones basadas en los ataques a la sociedad se consideran ahora incoherentes, con el resultante descrédito de las personas implicadas en el proceso.

Estos hechos representan un cambio significativo en la relación del ciudadano con las instituciones en la Gran Bretaña. El cambio del modelo de cohesión social basado en la dependencia por otro basado en el individualismo, deja a las personas sin mecanismos de interrelación con los demás. Las causas económicas de violencia se arraigan en las políticas avaras de "mi dinero y yo" predominantes en la década de los años 80, que han debilitado las difusas fronteras de las clases sociales y han contribuido a crear una "clase inferior". Con la pérdida de ideología y la ausencia de liderazgo económico y político, evidentes en el gobierno posterior a Margaret Thatcher, no sorprende que la adhesión social se disuelva y lleve a las personas a buscar el significado de sus vidas, a recurrir a sí mismas y a cualquier agrupamiento que lleve aún el significado y el sentido de pertenencia.

Debido a que la Gran Bretaña no es una isla en términos de procesos sociales, los efectos de la pérdida de mecanismos de integración se pueden ver más allá de nuestras fronteras. El desplome de la Unión Soviética y Yugoslavia, la división de Checoslovaquia y las señales de fragmentación de otros Estados que hace poco se liberaron del yugo comunista, son indicadores de desintegración y pérdida de contención de las estructuras. La unificación de Alemania y el desarrollo de la Comunidad Europea se ha visto como si ofrecieran una integración y un sistema integrado que podrían proporcionar contención y alguna estabilidad, en tanto que otras naciones europeas desarrollan economías de mercado y nuevos sistemas políticos, pero es claro que hay mucha ambigüedad acerca de esto, porque se manifiesta como una amenaza a la identidad y la autonomía de la nación.

Sin embargo, a principios de la década de los años 90 la pérdida de fronteras y de contenido psicológico ha sido tal que las personas han recurrido a otros recursos de significado y seguridad. La pérdida de fronteras incrementó la cantidad de personas que buscaban asilo. En 1992 Zig Layton-Henry escribió[6]:

> Las leyes liberales modernas con respecto a la entrada y tratamiento de refugiados se establecieron después de padecer las consecuencias del holocausto, la Segunda Guerra Mundial, y el gran desplazamiento de población que le siguió. La solidaridad con los europeos orientales atrapados detrás de la "cortina de hierro" reforzó el compromiso de Occidente con la Convención de Ginebra de 1951, que dio derechos de asilo y protección a los refugiados con temores de persecución bien fundados. Durante gran parte del periodo posterior a la guerra, las personas que buscaban asilo en Europa y las que venían eran pocas, con excepción de los alemanes orientales que emigraban a Alemania occidental, lo cual terminó con la construcción del muro de Berlín en 1961. A mediados de la década de los años 80 se empezó a dar un rápido aumento de solicitudes de asilo en Europa occidental. Tamiles de Sri Lanka, kurdos de Turquía, somalíes y ugandeses de África eran nuevas fuentes importantes de refugiados... Hay más razones para el gran aumento de solicitudes de asilo en Europa occidental: el desplome de la "cortina de hierro", la reducción del precio de los pasajes internacionales, la difusión del modo de vida en Europa occidental, en parte como resultado de la migración posterior a la guerra y del mayor acceso a los medios masivos de comunicación occidentales... La crisis actual de refugiados en Europa se ha intensificado por el colapso de Yugoslavia y la lucha por crear nuevos Estados, forzando la migración de más de un millón de personas y conduciendo a nuevas condiciones de crear refugiados políticos: la "limpieza étnica".

[6] Layton-Henry, Zig, *The Times*, noviembre 6 de 1992.

La búsqueda de significado ha ocasionado el resurgimiento del nacionalismo y el fascismo, que representan una dimensión nueva y peligrosa para el desarrollo de Europa y de manera inevitable afectan el sentido que las personas dan a sus vidas y su percepción de ciudadanía en la Gran Bretaña desde la década de los años 90 en adelante.

Michael Binyon analizó cómo ha emergido la fuerza de los partidos políticos de extrema derecha en Europa[7]. Por ejemplo, el Frente Nacional, de Jean-Marie Le Pen, reivindicado por 100.000 miembros en Francia, y el partido de la Libertad, de Jorg Haider, en Austria, que ahora tiene como oponente al Partido Popular Conservador. En Bélgica se encuentra Vlaams Blok, el auge del grupo nacionalista de extrema derecha en Suecia, la Liga Norte en Italia y el restablecimiento del fascismo en España. Todos hacen fuerte campaña en una plataforma contra la inmigración y crean el temor del aumento del desempleo. El crecimiento de la derecha en Alemania y las repercusiones de la unificación de la antigua República Democrática Alemana, simultáneamente con el problema de los refugiados, generaron ataques contra quienes buscan asilo y el crecimiento del partido republicano alemán. Además, en el oriente se manifestaron el aumento del nacionalismo, los ataques antisemitas y a grupos minoritarios en Polonia, Checoslovaquia, Rumania, Bulgaria, la antigua Yugoslavia y muchas Repúblicas de la antigua Unión Soviética. Todas son respuestas primitivas a experiencias caóticas y cambio desacompasados que crean temor e inseguridad en las personas.

El arte es otro recurso que preocupa a la sociedad actual. Según Alexander Walker, muchas películas tipo *thrillers* para adultos, como *El silencio de los inocentes*, siguieron el éxito mundial de *Atracción fatal*[8]:

> [Éstas] inspiran temores en las personas cuyas defensas han sido sacudidas por la recesión económica y la sensación de que la sociedad se desploma en torno a ellas. Todos estos filmes atacan la familia, el hogar y la confianza que se deposita en los guardianes de la ley, el orden y la integridad... Todos ellos, con "finales felices", dejan tras de sí un vacío moral, la visión de familias, hogares y vidas que han sido devastadas. La serie de películas *Alien* toma este proceso, un paso más allá, con ataques dentro del cuerpo del individuo. Aquí hay además una pérdida de confianza y control en los límites de lo individual y la "piel"[9] psíquica.

Crear una frontera para proporcionar seguridad requiere control en la propia "piel", la experiencia de la integración interna y la formulación de las entidades "yo" y "no yo" o "nosotros" y "no nosotros". "Enviarlos" a casa o "atacarlos" "nos" da un gran sentido de cohesión de quiénes "somos". De esta manera se reubica o se proyectan la ansiedad, la agresión y otros sentimientos indeseables en la sociedad de la que somos ciudadanos. Como lo manifestó hace poco un consejero de la Organización para la Conciliación Social: "La sociedad es la identificación proyectiva". Se proyecta y luego se identifica con las acciones del "receptáculo", bien sea animal, persona, grupo, institución o país.

[7] Binyon, Michael, *The Times*, noviembre 27 de 1991.

[8] Walker, Alexander, *Evening Standard*, marzo 31 de 1992.

[9] Anzieu, D., *The Skin Ego*, Yale University Press, Connecticut, 1989.

■ "Nueva ciudadanía"

Las implicaciones del análisis de la dinámica social actual sugiere que el ciudadano se siente en un mundo más aislado, extraño e inseguro. Los "nosotros" son cada vez más escasos, en tanto que los "ellos" se multiplican.

Ben Macintyre, al visitar de nuevo los Estados Unidos, escribe sobre la actitud actual de los norteamericanos y relata los puntos de vista de dos contactos[10]:

> En minutos mis compañeros han aclarado algunas cosas. No les gustan los homosexuales, los negros, los policías, las feministas, los políticos, los habitantes de las ciudades, los hispanos, los *hippies* o los periodistas... No supongo que sus prejuicios fueran diferentes hace cuatro años, pero lo que parece haber cambiado es la malicia con la que ellos se identifican, la necesidad obvia de hablar de sus intereses, la ira y el temor inconfundibles. Su sentido de lo que fueron y lo que quisieron ser lo dictaminó completamente lo que no fueron. Al parecer, su autodefinición se logró por un proceso de eliminación.

Y continúa para hablar sobre cómo Norteamérica:

> Fue construida sobre un mito de accesibilidad; la noción de que la igualdad significaba la preservación de amplios espacios abiertos en la tierra y en la mente... Esa idea parece desaparecer a medida que las cercas suben alrededor de muchas mentes norteamericanas: en medio de razas, generaciones, sexos, credos, estilos de vida, nuevos y antiguos inmigrantes, ricos y pobres, perezosos y laboriosos. El lineamiento de las personas con quienes he hablado en meses recientes parece definirse, cada vez más, no como miembros de una nación, un Estado o incluso un pueblo, sino como un elemento de una sociedad fragmentada, ubicación en la cual pueden explicarse sólo por la referencia de otras partes de un todo fraccionado. *Wasp**, judíos, negros, cristianos y homosexuales son más que nunca indicios de intolerancia, cada uno con sus propias doctrinas y defensas.

Este análisis de los procesos sociales en los Estados Unidos parece congruente con las tendencias en el Reino Unido y Europa.

Es una búsqueda de identidad y sentido en las relaciones y las actividades donde estén disponibles algunas experiencias integradas. Es probable que esto se dé en la familia o, dado el gran número de personas que viven solas, en pequeños grupos con quienes comparten aspiraciones y valores en torno a una tarea en común.

Un artículo de la revista *Evening Standard* señaló la tendencia hacia un nuevo estilo "individual" de caridad[11]:

> La princesa de Gales ha "conquistado el mundo", para decirlo con sus propias palabras, al cuidar y compartir, cuando sostiene la mano de un moribundo o mira sus ojos; los efectos de su presencia son obvios para todos. Ella pertenece a una nueva especie de líderes: la santa social.

* *N. de la T.* Abreviatura que expresa las características de los descendientes de los inmigrantes blancos (*white*), anglosajones (*anglosaxon*) y protestantes (*protestant*).

10 Macintyre, Ben, *The Times Saturday Review*, octubre 31 de 1992.

11 *Evening Standard Magazine*, noviembre de 1992.

Mientras que antes las actividades más sobresalientes eran un modo de ejercer poder o de ascender socialmente, ahora existe un compromiso más directo y vehemente con una causa, no tanto el deseo de parecer estar haciendo el bien sino *hacer* el bien. Una hipótesis cínica consiste en que al relacionar las *in*capacidades se confirman las "capacidades". Más aún, la gestión subyacente puede ser en parte para reparar lo que se haya propuesto desconocer al hacer esto o mitigar la culpa inconsciente; y en parte para hacer de nuevo la "introyección" de un sentido de identidad e integración.

Drucker señala que el sector sin ánimo de lucro es el que proporciona más empleos en Norteamérica, con más de 80 millones de personas que ofrecen en promedio más de cinco horas semanales de trabajo voluntario[12]. Si este trabajo se pagara, equivaldría a más del 5% del producto nacional bruto. La evidencia sugiere que, según los resultados del estudio propuesto, más y más voluntarios son personas preparadas en funciones administrativas o profesionales que no están buscando salidas como aficionados, sino que desean utilizar su competencia y su conocimiento por completo en las organizaciones. La fuerza orientadora más importante que los motiva a colaborar así es, según Drucker, que la organización tiene una misión clara y los ubica cuidadosamente en funciones, les proporciona aprendizaje y enseñanza continuas y establece con claridad los requerimientos en relación con su responsabilidad. Por tanto, estas organizaciones llenan las necesidades de dependencia que no ofrecen los empleos comunes. Como lo expresa Phil Boxer en su aporte en este libro: "La ansiedad llega a ser un desafío para nuevos negocios en lugar de una amenaza para los existentes". A muchas personas les proporciona logros y sentido de vocación, ausentes en su trabajo remunerado:

> La vicepresidenta de un importante banco regional tiene dos niños pequeños. Sin embargo, ella se posesionó como directiva del capítulo estatal para la conservación de la naturaleza, cuyos fondos, compras y manejos perjudicaban la ecología. "Amo mi trabajo", dijo, "y, por supuesto, el banco tiene un dogma. Pero en realidad no sé a qué contribuye. En la conservación de la naturaleza yo sé lo que soy".

Judi Marshall da un ejemplo parecido al final de su aporte, en el que invita a llevar a los niños al trabajo. Valores que normalmente no se integran con la vida organizacional fueron integrados con éxito al modo de funcionamiento de la institución. Esto sugeriría que estas organizaciones son eficaces y proporcionan más satisfacciones en su desempeño que los trabajos comunes.

El aumento de instituciones de caridad, grupos de autoayuda y de trabajo voluntario proporciona un modo a contracorriente para mitigar la desintegración de las instituciones sociales, la pérdida de ideologías y con frecuencia las amenazas contra la integridad personal. Ellos desarrollan nuevos vínculos con la comunidad y proporcionan pistas para el crecimiento de valores compartidos por medio de una tarea útil, práctica y tangible. Dan una identidad al individuo: aquí está el futuro del ciudadano activo.

12 Drucker, Peter, *Managing for the Future*, Butterworth-Heinemann, Ltd., Oxford, 1992.

PALABRAS DE OTROS, 3

"No está más allá de la sabiduría de hombres y mujeres, en una sociedad tan bien adecuada a las provisiones de los deseos humanos como la nueva sociedad de profesionales de finales del siglo XXI en la Gran Bretaña, idear un gobierno del que podamos disfrutar sus beneficios sin caer en la trampa de la rivalidad, de corporaciones neofeudales y del Estado autoritario, que los extremistas están cavando para nosotros".
Harold Perkin

"Pero en forma desesperada carecemos de liderazgo para una sociedad más amplia; gente que esté capacitada para hablar y hacerse oír entre los grupos de interés, separar los sectores de técnicos expertos y dirigir amplios intereses de la sociedad e incluso de la humanidad como un todo... Proveer liderazgo en un dominio que resalta cierto grado de inteligencia, se requiere sobre todo superar esa inteligencia... Sin embargo, en una sociedad más amplia esa persona no dispone de una manera automática de atraer seguidores. Más bien, para ser líder tendría que ser capaz de crear una relación de esa sociedad... que pueda vincular personas con diferentes grados de inteligencia, dominios y alianzas en una empresa que busca el compromiso por parte de los empleados. El liderazgo va más allá de múltiples grados de inteligencia, esto involucra las capacidades... que descartan inteligencias y afectan a otras personas, de manera emocional, social o cognoscitiva".
Howard Gardner

..."El avance del futuro en el presente es inevitable. La tarea de ajuste se hace más onerosa cuanto más se posponga enfrentar la discrepancia entre el punto de vista del viejo mundo y la nueva realidad; de manera desesperada necesitamos descartar suposiciones que ya no son válidas".
Richard Pascale

"Son los valores espirituales, altruistas, sociales, personales, voluntarios, educativos, explorativos, organizacionales, filosóficos, culturales y psicológicos los que influyen en el clima en el cual florecen los grandes cambios".
Norman Strauss

"Las personas... parecen definirse cada vez más no como miembros de una nación, un Estado o incluso un pueblo, sino como un elemento de una sociedad fragmentada, ubicación en la cual pueden explicarse sólo por la referencia de otras partes de un todo fraccionado. *Wasp*, judíos, negros, cristianos y homosexuales...".
Ben Macintyre

"Deberíamos hacer caso a Alfred North Whitehead, quien una vez dijo: 'El negocio del futuro puede ser peligroso. Siempre lo ha sido al confrontarlo con lo desconocido. Es por lo desconocido que transformamos nuestros temores en conocimiento y una comprensión más rica de lo que significa ser humano".
Paul Hawken

CAPÍTULO 7

La esfera de los negocios emergentes

Creación de la unidad global hacia la variedad local

Ronnie Lessem

La variedad de diferencias significativas en un campo de unidad relativamente limitado justifica el don característico de calidad europea.

SALVADOR DE MADARIAGA
Retrato de Europa

■ Introducción: de la disonancia a la resonancia

Capitalismo y comunismo: políticas de división . . . .

La caída del muro de Berlín, en el corazón de Europa, Alemania, simboliza –si aún no se ha materializado– el renacimiento de un continente. Así, limando las asperezas, se tiene la oportunidad de crear una nueva unidad global fuera de la renovada variedad europea. El colapso súbito del comunismo clama por una nueva visión unificada del mundo, aunque ésta surgió de la variedad. Como se verá, ésta se encuentra en el interior y el exterior de la esfera de los negocios.

El capitalismo y el comunismo nacieron sin puntos de vista parciales y monolíticos del mundo. Nominalmente ninguno de los dos, de origen europeo, intenta captar la riqueza cultural del continente, esfuerzo emprendido por los artistas y no por los economistas políticos. En tanto Adam Smith convoca a los comerciantes a la unidad, Karl Marx invita a los trabajadores a lo mismo. Los dos hacen un llamamiento a una clase social y ninguno convoca de manera específica a escoceses, ingleses, alemanes, como tampoco a africanos o asiáticos. Del mismo modo, ambas ideologías ignoran la diversidad cultural de Europa y del resto del mundo. El capitalismo y el comunismo tenían intereses particulares al norte y al sur del ecuador, en el hemisferio oriental y en el occidental.

En los anteriores 150 años, y con más exactitud en el curso de este siglo, la economía y la política globales han estado marcadas por dos clases de fuerzas divisorias aunque no dialécticas. Mientras que la denominada división Oriente-Occidente ha estado marcada por el enfrentamiento entre el capitalismo y el comunismo, el abismo entre el Norte y el Sur ha separado las naciones ricas de las pobres. En tanto que la caída del muro de Berlín simboliza una ruptura con la antigua división, la crisis en África representa la continuidad de esta última. La pobreza y la ignorancia de manera inevitable originan las luchas sociales y políticas. Es interesante la forma como se reflejan en el escenario global la gran división de Europa –capitalismo occidental *versus* comunismo oriental– y el Norte rico *versus* el Sur pobre. Las dos vías polarizaron el estado de Europa implantado hasta ahora en el escenario mundial de un modo más simbólico que real (*véase* Figura 7.1).

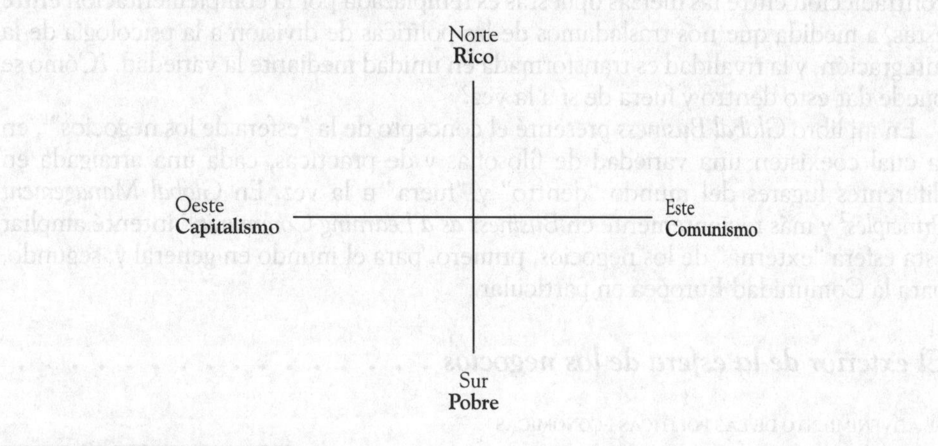

Figura 7.1 Las grandes divisiones

Sin embargo, estas antiguas y simbólicas huellas tergiversan cada vez más la realidad económica y política. El comunismo no sólo se ha deteriorado en el oriente de Europa, también ha perdido su dominio en el hemisferio oriental, en especial en la China "Roja". Entre tanto, paradójicamente, Japón, la estrella naciente, con su política y su economía adheridas al capitalismo conserva su sistema comunal en lo cultural y lo psicológico (al contrario del comunismo). El tiempo transformó la visión de la realidad global y, al mirar fuera de Europa implantando el conjunto original de polaridades, tendrá que tomar la iniciativa para crear otras.

Los hechos en Europa ya han superado las antiguas divisiones económicas y políticas. En el curso de las décadas anteriores fueron destronados los coroneles en Grecia, Francisco Franco en España y Antonio de Oliveira Salazar en Portugal. Las dictaduras, la pobreza y la ignorancia han dado vía a la democracia, acompañada por el aumento del nivel de vida y de educación. Así, la antigua división Norte-Sur comienza a desgastarse en Europa, mas no en todo el mundo. Italia es el país europeo con más responsabilidad para superar el vacío cultural y económico apoyado en el Norte y en el Sur. De igual modo, Alemania está logrando la unificación económica y política, pero no la psicológica, que es la clave para trascender las fronteras de Oriente y Occidente. Sin embargo, y con preocupación al mismo tiempo, los espectros de la mafia, por un lado, y de los nazis, por el otro, flotan en el ambiente. Las fuerzas del mal nunca abandonarán a las fuerzas del bien, por lo menos hasta que los desequilibrios psicológicos y socioeconómicos sigan latentes.

■ El exterior y el interior de la esfera de los negocios

La unidad mediante la variedad . . . .

Mientras las metáforas de Oriente y Occidente, y también las del Norte y el Sur, en términos políticos e ideológicos son ahora anticuadas, su importancia simbólica en cuanto a lo cultural y lo psicológico ha crecido en el presente. En esencia, la contradicción entre las fuerzas opuestas es remplazada por la complementación entre éstas, a medida que nos trasladamos de las políticas de división a la psicología de la integración, y la rivalidad es transformada en unidad mediante la variedad. ¿Cómo se puede dar esto dentro y fuera de sí a la vez?

En mi libro *Global Business* presenté el concepto de la "esfera de los negocios"[1], en la cual coexisten una variedad de filosofías y de prácticas, cada una arraigada en diferentes lugares del mundo "dentro" y "fuera" a la vez. En *Global Management Principles*[2] y más recientemente en *Business as a Learning Community*[3] intenté ampliar esta esfera "externa" de los negocios, primero, para el mundo en general y, segundo, para la Comunidad Europea en particular.

El exterior de la esfera de los negocios . . . .

EL ADVENIMIENTO DE LAS POLÍTICAS ECONÓMICAS

A través del tiempo los negocios han sido una actividad dinámica. Con distintas posiciones filosóficas, religiosas, artísticas e incluso científicas, han ocasionado la extroversión, en lugar de la introversión, de actitudes y comportamientos. La naturaleza agresiva, individualista y competitiva de las empresas de 'Occidente' (anglosajonas) ha dominado nuestra conciencia a través de los tiempos, excepto en los aspectos colectivo, cooperativo y comunal, los cuales son también intrínsecos a los negocios. No obstante, estos últimos son más característicos de los cuadrantes "no occidentales" del mundo, del Norte, del Sur y del Oriente, en los cuales la teoría y la práctica de administración de los negocios se diferencian con mucha menos claridad. En efecto, los dos esquemas dominantes en la actividad de los negocios, el capitalista y el comunista, están sujetos a este desequilibrio. Mientras el primero se basa principalmente en el dejar hacer (*laissez-faire*) de la economía de Adam Smith y la "sobrevivencia del más fuerte" de Charles Darwin en biología, el segundo tiene una herencia mucho menos desarrollada. La perspectiva de Marx sobre los negocios es en esencia antitética, de modo que lo comunal no cuenta para los negocios, en ambos sistemas. No sorprende que las estrategias competitivas en un campo de batalla económico continúen dominando el espíritu del mundo de los negocios, a pesar del advenimiento de la cultura de negocios y las alianzas estratégicas cada vez más variadas en Oriente y particularmente en Occidente.

1 Lessem, Ronnie, *Global Business*, Hemel Hempstead, Prentice-Hall, 1987.
2 Lessem, Ronnie, *Global Management Principles*, Hemel Hempstead, Prentice-Hall, 1989.
3 Lessem, Ronnie y Fred Neubauer, *Business as a Learning Community*, Maidenhead, McGraw-Hill, 1993.

EL DOMINIO TEMPORAL

En este libro comenzamos con optimismo, considerando la actividad económica como parte de la denominada esfera de los negocios, del mismo modo que las actividades biológica y geológica hacen parte de una esfera ecológica. En dichas esferas globales basadas en lo físico o lo económico, la globalidad y la variedad no solamente coexisten, sino que se enriquecen entre sí mediante su inevitable interacción. Así como la geosfera "externa" está formada por capas geológicas y masas de tierra, temporal y espacialmente diferenciadas, respectivamente, el exterior de la esfera de los negocios está constituido por organizaciones con diferentes niveles de desarrollo y con filosofías de administración arraigadas en culturas diferentes. Todas estas importantes variaciones temporales desvían por completo las grandes divisiones, capitalismo/comunismo y Primer Mundo/Tercer Mundo. Los negocios, si han de crecer y desarrollarse, evolucionan de empresas parroquiales e instituciones nacionales a transnacionales y, en últimas, a auténticas corporaciones globales.

Hasta ahora los teóricos y los practicantes administrativos sólo están en capacidad de diferenciar con claridad las pequeñas empresas de las organizaciones de gran escala. No obstante, las diferencias cualitativas de los requerimientos monoculturales y multiculturales, intraorganizacionales e interorganizacionales, ahora se vuelven evidentes.

EL DOMINIO ESPACIAL

Si los negocios han de prosperar a largo plazo, necesitan acercarse a su patria. Es evidente que los rasgos distintivos de América son diferentes de los del Japón, países éstos en donde es muy fuerte el mundo de los negocios. Sin embargo, la mayoría de los distintivos culturales de estas sociedades permanecen ocultos, tal como acontece con la sociedad europea. Es como si un geólogo fuera incapaz de diferenciar, al menos en lo fundamental, rocas de granito formadas en los Pirineos de piedras calizas de Gales. Es obvio que las rocas volcánicas en Japón y el carbón esquisto en América son las únicas formaciones rocosas visibles en la geosfera.

La antigua división ideológica, por la cual el mercado (capitalismo) o el Estado (comunismo) predominio supremo, sirvió para ocultar dichas variantes en la esfera de los negocios. Tales diferencias percibidas estaban ocultas en la base del fenómeno, "lecho rocoso" o lo que debería denominarse "atributos de superficie", como los hábitos culinarios, susceptibles de la corrupción o la conservación. Diferencias sustanciales del "fondo del asunto" o "de la raíz" se agruparon bajo el disfraz del capitalismo o del socialismo con la denominada economía mixta presente en todas partes. Ninguna de las diferencias culturales evidentes (entre franceses, ingleses, americanos y europeos) ha ingresado a la esfera de los negocios. Es como si la dualidad económica y política hubiera conciliado la variedad psicológica y cultural. ¿Por qué ha de ser así?

El interior de la esfera de los negocios

EL ADVENIMIENTO DE LA PSICOLOGÍA ORGANIZACIONAL

Hasta hace poco, en los últimos 30 años o más, la cultura y la psicología se consideraban del todo periféricas a la actividad de los negocios. La economía y la política junto con la tecnología dominaban el intercambio comercial. Recuerdo a un hombre de negocios joven y ambicioso, a finales de la década de los años 50, decir al entonces ministro de Finanzas de la Rodesia* colonial, que la psicología era para los "investigadores". En estos días, los negocios, en su contexto crudo y original, están mucho más relacionados con comprar y vender, que con el desarrollo personal y la evolución cultural. Del mismo modo que la economía se basa en la ciencia para fundamentar la actividad de los negocios, también se relaciona con los conceptos de la cultura libre como el "monetarismo" o el "socialismo científico".

De hecho, se considera que por lo menos desde la década de los años 60 la psicología industrial y la organizacional, al igual que la antropología, hacen parte del currículum del magíster en administración de negocios, en general, y la política económica está dominada por la polaridad capitalismo-socialismo. Hasta ahí la evolución de teorías filosóficas como el racionalismo francés, el humanismo italiano y el totalitarismo alemán, permanecen en la periferia de la esfera de los negocios, eclipsados por el empirista Adam Smith y el dogmático Karl Marx. Los japoneses y el éxito abierto de su colectivismo[4] rompieron este binomio opresivo, que al parecer evitó los enfoques económicos polarizados y convencionales. Sin embargo, la alternativa más viable para el binomio acaso la desarrolló el psicoanalista europeo Carl Jung, a comienzos de la década de los años 30, y la adoptaron los psicólogos administrativos en la década de los años 70. Pese a que en la década de los años 30 las teorías de Jung no estaban relacionadas en absoluto con el mundo de los negocios, los inventos desarrollados por Myers-Briggs en la década de los años 70 van mucho más lejos de Jung[5].

TIPOS PSICOLÓGICOS DE JUNG

Por las ventajas de este proyecto y por razones que pronto serán evidentes, es probable que en la esfera global de los negocios del siglo XXI, Carl Jung desempeñe el papel de Smith y Marx en los siglos pasados[6]. El papel de Jung fue descomponer las ideas políticas y económicas del binomio y remplazarlas por un cuarteto de términos psicológicos y culturales, administrativos y comerciales.

Carl Jung, de nacionalidad suiza, era particularmente internacional en su perspectiva. Cuando era estudiante de literatura y mitología de las culturas de todo el mundo, se interesó de manera especial por China y también dedicó bastante tiempo a África. Dirigió la mayor parte de su trabajo desde Europa e hizo varios viajes a los Estados Unidos para realizar conferencias. Como psicoanalista, filósofo y ser humano fue un verdadero cosmopolita del siglo XX.

Los cuatro tipos psicológicos, de dominios administrativos y de etapas evolutivas, son mutuamente interdependientes y no mutuamente excluyentes en el tiempo y en el espacio a la vez. En otras palabras, un administrador u organizador tendrá que vérselas con ellos a lo largo de su vida. A diferencia del capitalismo y el comunismo, que se excluyen uno

* *N. de la T.* Antigua colonia británica en África que corresponde en la actualidad a las Repúblicas de Zambia y de Zimbabwe.

4 Lessem, Ronnie y Fred Neubauer, *Towards the European Manager*, Maidenhead, McGraw-Hill, 1994.
5 Myers, I. B., *The Myers-Briggs Type Indicator*, Princeton, Princeton University Press, 1962.
6 Van der Post, Laurens, *Jung and the Story of our Time*, Harmondsworth, Penguin, 1978.

al otro, los mundos interiores –razón, inteligencia, intuición y sentimiento– se dan la bienvenida entre sí, si se lleva a cabo el crecimiento. Ahora se podrá proceder con resolución al "interior de la esfera de los negocios". En su teoría de los tipos psicológicos, Jung concibe cuatro atributos de personalidad en todo ser humano (véase Figura 7.2), que surgen de dos modos distintos de percibir combinados con dos maneras diferentes de juzgar. 'Percibir' se relaciona con 'darse cuenta de' la gente, los hechos o las ideas. En contraste 'juzgar' consiste en sacar conclusiones acerca de lo percibido.

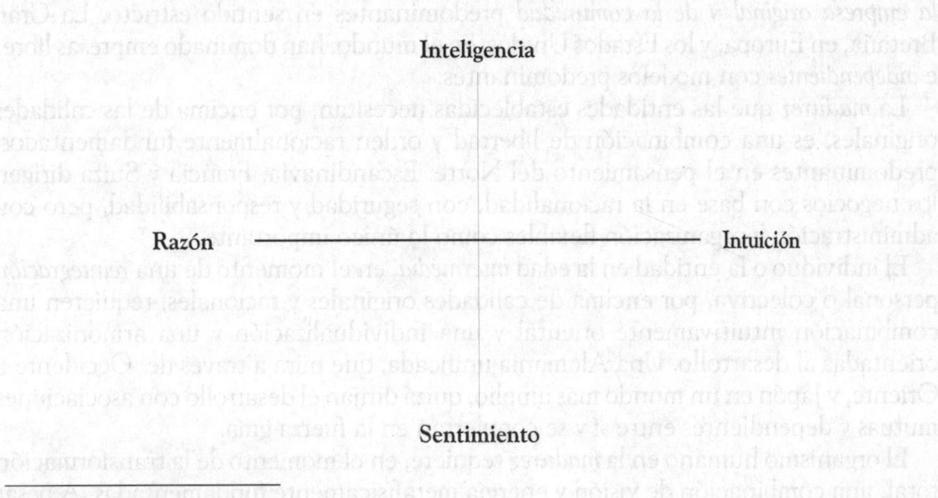

Figura 7.2 Tipos psicológicos

La inteligencia es una característica predominante en las organizaciones estructuradas del Norte. También se presenta en la Gran Bretaña más escocesa que inglesa; y en Italia, más piamontesa que napolitana. La administración analítica e inteligente adopta un enfoque objetivo para la toma de decisiones; por el contrario, los sentimientos son una particularidad de las organizaciones personalizadas del Sur; es más irlandesa que escocesa, más africana que europea, más humanista que racionalista. En general, el juicio administrativo se ejerce con base en la subjetividad.

Las dinámicas del desarrollo

Desarrollo acumulativo

A medida que los individuos, las organizaciones o la sociedad crecen y se desarrollan, necesitan avanzar interna y externamente. Iniciar con una fuerte inclinación local, si se trata de evolucionar, todas deben perfeccionarse geográfica y psicológicamente. Esto fue lo que sucedió a los japoneses y a los alemanes después de la Segunda Guerra Mundial, que se abrieron a la fuerza a Occidente. Hoy en día el negocio europeo necesita extenderse geográficamente a Norteamérica y al Japón. Ya ha logrado alcanzar aspectos de la intuición y el sentimiento de su naturaleza, hasta ahora represados por la razón y la inteligencia. En este último aspecto, la influencia cultural del sur y el oriente europeo, si se presenta la oportunidad, desempeñará un papel importante. De igual modo, en la nueva Norteamérica de Bill Clinton, las poblaciones nativa y extranjera tendrán que encontrarse y así crear la unidad en la variedad.

En tanto un individuo, una empresa, nación o continente mantengan siempre sus rasgos personales y culturales, deben seguir un modelo de desarrollo si han de evolucionar con éxito. En Occidente, los organismos *jóvenes* y pioneros necesitan *de la empresa original y de la comunidad* predominantes en sentido estricto. La Gran Bretaña, en Europa, y los Estados Unidos, en el mundo, han dominado empresas libres e *independientes* con modelos predominantes.

La *madurez* que las entidades establecidas necesitan, por encima de las calidades originales, es una combinación de libertad y orden racionalmente fundamentados, predominantes en el pensamiento del Norte. Escandinavia, Francia y Suiza dirigen los negocios con base en la racionalidad, con seguridad y responsabilidad, pero con administración y organización flexibles como lo único importante.

El individuo o la entidad en la edad *intermedia*, en el momento de una *reintegración* personal o colectiva, por encima de calidades originales y racionales, requieren una combinación intuitivamente oriental y una individualización y una armonización orientadas al desarrollo. Una Alemania unificada, que mira a través de Occidente a Oriente, y Japón en un mundo más amplio, quizá dirijan el desarrollo con asociaciones mutuas y dependientes entre sí y se conviertan en la fuerza guía.

El organismo humano en la *madurez* requiere, en el momento de la transformación total, una combinación de visión y energía metafísicamente fundamentadas. A pesar de su escasa difusión, esto se presenta en el sur de España, donde el padre Arizmendi creó las Cooperativas Mondragón. Y en Sudáfrica[7] con la organización "Cashbuild Rights", de Albert Koopman.

■ Alternación de *animus y anima*

En cualquier etapa de desarrollo económico o cultural de un individuo u organización se necesita un compañero. Es decir, las empresas con planteamientos sólidos (razón) necesitan aliarse con aspectos sensibles (sentimientos) al iniciar los negocios. Jung se refiere a las funciones auxiliar y dominante de la personalidad, las que extiendo a las funciones paralelas de los negocios, la nacionalidad, incluso la "europeidad" o la globalidad. La inteligencia y la razón, mente y voluntad, han dominado los negocios dirigidos por hombres, a pesar de las variaciones nacionales, regionales y locales existentes. Además, Jung se refiere a nuestro *animus* y *anima*. De hecho, todo hombre lleva consigo un aspecto femenino (*anima*) y toda mujer tiene un aspecto masculino (*animus*). Una personalidad, organización o sociedad balanceadas deben tener unas funciones primarias y secundarias que oscilen entre *animus* y *anima*. En términos generales, el occidente y el norte de la esfera de los negocios se inclinan hacia el *animus*,

[7] Koopman, Albert, *Transcultural Management*, Oxford, Blackwell, 1991.

y el oriente y el sur, hacia el *anima*. En tanto que la mente y la voluntad predominan en Europa, en especial en sus regiones norte y sur, las fuerzas del alma y el corazón predominan en el oriente y el sur. Sin embargo, éste no es el fin de la historia.

Ingreso a la claridad y la oscuridad

Jung argumenta que cada uno de nosotros lleva una sombra a su alrededor. O sea que en nuestra personalidad corporativa o nacional existe un lado oculto (una de las cuatro funciones psicológicas). En efecto, este lado "oscuro" ansía ser reconocido después de estar oculto por mucho tiempo, durante la juventud y la adultez, antes de entrar a la crisis de la edad intermedia.

Mientras la racionalidad occidental abandonó la función de la intuición en sus territorios oscuros, la rigidez de pensamiento en Europa del norte ha llevado los sentimientos a la frialdad. En tanto que los negocios en Europa y América (sin mencionar las antiguas colonias imperiales) funcionaban en forma adecuada como empresas locales y también como organizaciones nacionales, las funciones razón y pensamiento bien iluminadas dirigían la economía diaria con propiedad. Sin embargo, como método de un organismo en desarrollo en su tercera etapa evolutiva (al cambiar su orientación transnacional, transorganizacional y transfuncional), la intuición necesita sobrepasar el pensamiento como la función predominante e integradora. En términos mundiales, Japón, y en términos europeos, Alemania, asumen el control de América y la Gran Bretaña como poderes económicos dominantes. Ellos surgen de la oscuridad, como si estuvieran allí. Del mismo modo, la nueva función de producción recién evolucionada (Oriente) supera el marketing (Occidente) y las finanzas (Norte), como las variables de mayor impacto en el mundo de los negocios.

Es interesante que la misma necesidad psicológica del individuo, en edad intermedia, para emerger de la oscuridad es definitiva para salir de la crisis inminente. La crisis proverbial está por fin resuelta, así se abre paso a la individualización de Jung, si la persona se encuentra en la oscuridad. Por tanto, el neófito europeo necesita agradecer al sentimiento africano que vive en su interior, y viceversa. Lo mismo se aplica a medida que Oriente se encuentre con Occidente y –mucho más problemático– que Occidente se encuentre con Oriente.

La individualización de los negocios

A medida que el negocio global avanza de la imaginación a la realidad, debe estar al alcance de los administradores, las instituciones y las naciones para crecer y evolucionar. Como tal tendrá que complementar su personalidad en cuanto a razón, intuición, inteligencia y sentimiento durante sus etapas de juventud, adultez, edad intermedia y madurez. Esto sólo se materializará si el norte y el occidente de la esfera de negocios se reafirman y se despliegan hacia el oriente y el sur de su ser. Por supuesto, este despertar global tendrá que realizarse mediante una revelación similar en cada individuo, organización, nación y continente.

Según Jung, la mayor dificultad que se podría encontrar es coincidir con nuestra oscuridad. Los norteamericanos y los occidentales conscientes y voluntariosos luchamos con decisión para coincidir con la intuición de Oriente y los sentimientos del Sur. Estas últimas son las funciones dominantes de nuestra competencia: Japón. Como es lógico, éste nos ha dejado rezagados a muchos de nosotros. Si lo permitimos, el hálito de la intuición y la profundidad de los sentimientos se desarrollan de manera progresiva con la edad. En Europa estas últimas funciones psicológicas son mucho más comunes, en el arte –en el que los países del Norte y del Sur han contribuido más– que en la ciencia o en el mundo comercial.

El espacio interior de los administradores del mundo se refleja, en los negocios globales, en el denominado espacio externo. Al Occidente se le otorga mucho sentido común; al Norte, un grado de normatividad; al Oriente, la intuición femenina; y al Sur, la intensidad de los sentimientos.

Al alcanzar la madurez, la corporación global real se extiende a toda la esfera de negocios geográfica y psicológicamente. Al mantener su inclinación natural se vuelve un todo mediante su interacción con otros dominios psicológicos y geográficos. Así crea una empresa centrada en la acción, una organización estructurada en forma racional, un producto de calidad y una cultura inspirada. Hasta el punto de obtener éxito mediante un esfuerzo global en una corporación que abarca la caracterización de ocho tipos, que representan los lados duro y suave de los cuatro tipos psicológicos de Jung.

Estratificación administrativa . . . .

Un empresario como John Harvey-Jones (empresa *animus*, comunidad *anima*) se ubica en Occidente entre la empresa y la comunidad. Un administrador del cambio como Jan Carlson (ejecutivo *animus*, agente de cambio *anima*) se sitúa en el Norte entre la libertad y el orden. Un arquitecto corporativo como Mitsubishi (capacidad *animus*, adopción *anima*) se localiza en el Oriente en medio de la evolución y la armonía. Por último, un visionario como Albert Koopman con su herencia euroafricana (aventurero *animus*, innovador *anima*) se establece en el Sur y se balancea entre la energía y el espíritu.

La exploración de las profundidades . . . .

Ninguno de nosotros, como individuos o continentes, puede detenerse. Si hemos de crecer, cambiar, desarrollarnos y, en últimas, transformarnos, tenemos que trascender nuestra inclinación cultural innata. En el pasado hemos batallado para conseguirlo, y en casos más recientes y sobresalientes están Alemania y Japón. En el futuro se espera que dicha asimilación cultural pueda lograrse mediante un acto consciente de voluntad dirigido a nuestra evolución como negocio y como especie, y no por medio de un acto de creación que sigue al horror de la destrucción. Es más, tal asimilación sólo se puede alcanzar si estamos, con Jung, en capacidad de explorar las profundidades individuales y sociales. Para utilizar una metáfora geológica, se necesitaría sondear desde el suelo hasta el lecho rocoso (*véase* Tabla 7.1).

En el curso de la evolución de la superficie a la estructura profunda de nosotros mismos, tendríamos que coincidir con nuestra oscuridad. Como individuos, negocios o naciones somos incompletos. A menos que los anglosajones, después de Ronald Reagan y Margaret Thatcher, viertan su competitividad en un todo más cooperativo y dependiente entre sí; los europeos difundan parte de su secular eficiencia hacia una unidad más trascendente; los japoneses vuelquen su colectivismo natural en un individualismo más evolucionado; los africanos reviertan parte de su energía tribal en

Figura 7.3 Caracterización de ocho tipos

un espíritu de aceptación de la comunidad, todos podríamos –como lo manifestó Keynes–, morir en la larga carrera.

Por el contrario, si se administra para explorar con propiedad los dominios internos y externos de un ser u otro, los negocios y los prospectos humanos serían universalmente claros. Un factor clave en semejante fusión cultural será el papel jugado por las naciones intermedias. Ya los holandeses tienen una participación dominante con la conceptualización de enfoques para la administración transcultural, los noruegos han tomado una iniciativa ecológica y los checos, con Vaclav Havel[8], han planteado el interrogante sobre el papel que desempeñan los europeos en la Tierra.

8 Havel, Vaclav, *Living in Truth*, Londres, Faber, 1988.

Tabla 7.1 Estratos geológicos

1.	*Suelo*	Ego original, guarda los instintos personales y las costumbres locales; casi siempre se presenta con la razón.
2.	*Subsuelo*	Conciencia racional, contiene la estructura de la conciencia y las instituciones nacionales; por lo general se relaciona con la inteligencia.
3.	*Núcleo*	Estrato inconsciente de percepción personal y rasgos nacionales subyacentes, ocultos en el suelo; con frecuencia se asocia con la intuición.
4.	*Lecho rocoso*	Inconciencia colectiva, habita en la imaginación individual y contiene los mitos y leyendas de todo un continente; se extrae del mundo de los sentimientos.

■ Conclusión: implicaciones para la Gran Bretaña

La adopción de una ética cosmopolita . . . .

Sin duda, la ética de los negocios de competitividad exclusiva que predominó durante el gobierno de la primera ministra Margaret Thatcher es ahora más obsoleta que nunca y se debe remplazar por una ética cosmopolita que el mundo de los negocios necesita, elaborada de acuerdo con las culturas de las que emerge. Así, habrá una competencia sensible en Occidente, una coordinación dubitativa del Norte, la cooperación sincera del Oriente y la creación colectiva del Sur. Dicha integración global satisfará no sólo las cuatro fases de administración, sino la organización y el desarrollo social de la esfera de los negocios. Es un camino largo y difícil para los negocios y la administración, y la alternativa será la desintegración física, económica, política y social. ¿Cómo se podría aplicar en la Gran Bretaña este enfoque "del ámbito de la esfera de los negocios" en lo administrativo, lo social y lo organizacional?

A continuación se presentan dos ejemplos específicos extraídos de la experiencia personal que pueden servir como breves indicaciones del camino a seguir.

La penetración del núcleo administrativo . . . .

Uno de los servicios generales recién privatizados en la Gran Bretaña ha comenzado a transformar la uniformidad administrativa en variedad. Entre las funciones normales de responsabilidad en la División de Ingeniería y Servicios de Negocios, los altos ejecutivos del "ámbito de la esfera de los negocios" han comenzado a asumir las características globales. Lo han hecho para mejorar su propio desarrollo en la evolución de sus negocios, los cuales han alcanzado la edad intermedia. Al hacerlo penetran más allá del suelo y el subsuelo de sus identidades personal, organizacional y social, y llegan al núcleo de su ser individual y de la Gran Bretaña.

Tabla 7.2 Núcleo global de administración de la División de Ingeniería y Servicios de Negocios

Suelo					
Director administrativo	Director de ingeniería	Director de intercambio comercial	Director financiero	Director de recursos humanos	Director de mercadeo
Subsuelo					
Aventurero	Ejecutivo de negocios	Agente de cambio	Animador social	Arquitecto corporativo	Empresario
Núcleo					
Explorador/ conferencista	**Administrador de tecnología**	**Líder del pueblo**	**Tradicionalista**	**Conciencia corporativa**	**Relaciones cultivadas**

Al penetrar el núcleo de sí mismos, en el contexto de su individualización progresiva como personas y como administradores, se penetra el núcleo de la sociedad. En el contexto de la Gran Bretaña la caracterización de los personajes gerenciales manifiesta entre ellos la capacidad de exploración, comunicación, ingenuidad técnica, conservación, conciencia social y diplomacia comercial, que en conjunto constituyen gran parte de la personalidad de los británicos. Paradójicamente, cuanto más auténticos sean como administradores individuales y como británicos en general, tanto más amplían su alcance global. Esto se aplica también a las organizaciones.

La penetración del núcleo organizacional

En la actualidad gran parte de las organizaciones de gran escala en la Gran Bretaña, y tal vez en otras partes de Europa, intentan revitalizarse mediante la combinación de programas de "atención al cliente" y de "administración de la calidad total". Estos programas, sacados de los extremos del occidente y de la esfera de los negocios de Oriente (los Estados Unidos y Japón), son muy interesantes. Los europeos han hecho pocos intentos para integrar el pragmatismo de Occidente y la holística de Oriente con la racionalidad del Norte; en otras palabras, realizar la unidad en la variedad. Sin embargo, y en términos jungianos, la característica de extroversión de los norteamericanos opaca la introversión de los británicos. Por ejemplo, en cuanto a la "atención al cliente", en vez de que la "sombra de esa característica de extrovertidos" coincida con la introversión, por esa razón la hace trascender y los británicos se "opacan". En consecuencia, no son auténticos. En lugar de interesarse, ser atentos y corteses con los clientes –todas ellas virtudes innatas de los británicos–, sin ninguna vergüenza se imita a los norteamericanos. Por eso se intenta encantar, ser amigables y entronizar al cliente.

Lo que se necesita es no imitar a nuestros competidores sino cooperar, y, lo que es mejor, hacer una creación colectiva entre ambos. La ausencia de esto es aún más clara en el enfoque de la omnipotente "administración de la calidad total (TQM)", que se ha convertido en un monstruo indomable en la Gran Bretaña porque no se cultivó en nuestro suelo. Del mismo modo en que los ingleses han dominado históricamente las Islas Británicas, Norteamérica y Japón están dominando la esfera de los negocios en la medida en que se está pagando el costo en la Gran Bretaña y en el mundo. La "administración de la calidad total", como se aplica en la Gran Bretaña, pierde contacto con la variedad europea; es decir, con el "don de calidad" de Madariaga.

El segundo ejemplo de adoptar un enfoque de la "esfera de los negocios" en los microniveles es el programa de desarrollo de administración con base en un consorcio establecido en Londres en la City University Business School, que ha funcionado durante cinco años. Con la invaluable ayuda del profesor Reg Revans, se ha cambiado de la "calidad total" a la administración de la calidad. En el proceso, y el contexto de la Gran Bretaña, se ha desentrañado con dificultad la acción/aprendizaje de Revans[9,10], que a su vez extraída de Francis Bacon, John Locke y Adam Smith. El modelo norteamericano de la "administración de la calidad total", en el trabajo de Deming y Crosby, se fundamenta en la idea de un sistema, y el trabajo de Ishikawa en Japón se centra en el grupo, en tanto que el método de administración de Revans se basa en la persona (Tabla 7.3).

Tabla 7.3 La "administración de la calidad total" *versus* "administración de la calidad"

	Deming/Crosby	*Revans*
Suelo	Controles estadísticos de la calidad. Programa de mejoramiento de la calidad.	Autocontrol. Programa de mejoramiento del aprendizaje.
	Deming/Ishikawa	*Revans*
Subsuelo	Mejoramiento constante. Habilidad de la calidad. Buena calidad. Calidad de la vida laboral.	Cuestionamiento de la percepción. Apoyo de calidad. Aprendizaje de buena calidad. Calidad de trabajo/aprendizaje.
	Pirsing	*Revans*
Núcleo	Clásico/romántico. Objetivo/Subjetivo.	Acción/aprendizaje. Sistema propio.

El núcleo de la "administración de calidad" de Revans comprende acción y aprendizaje, así como lo propio y lo del sistema. El subsuelo de la administración de la calidad consta de: 1) La percepción dirigida al interior en el proceso personal de aprendizaje-acción y no en el "mejoramiento constante" dirigido al exterior en el proceso productivo e impersonal. 2) Apoyo de calidad de naturaleza interpersonal y no de la "calidad de la habilidad", de naturaleza impersonal. Así mismo, el aprendizaje de buena calidad, que relaciona al individuo con el grupo, remplaza la "buena calidad", que relaciona a la persona con el producto. 3) La calidad del aprendizaje en el trabajo

9 Revans, R., *The Origins and Growth of Action Learning*, Bromley, Chartwell Bratt, 1987.
10 Revans, R., *Action Learning*, Londres, Blond & Briggs, 1980.

de un individuo trasciende la "calidad de la vida laboral" en la organización comprendida como un todo.

Por último, el suelo se divide en dos partes alternas: una suave y una dura. En cuanto al conjunto de actividades del aprendizaje "suave", el aprendizaje de intercambio personalizado remplaza la "calidad de la participación" despersonalizada; el aprendizaje y el desarrollo basados en lo individual y lo interpersonal sobrepasan el "desarrollo de recursos humanos" institucional; y la calidad de la solución de problemas mantiene su lugar original pero mucho más alineado con la calidad de la experiencia individual que en el caso de la "administración de la calidad total". En cuanto al conjunto de actividades del aprendizaje "duro", administrar en forma científica con un propósito cualitativo desplaza la "administración científica" con su objetivo cuantitativo. En la manera como cada quien aplica subjetivamente el método científico a la administración individual, el autocontrol remplaza los "controles estadísticos de la calidad", y el programa pragmático basado en un proyecto de mejoramiento del aprendizaje desplaza los "programas de mejoramiento de la calidad" que se fundamentan en el mejoramiento racional de las organizaciones.

En el programa para optar al grado de magíster en administración de negocios se intenta reunir todos estos procesos de un modo coherente. Al extraerlos de los extremos occidental y oriental de la esfera de los negocios se comprende el campo intermedio. Nuestra experiencia de combinar las características de todas estas partes radica en la posibilidad de que en una escala limitada se abarque la esfera de los negocios desde su interior. Se vive con la esperanza y la expectativa de que muchos de nosotros encontraremos la manera de ingresar a la esfera de los negocios con el mismo espíritu; es decir, con un alcance global, manteniendo nuestra autenticidad.

Oda a la alegría: Sinfonía de Beethoven Nº 9
Through the vast a - byss of space. Bro - thers. run your
durch des Him - mels prächt - gen Plan. lau - fet. Brü - der.
poco crest
joy - ous race. bro - thers. run your joy - ous race.
eu - re Bahn. lau - fet. Brü - der. eu - re Bahn.
5999

CAPÍTULO 8

Nuevos futuros, ¿a expensas de quién?

Eden Charles

Antes de redactar este aporte superé el obstáculo de escribir los conceptos con las reglas y normas de otros y en un estilo académico que tiene "reglas" acerca de la metodología cuantitativa, objetiva y científica. Quienes siguen la tradición juzgarán la experiencia de mi trabajo como demasiado centrado en ese estilo. El contenido es casi secundario.

Recordar a quiénes estaba dirigido el texto y cuáles eran sus propósitos, ayudó a superar este obstáculo. El libro trata de hacer llegar aspectos relevantes a un grupo que desempeña un papel crucial en la configuración del presente y el futuro del mundo: los administradores; si logra ese objetivo, se ha de juzgar con criterios asociados a cuán útil es para ellos. El contenido es la razón de escribir y es lo que deseo poner a su consideración. Hay administradores que tienen interés en aspectos esenciales para el futuro de la humanidad y que valoran los relacionados con sus funciones al determinar que el futuro sea explorado de una manera tan clara y directa como sea posible.

Quiero ser franco y escribir con honestidad. Si omitiera las preocupaciones, los deseos y emociones que me han motivado a escribir este artículo, entonces estaría contradiciendo ese propósito. Sólo es necesario decir que no intenté adaptar mi estilo para satisfacer la tradición académica antes mencionada.

Quienes están preocupados por las filosofías de administración del futuro harán un favor al mundo al preguntarse: "¿A expensas de quién y a qué costo?" Quienes piensan acerca del futuro y cuyos pensamientos influyen en su configuración, tienen la responsabilidad de analizar la incidencia de la lógica actual en el funcionamiento de las organizaciones y en el desempeño de los administradores. Es importante hacer algunos cuestionamientos y desistir de las operaciones en los límites del marco conceptual actual.

El punto de partida consiste en hablar de las filosofías de administrar el futuro, de crear nuevos futuros. Es necesario observar con más amplitud el contexto particular de las organizaciones, las industrias, los países e incluso regiones específicas del mundo. Es importante reconocer la interrelación y la interdependencia de todo y, en particular, las relaciones entre la práctica administrativa en "Occidente" o el "Norte" y la pobreza del "Sur subdesarrollado" o "Tercer Mundo".

En esta contribución se desea plantear soluciones al impacto de la "eficacia administrativa" en los negocios paupérrimos del mundo. Se hace un bosquejo de algunos de los modos mediante los cuales "Occidente" explota al Tercer Mundo y se sostiene que el pensamiento administrativo desempeña un papel crucial y obvio en la determinación de la naturaleza de esa relación. Cuando se me pidió colaborar con este libro fui claro en las razones para convenir en hacerlo así.

La situación mundial pregonó esta clase de orientación a los administradores. Deseaba emplear hechos y discutir un caso para persuadir a los administradores de que desempeñaban un papel importante en dirigir las desigualdades que amenazan el mundo. Tendría que plantear las diferentes maneras en que las políticas industrial, comercial y militar del Norte industrializado causan la difícil situación de las regiones más pobres del mundo. Quería atraer la atención de los lectores con "hechos" y proponer argumentos que persuadieran a los administradores de la necesidad de hacer algo para restaurar las relaciones internacionales o ayudar a construirlas con un espíritu más justo.

La intención era demostrar que las razones con las que generalmente se explica la situación del Tercer Mundo son sólo mitos y propaganda; exponer aspectos como el hambre, la ayuda económica, la corrupción, los desastres naturales, entre otros. Sin embargo, al empezar la investigación se hizo evidente la disponibilidad de mucha información. Se han escrito libros en los que se destacan, con pasión y rigor académico, los poderosos vínculos entre la riqueza material de los países industrializados y la pobreza material de los países no industrializados.

La información estaba disponible para quienes la necesitaran y si era de utilidad real tenía que hacer algo más que suministrar información. No encontré en mi investigación algo que ayudara a los administradores a pensar acerca de la difícil situación. Lo necesario no es una simple exposición de la situación como:

1. Reunir los vínculos entre esa situación y lo que piensan y hacen los administradores en los países industrializados. Al hacerlo así lo que se obtiene es identificar la incidencia de sus creencias en la perpetuación de esa situación y ubicarlas en un sistema de creencias más amplio haciendo un bosquejo de sus características.
2. Relacionar ese sistema de creencias con la manera en que se ha concebido el desarrollo económico y en la terrible destrucción que éste causa al ambiente, y, en consecuencia, a todos los seres vivos del planeta.
3. Describir por qué la posición asumida por los administradores y el papel que desempeñan son tan cruciales para perpetuar y cambiar el orden actual.
4. Considerar algunos conceptos acerca de lo que la persona, como administrador, puede hacer por esa situación.
5. Reconocer aspectos de ansiedad y desautorización. Proponerlos ofreciendo las percepciones y los beneficios de otras perspectivas y maneras de considerar al ser humano. Demostrar que éstas son importantes y pueden informar y autorizar a los administradores que desean hacer un cambio cualitativo en la naturaleza de la relación descrita.

Muchos de los lectores de este libro tal vez sean gente blanca de las regiones del mundo más ricas económicamente. Resolver la situación no sólo es responsabilidad de ellos. En este aporte se mencionarán algunas cosas que hacen personas procedentes de otras regiones del mundo y lo que ofrecen sus acciones a los administradores que quieren hacer cambios.

■ El contexto

En esta sección se dará espacio al bosquejo de una perspectiva de la relación entre el mundo industrializado y el mundo no industrializado. Entregué, a un grupo de administradores practicantes que estudian para obtener su Maestría en Administración de Negocios, uno de mis artículos clásicos que trata estos aspectos. La reacción más fuerte provino de aquellos que decían: "No sabía que esto fuera así". Así como hay quienes no saben, vale la pena dedicar tiempo a llamar su atención con otro escenario diferente del dominante. Apoyo a quienes quieren saber más para asumir la responsabilidad de complementar este aporte.

Los problemas de las regiones más pobres del mundo, en especial en el hemisferio sur, los causan el hambre, las guerras civiles, la corrupción y la ineficacia. En este escenario la naturaleza y los indígenas son los culpables. Vale la pena examinar estos supuestos.

El hambre y los desastres "naturales"

Muchos de los denominados desastres naturales que suceden en África, por ejemplo, son resultado de las políticas agrícolas de Occidente. Éstas son dictadas en los Estados Unidos, por los grandes productores agrarios, entre otros grupos de interés. Ellos creen que tienen el derecho de subestimar deliberadamente los esfuerzos de estos países africanos y otros no industrializados para desarrollar políticas agrícolas independientes. Europa y los Estados Unidos pueden subvencionar a sus agricultores (ambos lo hacen por más de US$20.000 millones al año), pero cuando un país de África u otro del Tercer Mundo intenta hacer lo mismo enfrenta la ira del Banco Mundial y de la secretaría del Acuerdo General de Aranceles y Comercio (GATT)*.

El entonces secretario de Agricultura de los Estados Unidos, John Block[1], comentó al comienzo de la Ronda Uruguay:

> La idea de que los países en vía de desarrollo deben alimentarse a sí mismos es un anacronismo del pasado. Mejor deben asegurar su alimento confiando con seguridad en los productos agrícolas de los Estados Unidos, que están disponibles a menor costo, en la mayor parte de los casos.

* *N. de la T.* En la actualidad se denomina Organización Internacional de Comercio (OIC).

[1] Block, John, texto citado en K. Watkins, *Fixing the Rules*, Londres, Catholic Institute for International Relations, 1992.

Además de tomar medidas que destruyen la agricultura del Tercer Mundo, el Norte presiona a que adopte políticas que no favorecen los intereses de estos pueblos. Por ejemplo, en Etiopía miles de personas desistieron de los negocios agrícolas y sobrevinieron entonces la hambruna y la muerte. En vez de cultivar para alimentar a la población local, las empresas transnacionales establecidas en el país cultivaban alfalfa de exportación a Japón para consumo del ganado. Durante la hambruna de Sahel los terrenos con cultivos de sorgo y mijo para consumo local disminuyeron. En consecuencia, Etiopía pudo percibir divisas que le permitieron "participar" en el mercado mundial.

Sobre estos países se ejercen presiones para "desarrollar" algunos sectores económicos particulares, y según modelos, que conducen a daños ambientales enormes y a la imposición de proyectos culturales inadecuados[2]:

> Carreteras que terminan en un río y continúan en el otro lado, silos sin poder de oferta, equipos muy complejos instalados en lugares remotos y que nadie puede utilizar, proyectos de piscicultura que producen pescado a US$4.000 el kilo para el consumo de campesinos africanos que no ganan siquiera US$400 al año, represas que privan de agua a miles y que causan enfermedades, esquemas de repoblación que hacen a los emigrantes más pobres de lo que eran antes de dejar su hogar, que destruyen el ambiente y arrasan a los pueblos tribales, tales errores *no* son casos excepcionales de algunas reglas benignas y generales de desarrollo. Por el contrario, *son* la regla.

Ayuda económica internacional

Los habitantes de los países de Occidente contribuyen como individuos a las organizaciones (como la Oxfam) que trabajan para aliviar las condiciones de los pueblos que sufren desnutrición y hambruna. Contribuyen porque les preocupa y por auténticas razones humanitarias, motivados con frecuencia, por las terribles imágenes que se muestran en afiches y televisión. La mayoría de ellos colaboran sin la conciencia de que los gobiernos, las industrias y las corporaciones de sus países han ayudado a crear la pobreza que presencian; sin ser conscientes de que ellos son los beneficiarios de esa pobreza y de que la ayuda que ofrecen algunas veces socava la capacidad de autosuficiencia de los países afectados.

Escuchan a los voceros de sus gobiernos hablar del monto de la ayuda que proporcionan a los pobres del mundo, pero que olvidan mencionar que casi siempre ésta asegura un beneficio estratégico financiero, económico y militar para el donante, la pauperización posterior y la pérdida de soberanía del "beneficiario". Los ministros de esos países proclaman la necesidad de luchar contra la corrupción y aprender a vigilar a su pueblo, mientras conspiran contra cualquier gobierno que intente atacar la raíz de la corrupción, que casi siempre surge de las arcas de las grandes corporaciones.

El empobrecimiento económico de las naciones significaría para Occidente centrarse en cambiar su estilo de vida: cambiar las políticas que ocasionan el daño. ¿Por qué no parar la guerra, en vez de tratar de ayudar a los pueblos a sobrevivir a la violencia?

[2] Hancock, G., *The Lords of Poverty*, Londres, Macmillan, 1989.

Guerras civiles y corrupción

Los individuos y los países son responsables de sus actos. Las personas que mantienen posiciones de responsabilidad económica en el mundo colonizado deben asumir la culpa por las condiciones económicas de sus países. Sus habitantes también necesitan practicar modos menos destructivos para resolver sus conflictos políticos, tribales y étnicos. Mientras que el interés por las víctimas de estos conflictos es siempre adecuado, la intervención de las potencias industrializadas en estos asuntos no tiene ningún beneficio. Estos países limitan su poder financiero, económico o militar a resistir las fuertes presiones externas de corporaciones y gobiernos interesados en crear, fomentar y explotar la división interna para sus propios fines.

Existe documentación completa del modo mediante el cual los gobiernos y las organizaciones como la CIA han intervenido en asuntos de naciones menos poderosas. Algunos de los peores ejemplos de corrupción en esos países corresponden a regímenes que los países de Occidente han puesto en el poder y a los cuales apoyan.

- Por ejemplo, la Gran Bretaña puso en el poder a Idi Amin Dadá porque su antecesor pretendía nacionalizar las empresas británicas establecidas allí. Este hecho fue la causa de las guerras civiles e internacionales que durante muchos años arruinaron a Uganda.
- Con la ayuda de la CIA, el general Joseph Mobutu llegó al poder en Zaire y ahora es ridiculizado por su corrupción y su despotismo. Al escribir este libro, Francia y Bélgica tienen tropas en ese país para proteger a sus conciudadanos y sus intereses de la ira de este empobrecido país.

En el pasado, la excusa para intervenir en los asuntos internos de otros países era la lucha contra la expansión del comunismo, pero con su derrumbamiento en Europa oriental, donde predominaba, no ha habido un replanteamiento de la política en cuanto al desarrollo económico del mundo no industrializado. Por el contrario, se ha visto a Europa, Norteamérica y Japón tomar medidas respecto de sus intereses, aun cuando signifique romper algunas de las reglas y los valores de "libre" comercio acordados.

Se ha hablado mucho acerca de reunir ayuda para promover la democracia en el Sur. Aunque este apoyo a la democracia sólo es importante, al parecer, si Occidente se beneficia con el triunfo electoral de los partidos políticos que reciben sus favores.

En Angola, se efectuaron elecciones con la supervisión internacional, en las que participaron el partido político gobernante y una organización fundada, financiada y protegida por el gobierno de Sudáfrica con el respaldo de los Estados Unidos y sus empresas petroleras. A pesar de que los observadores internacionales reconocieron que las elecciones habían sido limpias, cuando la Unión Nacional por la Independencia Total de Angola (Unita), apoyada por Occidente, perdió las elecciones y reinició la sangrienta guerra civil, los "campeones y defensores" de la democracia no condenaron ese hecho.

Estos países no están en condiciones de rebatir que, evidentemente, su política no parece ser la lucha contra el comunismo, sino extraer el máximo beneficio posible de los países y los pueblos débiles. Culpar a las partes beligerantes de estas guerras "civiles" es no reconocer que los intereses y las intrigas del Norte ocasionan las guerras internacionales.

■ Sobre los términos

En este debate hay una plétora de términos, muchos de los cuales contribuyen a la desvalorización de las regiones más pobres del mundo. Por ejemplo, el "Tercer Mundo" tiene connotaciones de baja categoría. Ello también implica que el Primer Mundo siempre tiene prioridad: primero fue aquí, antes que en el "Segundo" Mundo. Estos son términos acuñados por quienes tienen el poder para determinarlos, que también fomentan y refuerzan la noción de separación entre los *mundos* "Primero" y "Tercero". Se puede tratar a alguien de otro mundo (un extraño procedente de otro planeta) de manera diferente de como se trata a alguien con quien se comparten las mismas calles, que utiliza los mismos servicios y que tiene los mismos sentimientos. La separación Norte-Sur es simplemente inexacta. Aun en un país del "Norte", como los Estados Unidos, hay comunidades que padecen grados de pobreza similares a los de los países del "Sur". Al mismo tiempo, hay países en el hemisferio sur, como Nueva Zelanda, Australia y las comunidades blancas de Sudáfrica, que disfrutan un estilo de vida similar al del "Norte".

De la división "desarrollado-subdesarrollado" surgen algunos interrogantes. ¿Qué es el "desarrollo"? ¿Se refiere al desarrollo económico y militar? ¿Qué tipos de desarrollo son considerados? ¿Qué pasa con los desarrollos espiritual y filosófico? Estas formulaciones pueden sugerir que hay una línea de desarrollo humano continuo en el transcurso de la historia y que los grupos de países (el Norte, el Occidente, los desarrollados o el Primer Mundo, etc.) que en la actualidad dominan el mundo son la cumbre de ese logro, lo cual conduce con facilidad a responder el interrogante "¿por qué algunos son desarrollados y otros no?", que fomenta las nociones racistas de la superioridad innata de un grupo sobre otro.

El libro de Walter Rodney, *How Europe Underdeveloped Africa*, dice más en su título que en su contenido[3]. África tenía civilizaciones muy desarrolladas antes de la llegada de los europeos. Podía autoabastecerse y tenía institutos educacionales "desarrollados", como en el siglo XVII, adonde la nobleza y la realeza de Europa enviaban a sus jóvenes a estudiar en lugares como la Universidad de Timbuctu[4]. El "subdesarrollo" de África es una consecuencia directa de la devastación causada por el "comercio" de esclavos, el colonialismo y el control permanente de sectores críticos de la economía de los países africanos por las corporaciones multinacionales y la banca "internacional". El control del mercado por los países económicamente más fuertes es uno de los muchos factores que crean este "subdesarrollo" y contribuyen a él. El lenguaje

[3] Rodney, Walter, *How Europe Underdeveloped Africa*, Londres, Bogle l'Ouverture Publications, 1972.
[4] Davidson, Basil, *Black Mother*, Harmonsworth, Penguin, 1980.

desarrollado y subdesarrollado ignora el papel que desempeña el "desarrollo" en el mundo "subdesarrollado".

"Occidente" es otro término problemático. Es geográficamente inexacto incluir a Japón, a medida que crece su influencia económica y política. Cuando las personas se refieren al "Occidente" hay el entendimiento común de que se refieren a algo más que la entidad geográfica. En mi opinión, el término se refiere a los países con las siguientes características:

- Tienen economía capitalista.
- Proclaman tener tradiciones democráticas o alianzas con estas "democracias".
- Tienen riqueza económica.
- Poseen poder militar.
- Son pueblos de origen europeo o siguen tradiciones europeas de organización económica.
- Predomina la tradición newtoniana en la sociedad oficial.

Aunque por lo general esto es cierto, no se puede decir que todos los países que cumplen las anteriores características explotan y empobrecen a los que no las cumplen. La situación es mucho más compleja. Sin embargo, no hay que dejarse abrumar por esa complejidad que parece acción inútil y ocasiona inacción. Acción es exactamente lo que necesita la situación.

El "empobrecimiento económico" podría ser un mejor término, porque sugiere que el empobrecimiento no fue siempre un estado de pobreza. Hay mucha evidencia histórica[5] que demuestra que los pueblos de África y la India, por ejemplo, tenían economías que cubrían sus necesidades de alimentación y organizaciones sociales complejas que proporcionaban sustento social y alimento espiritual antes de la llegada de la dominación europea. El rompimiento y la destrucción del orden existente son las causas que condujeron a la situación actual. Con este término se facilita la comprensión de que:

1. Este empobrecimiento es económico y no necesariamente espiritual, cultural, filosófico, etc.
2. Estos pueblos están en capacidad de crear y mantener organizaciones sociales si se les permite hacerlo.
3. Este empobrecimiento es algo que se les ha "hecho", y la mejor instancia para dejar de "hacerlo" es en los países y las corporaciones que "lo" hacen.

Los paradigmas actuales

Me gustaría sostener que la causa de la relación de desigualdad no es tanto la manera de proceder con malicia de la gran mayoría de las personas del Norte industrializado (cuya arrogancia, ignorancia y racismo han desempeñado un papel significativo).

5 Sertima Ivan van y Runoko Rashidi (eds.), *African Presence in Early Asia*, Londres, Transaction Publishers, 1988.

Incluso, que en el ámbito gubernamental se procede mucho más con un modelo de operaciones y creencias establecido, un sistema cuyas consecuencias se comprenden muy poco.

Por ejemplo, el racismo institucionalizado no es el modelo intencional actual de quienes trabajan en instituciones. Éstas se benefician de él, aunque no contribuyan a fomentarlo y con frecuencia no se sepa cómo funciona. Así también, en el orden internacional existente, cuando los ciudadanos del mundo rico salen a trabajar todos los días no son conscientes de que contribuyen aun más a la pobreza de los países pobres. Sin embargo, las estructuras actuales crean la desventaja sin que esté en la mente de aquéllos cuyas acciones las generan.

Las estructuras tienen sistemas de creencias justificadas, conjuntos de suposiciones acerca del mundo que son sus prácticas y políticas. La pobreza actual se basa en la visión del poder dominante del mundo industrializado. Este conjunto de creencias sostiene las actividades que también conducen a la destrucción ambiental global. En su aporte a este libro, James Robertson traza la historia y los rasgos principales de lo que se ha convertido la tradición dominante en el mundo industrializado: la "visión europea del mundo moderno".

Estos valores se expresan en la filosofía y en la ciencia, que afirma que si algo no se prueba científicamente no tiene validez o, peor aún, no existe. Al parecer, la ciencia se considera fundamental y culturalmente universal. M. Murphy argumenta[6]:

> Sólo en el contexto del carácter de Europa occidental se hace necesario crear una categoría de pensamiento y acción (progreso científico), la cual, se dice, está desprovista de ideología y credibilidad... Por la deshumanización de la ciencia, los ciudadanos de Europa occidental buscan la forma de ubicarse por encima de quienes no son científicos.

La ciencia es un modo muy poderoso de conocer el mundo, es también una ideología o un punto de vista mundial utilizado para imponer valores sobre otros modelos y pueblos. Un ejemplo de cómo la ideología se refleja en el mercadeo actual está en la frase utilizada para vender carros: "*Vorsprung durch Technik*" ("Tecnología de vanguardia"). Es importante ser conscientes de que existen otros modos de conocer, entender y explicar el mundo, los cuales se han evaluado con frecuencia según la lógica de la ciencia, y se ha encontrado lo que se desea y lo que se rechaza. A pesar del hecho de que muchas de las formulaciones científicas y una serie de otras disciplinas basan su credibilidad en ser lógicas y científicas, se generan de manera ilógica. La intuición y la creatividad son cruciales en la ciencia y en otras áreas "lógicas" como la contabilidad.

El mundo desarrollado e industrializado del Norte está atado a una lógica que admite unas leyes de desarrollo. No seguirlas es luchar contra lo inevitable. Si se trata de sobrevivir debe haber un "crecimiento económico" constante. El simple hecho de que el crecimiento económico actual sea insostenible es una herejía obvia. Aun si el mundo no industrializado nunca se industrializara, el volumen absoluto de la producción de los países industrializados y la destrucción consecuente del ambiente terminarían con

6 Murphy, M., "Change", trabajo MA sin publicar, 1989.

la vida en la Tierra en un lapso breve, lo que se conoce como el fin. Aunque se nos estimula a creer que producir cada vez más es la única solución.

Los paradigmas actuales y el pensamiento administrativo

La "administración" no es una "cosa", es un proceso, un modo de hacer, aún más, un modo de ser. Sin embargo, cuando se utiliza el término 'administración' suele asociarse con la obtención de cosas hechas de un modo que refleja los valores esenciales de la visión europea moderna. En cualquier nación-Estado que se considere, el dominio internacional de este paradigma es tal que los grupos de poder que le dan credibilidad lo reflejan y lo reproducen.

Esto se refleja en muchas de las teorías que se conocen como administrativas. *Marketing*, planificación estratégica, administración de personal, administración del tiempo, son sólo ejemplos de algunas "disciplinas" que el administrador aprende en sus estudios o en su trabajo. Obviamente, todas ellas están en ese paradigma. Por ejemplo, el *marketing* estimula, seduce y, dirían algunos, "lava el cerebro" a las personas y las induce a comprar cosas no porque las necesiten, sino porque ello aumentará las ganancias de los vendedores y los comerciantes. Las necesidades las crean los productos que tienen una obsolescencia planeada, así las personas tienen que comprar otros, una vez se hayan gastado o estén "pasados de moda" o sólo en desuso. Aquí el mensaje parece ser que la felicidad del ser humano se consigue con la adquisición de cosas o posesiones materiales. Se considera que si las personas estuvieran siempre satisfechas con lo que tienen, la sociedad industrializada se acabaría. Esto hace pensar en que estar satisfecho se puede considerar una actividad subversiva.

Los "gurús" de la administración no nos preparan para la realidad. En tanto que exageran respecto de la necesidad de un cambio radical, el que ellos recomiendan no rompe con la tradición dominante de crecimiento constante; intenta controlar la naturaleza, una obsesión con el materialismo rápido, inmediato y agresivo. Nada que Tom Peters, Peter Drucker o un anfitrión de otros sobresalientes "neófitos de la administración" recomienden como camino para los futuros desafíos del paradigma. Como lo señala Fritjof Capra[7]:

> La competencia que fue vital en América para el pequeño grupo de los primeros colonizadores y exploradores, método autosuficiente para los negocios, es parte del legado del individualismo atomizado de John Locke, pero que ahora es insano, incapaz de tratar con la intrincada red de las relaciones ecológicas y sociales propias de las economías industriales maduras. Todavía predomina la creencia de que, en el gobierno y los negocios, los bienes comunes se maximizarían si todos los individuos, los grupos y las instituciones maximizan sus riquezas materiales –lo que es bueno para la General Motors es bueno para los Estados Unidos. El todo se identifica con la suma de sus partes, y el hecho de que se puede ser más o menos que esta suma depende de si se ignora la interferencia recíproca entre las partes. *Las consecuencias de esta falacia reduccionista ahora se hacen dolorosamente visibles, a medida que las fuerzas económicas chocan entre sí cada vez más, rompen la estructura social y arruinan el ambiente natural.* [Las itálicas son mías.]

[7] Capra, Fritjof, *The Turning Point*, Flamingo, 1982.

Este es el paradigma que permite a los ricos imponer a los pobres políticas económicas salvajes, en la medida en que los pobres exportan capital a una tasa impensable, propia de los tiempos de auge de la esclavitud y el imperialismo. Para la mayoría de la población parece no haber alternativa. Escuchan a políticos y economistas que, con base en la tradición reciben su identidad y su posición social, defienden lo moralmente indefensible. La moral y la economía están separadas en la tradición europea dominante, en la cual es posible considerar prácticas humanitarias, pero en últimas lo fundamental es sacrosanto.

■ Por qué los administradores son tan importantes

La posición que los administradores sostienen en esta etapa del desarrollo de la sociedad industrializada hace cruciales sus creencias y sus acciones. El papel que desempeñan, su localización en el corazón de las organizaciones, el poder y la influencia social que ejercen significa que lo que piensan, dicen y hacen tiene un efecto significativo sobre la manera en que se desarrolla la sociedad.

La función de los administradores

Existen diversas nociones de lo que es y hace un administrador. Hay varias clases de administradores que trabajan en diferentes niveles en organizaciones distintas. Trabajan con personas que pueden haber leído o no libros de "administración". Hablan con ellos acerca de sus ideas, los aconsejan. Están influenciados por sus subalternos, al igual que por sus colegas y por sus superiores. Tienen en común una adhesión consciente o subconsciente a una ideología o visión del mundo que con frecuencia se ve como un conjunto de funciones, habilidades y cualidades sin ningún valor. Decir que se han "adherido" a esta visión del mundo no significa que crean en ella. Se puede argumentar que sus acciones reflejan una visión del mundo (que incluye cómo pueden funcionar los individuos en las organizaciones) de la que no pueden dar fe. Esta separación entre creencia y acción es legítima en la tradición dominante y se refleja en frases como: "Hay que vivir en el mundo real".

Como administradores, administran los recursos de la organización. Dirigen a quienes crean y manipulan su imagen. En niveles directivos crean las políticas. Tienen la responsabilidad de transmitir la cultura de la organización y relacionarla con la cultura pública. Interpretan e implementan las instrucciones de sus superiores. Tienen una posición social, son importantes e influyen en las personas. Para sus subalternos pueden ser la cara de la organización. Tales son la posición, el nivel de conocimiento y la habilidad que deben desarrollar que, para algunos, ellos han tomado un papel equivalente al de un sacerdote en la Antigüedad. Su lenguaje y su moral son parte de la vida. Lo que hacen o lo que piensan tiene una relación directa con la vida de sus colaboradores. Mediante su adhesión a los valores y al sistema dominante obtienen su credibilidad.

He trabajado con administradores en diferentes niveles de las organizaciones y en los principales sectores de la economía. Mi función ha sido estimularlos a administrar y así aumentar su eficacia. Por lo general, se supone que así también se incrementará la eficacia de las organizaciones que pagan mis servicios. Uno de los mayores problemas que he enfrentado es el grado de impotencia del que se quejan. Incluso directores ejecutivos manifiestan que la junta directiva restringe su libertad de acción. Los directores también tienen restricciones en sus operaciones, en la medida en que cambian los accionistas, las legislaciones gubernamentales, las fuerzas del mercado, las divisas y las políticas internacionales, entre otros.

Con frecuencia, mi trabajo es hacer que las personas reconozcan que siempre hay alternativa en medio de las restricciones en las que se desempeñan. Si tienen éxito en sus objetivos profesionales y los de la organización para la cual trabajan, deben admitir que tienen el poder de hacer la diferencia.

Si James Robertson no tenía razón, las decisiones que el administrador toma son las más significativas. Pueden asumir o no el desafío de encontrar la manera de hacer la diferencia. Se pueden sugerir algunas pero es el administrador quien debe desarrollar las estrategias apropiadas. Robertson está en lo cierto al sugerir que otros deben rebelarse o evadir el futuro si éste se basa en la lógica actual. También tiene razón al creer que los gobiernos y las corporaciones lucharán contra cualquier acción que consideren benéfica. ¿Qué posición elegirán los administradores? Este interrogante es tan crucial para ellos como lo fue para los nazis quienes no tenían "alternativa"; sólo obedecían órdenes.

Uno de los rasgos de las sociedades industrializadas modernas es la mutua separación entre las personas y del funcionamiento del poder. Así como las técnicas de producción en serie separan las diferentes funciones de los trabajadores en una línea de producción, la "sociedad moderna" separa a las personas del ejercicio del poder, el cual es el trabajo de los políticos profesionales. Los ciudadanos comunes han llegado a sentir que tienen poco que decir del quehacer diario de su sociedad, en la que se propaga un grado de impotencia, desautorización y marginación. Esta alienación sólo puede exorcizarse mediante el compromiso consciente del ejercicio del poder. En el acto de transformación el individuo es transformado.

Recuerdo vagamente de las lecciones del colegio que para ser "ciudadano" en la antigua Grecia había que participar en el gobierno. (Mi colega en el Instituto Roffey Park, Joanna Howard, señala que entre los "ciudadanos" no se incluía ni a las mujeres ni a los esclavos.) La palabra "idiota" se utilizaba para designar a quienes rehusaban participar en el gobierno. Somos unos completos idiotas si no creemos tener el poder de influir en el curso de nuestro futuro. El hombre, y no los dioses, hicieron las leyes del imperialismo, el capitalismo, el socialismo, el intercambio comercial y la banca internacionales, etc. No es un asunto fácil, pero sí se tiene el poder de crear un futuro infinitamente más humano que el que los maestros de la tecnología nos tienen reservado. Se pueden hacer nuevas "leyes" pero para eso debemos pensar diferente, para romper la actual visión del mundo.

Con base en la tradición de Occidente, la tentación del administrador puede ser ignorarlo todo y continuar como antes o precipitarse a la acción. Quienes toman la primera opción no podrán proclamar por mucho tiempo que lo hicieron por ignorancia. A quienes desean realizar un cambio de segundo orden, sugiero no precipitarse a la acción. El administrador promedio no posee un marco conceptual para hacer un cambio que propicie más cambios. Para hacer la diferencia, el administrador debe *ser* diferente. Ese es el primer paso crítico.

Para ser diferente es necesario replantear muchas verdades supuestas y el esquema mental que se convierte en bagaje intelectual inadecuado. Esto puede lograrse sólo a través de un amplio proceso de reeducación. Éste ya está en marcha de diferentes maneras. Cada vez más administradores y neófitos en administración toman estudios de enfoques "orientales". Hasta aquí se ha tratado de ajustar estos métodos alternativos a los paradigmas actuales. Los rasgos esenciales del orden actual no se cuestionan. El poder del Japón y el "éxito" de vincular sus enfoques con las técnicas de producción y de administración de Occidente han dado validez al sendero que transitamos en la actualidad. Se comenta que Japón vence a Occidente con sus reglas de juego. Así se valida este juego y como tal a quienes lo crearon.

Se necesita más que una integración radical de cosmologías diferentes a esa, si vamos a cambiar en forma fundamental lo que se tiene y a crear algo de diferencia cualitativa. Por ejemplo, aun los japoneses tendrán que encontrar modos de existencia más armoniosos. Sus tradiciones y creencias pueden ser de gran ayuda para lograrlo, pero primero también tendrán que alejarse de la noción de su éxito, definida como un paradigma obsoleto.

■ ¿Por qué?

El hecho de que los administradores tengan tal influencia en las organizaciones y fuera de ellas significa que lo que creen, dicen, hacen o dejan de hacer tiene un efecto en la cultura y, en últimas, en los resultados de la organización. Antes de contemplar que su importancia se amplía a medida que cambian las posibilidades (por ejemplo, lo que pueden hacer), quiero considerar las razones que puedan tener para hacer algo y decir por qué pienso que deben hacerlo.

Cuando he trabajado con administradores que se acercan a la jubilación, con frecuencia me entristece que muchos de ellos digan algo así:

> ¿De qué sirvió todo eso? Le di mi vida a la organización. Mis hijos crecieron y dejaron el hogar antes de que tuviera la oportunidad de conocerlos, estaba muy ocupado trabajando. Ahora me encuentro sin trabajo, jubilado prematuramente, fuera de la reestructuración de la organización y, ¿qué obtuve de ella? Rara vez me lo agradeció. ¿Qué hice con mi vida?

El trabajo ha sido su dios, y ahora, en el ocaso de su vida, sienten que su dios los abandonó y les dejó muy poca fe en una resurrección. Sienten que no tienen nada. Esto resalta una razón poderosa para querer cambiar. El enfoque competitivo machista presente en las organizaciones y la sociedad es demasiado doloroso y destructivo. Desecha la vida humana e ignora la experiencia más profunda: los sentimientos.

Otras razones que los administradores deben considerar para apoyar un cambio incluyen:

- El enfoque económico actual es ambientalmente insostenible. Cuanto más se prolongue, más daño causará al planeta y a sus habitantes.
- El empobrecimiento y el intento de controlar grandes regiones del mundo conducirá a cambios hacia posiciones fundamentalistas y aumentará la incertidumbre política y militar.

- Desde el punto de vista espiritual y moral, con seguridad será indefendible continuar apoyando un orden en el cual unos viven pródiga y destructivamente a expensas de otros.
- Nuestra marcha actual de "desarrollo" conduce al descontento y a la desintegración social, a la alienación y el crecimiento constante de "necesidades" y expectativas, al igual que a un sentimiento de frustración y bajo rendimiento en la medida que estas necesidades no se cubren.
- Si el trabajo y la vida tuvieran un significado diferente del que tienen ahora, algo más que adquirir cosas, lo que hacemos como "trabajo" llenaría esas necesidades, no las contradiría. La riqueza material no coincide con el sentido de bienestar y satisfacción con la vida. Un sentido de "aquí me siento bien, por eso existo". Los "gurús" regañan a los administradores que reclaman paz y mayor estabilidad por no aceptar la nueva realidad. Una metáfora común es considerar la administración como "una corriente de agua cristalina". El administrador de éxito es quien se acoge a la realidad del momento en que vive como un ser en constante cambio. Al aceptar esa realidad aprende a mantenerse en la corriente a medida que supera los rápidos.

¿Cuáles son los costos a largo plazo de ser un "administrador de agua cristalina"? ¿Por cuánto tiempo se puede tolerar el desorden constante? ¿Qué es la calidad de vida para esos administradores? ¿Quizá pueda caer y continuar con vida? ¿Tal vez quienes hacen parte de las directivas sean las víctimas? o ¿quizás aprendan a sentirse satisfechos y realizados sin tener que estar en la corriente?

■ Nuevas fuentes

Es doloroso presenciar cómo otros enfoques de vida que pueden beneficiar a todo el planeta, son ignorados. En su aporte Judi Marshall se refiere a "los principios femeninos"; opina que éstos pueden distinguirse de los masculinos y que tienen mucho que ofrecer a la sociedad y al mundo del trabajo y la administración. De todo corazón coincido con Judi en esta aseveración y en su apreciación de que estos valores son diferentes y complementarios; pueden desarrollarse sin importar el género. Uno de los logros de su aporte es la propuesta de posibilidades y sueños de cómo las cosas pueden comenzar a ser diferentes. Incluso ella propone algunos modos.

Argumentaría que sólo como principios femeninos tienen mucho que ofrecer al mundo en general y al modo como administramos las organizaciones (que es, después de todo, la manera principal como manejamos nuestras relaciones con el mundo exterior), y también los principios y los valores de otras fuentes, con frecuencia denominadas culturas. La Tabla 8.1 compara los valores de las perspectivas de los nativos de África y Asia. Muchas personas no tienen conciencia del papel que desempeñaron las civilizaciones africanas en el desarrollo de las asiáticas y de las similitudes subsiguientes de sus cosmologías. El propósito de este aporte no es describirlas. Quien desee averiguar más debe leer el trabajo iconoclasta de Sertima y Rashidi[5]. El premiado historiador inglés Basil Davidson es también un experto en esta área y vale la pena leerlo[4].

Tabla 8.1 Enfoques africanos y asiáticos comparados con los europeos

Enfoques europeos	*Enfoques africanos y asiáticos*
Cualquiera/o	Ambos/y
Reduccionista	Holístico.
Esfuerzos por el crecimiento constante	Esfuerzos por el equilibrio
Control de la vida	Aceptación de la vida
Propósitos de vida logrados mediante la adquisición de cosas materiales	Propósitos de vida logrados mediante la adquisición de sabiduría y paz interior
Mayor valoración de las operaciones del hemisferio izquierdo del cerebro	Mayor valoración de las operaciones del hemisferio derecho del cerebro
División mente/cuerpo, dualidad	El organismo humano es un conjunto
Individualismo orientado al "yo"	Individualismo orientado al grupo
Aprender de los hechos, computacional	Aprender a ser sabio, esta es la habilidad de desempeñarse con eficacia en el mundo.
Necesidad de la certidumbre. Las cosas son conocibles, planificables	Aceptación de la incertidumbre
Función	Estilo
Lineal	Circular, rítmico
Separación, objetividad	Compromiso, estar involucrado

Las columnas de la Tabla 8.1 no son mutuamente excluyentes; registran diferencias generalizadas para demostrar que en realidad existen. La Tabla concuerda con el esquema mental de Occidente. Muchas de las perspectivas africanas y asiáticas no coinciden con él, pero no necesariamente se oponen a ellas sino que sólo se mantienen al margen. Utilizo la Tabla sólo para apoyar mi posición de que África y Asia tienen, en su modo nativo de ver el mundo, mucha sabiduría que ofrecer y que podría ayudar a sobrevivir y crecer en sabiduría, paz y satisfacción. El libro *African Religions and Philosophy*, de John S. Mbiti[8], es una fuente accesible de la cual el lector puede obtener más información acerca de las perspectivas de África.

En estos días está de moda recoger las filosofías "orientales" y las creencias de los pueblos como las de los nativos americanos. África ha sido excluida y sus habitantes lo consideran vergonzoso. A pesar de las contribuciones que ese continente ha hecho a lo largo del tiempo al mundo civilizado, todavía cargan con el estereotipo de habitantes de la selva que cocinan europeos en grandes ollas (sin duda, hechas en Sheffield, no en África). Es tan grande el poder del racismo que los grandes aportes que África podría hacer se ahogan en el mar de la ignorancia que sumerge a africanos y europeos. Las elites urbanas de la mayor parte del mundo no industrializado han sido educadas con la tradición de Occidente. En consecuencia, muchos no reconocen o valoran algunos de los principios fundamentales de sus tradiciones nativas. En estos países, bastantes organizaciones funcionan según las normas del esquema mental de

8 Mbiti, John S., *African Religions and Philosophy*, Londres, Heinemann, 1969.

Occidente. Por tanto, para encontrar perspectivas alternas hay que observar profundamente el modo de administración de las empresas de estos países.

Quizá con mucha profundidad, pero no tanto. En la Gran Bretaña hay mujeres que tienen contacto con otras formas del saber al mirarse a sí mismas y encontrar otras dimensiones de sabiduría. El mismo proceso se desarrolla en las comunidades negras de este país y muchos otros. Aunque su propósito inicial es ayudar a crecer y a prosperar a las víctimas de esa opresión psicológica y física denominada racismo, las percepciones y los descubrimientos que este movimiento hace a lo largo del camino son de gran importancia para todos, sin importar los antecedentes.

Este movimiento entre los negros está en contacto con los principios fundamentales en que se fundan sus religiones y culturas, de las cuales extraen y desarrollan enfoques sobre los que basan estrategias y tácticas. Tácticas que les permiten funcionar con eficacia en las organizaciones sin sacrificar su más profunda identidad. Si las personas han preservado su identidad, están en capacidad de ver las cosas que son de valor para la organización y el mundo. En lugar de suplicar, humillarse e imitar, deberían comprometerse de manera positiva en un proceso que conozca y critique los enfoques actuales como los propios. Para el administrador negro este modelo de operación es más adecuado que aquéllos en los cuales se basa el racismo, es decir, que no tenemos nada que ofrecer y lo que hay que hacer es aprender de los empleados blancos la mejor manera y la más correcta. Este enfoque permite a los administradores negros valorarse y ser ellos mismos, darles la fortaleza para crecer en medio de las presiones. Esto sólo funcionará si los administradores negros desarrollan una conciencia clara de la importancia y el valor de sus diferentes cosmologías respecto de sí mismos y del mundo.

Para tener esta conciencia clara deben poseer un conocimiento y una experiencia agradables de su visión del mundo, que muchos de nosotros ignoramos, rechazamos y subvaloramos, y que se refiere a que los negros y los administradores negros no pueden cambiar su comportamiento por sí mismos mediante un acto de inteligencia. Tienen que avanzar a través de un proceso consciente de exigencia. Esto está sucediendo con cierta regularidad en la sociedad de la Gran Bretaña y en toda África y la Diáspora, y se desarrolla en las comunidades nativas de América, Asia y en quienes no están satisfechos con los frutos del orden actual. Las características de estos procesos tienen unos aspectos comunes e importantes que puede extraer el administrador que busca un sendero diferente al modo de operación actual. Esto incluye:

- Apoyar mutuamente los cambios en pequeños grupos en tanto se fortalece el conocimiento de que se pertenece a un grupo mayor.
- Sentido de identidad fuerte y diferente al dominante. Una autodefinición de identidad y propósitos.
- Aprendizaje y desarrollo simultáneos en un proceso individual y colectivo.
- Asociación entre inteligencia, sentimiento y acción, es decir, aprender del cambio en el que se está comprometido, interna y externamente.
- Sentido de permanencia, pertenencia, propósito y ser de verdad.

■ Modos a desarrollar

Hace poco fui al lanzamiento de un libro de ciencia ficción de la escritora afroamericana Jewell Gomez. En respuesta a la cuestión de lo inusual que un afroamericano escriba sobre el tema y las razones que tuvo para hacerlo, ella tuvo una salida brillante. Dijo que parte de su motivación para escribir en ese género se debió precisamente al hecho de ser afroamericana. Cuando leía historias de ciencia ficción nunca vio personajes negros en el futuro descrito por tales escritores. No tenían una visión de que estuviéramos allí. Habló del poder de las pinturas y cómo convertirlas en realidad. Estaba escribiendo historias que incluyeran a los negros en su visión del futuro "*porque quiero que estemos allí*". Vio que lo que estaba haciendo era una forma de ayudar a crear un futuro que incluya a los negros.

Más ampliamente, existe una necesidad de generar imágenes positivas del futuro; pensar y explorar otras maneras en que podamos vivir. Hay que soñar. Vislumbrar posibilidades que quizá la lógica muestre como irreales y poco prácticas. La experiencia ha demostrado que muchas cosas que parecían imposibles hasta hace poco, son ahora un lugar común. La visión que creamos puede tener más poder que aquéllas que son consecuencia del enfoque lógico actual. Los pensamientos que tengamos ayudan a construir el futuro, entonces hay que pensar positivamente. Hay que hacerlo *si queremos estar allí.*

Allí existe la posibilidad de crear una síntesis emocionante de muchos aspectos positivos del pensamiento occidental con otros de diferentes perspectivas. Por ejemplo, aunque critico la ideología de la ciencia, no critico la ciencia en sí. La tecnología se liberó de su servicio a la lógica actual (ganancia, crecimiento constante, reduccionismo, control de la naturaleza, etc.) y se dedicó a ayudar a vivir *con* el mundo, a crear modos ambientalmente sostenibles de lograr el equilibrio en la Tierra.

Al buscar modos diferentes de los del orden conceptual actual, al retomar y comprometerse en acciones que puedan generar una transformación radical, la sabiduría tradicionalmente ignorada, la intuición y las perspectivas de gente de todo el mundo pueden ofrecer otras formas. Continuar ignorándolas, menospreciándolas es un suicidio a escala global. Aquí se mostrarán algunas maneras en las cuales pueden ser de utilidad y se sugerirán algunos pasos prácticos para el administrador.

Un aprendizaje verdadero mostrará la necesidad de un equilibrio entre las cosas. Cuanto más se prolongue el desequilibrio, el mundo no estará en condiciones de sobreponerse y tomar la decisión que necesita a escala global. Por ejemplo, cuanto más prolongue el "Norte" la tala de sus bosques a un ritmo equivalente al del "Sur", más difícil será lograr un acuerdo. Para los "grandes" administradores, los líderes de los gobiernos y las corporaciones ese es el desafío que enfrentan.

He aquí algunos conceptos específicos de otras perspectivas que pueden ayudar a modificar la manera de pensar y actuar.

Visión holística . . . .

Esta es la comprensión de que todas las cosas conforman un todo. Que sólo debemos separarlas en la mente para ayudarnos a comprender el todo. Quiénes somos, lo que somos, hacemos, decimos, todo tiene un efecto en el mundo. La opresión de las naciones económicamente más pobres del mundo se relaciona con el esquema mental de Occidente, que a su vez se asocia con el grado de destrucción ambiental. Argumentaría que no se puede resolver uno de estos aspectos sin considerar los otros. Si vamos a sobrevivir se necesitan líderes y visionarios, personas con coraje y habilidades, que hayan superado la adquisición cuantitativa del conocimiento para lograr la sabiduría verdadera.

Tiempo

Creamos el futuro desde ahora, en este instante, con este pensamiento, con esta acción. Otras culturas lo han entendido. Existen pueblos nativos de América que, al tomar decisiones, consideran los efectos que sus actos tendrán en las siete generaciones siguientes y los que tuvieron en las siete anteriores. La conceptualización que el orden actual tiene de esa "cosa" llamada "mañana" o "lapso de diez años" proporciona una comprensión de que de algún modo esa "cosa" está lejos de otra denominada "hoy", lo que permite al comportamiento personal y organizacional tener "beneficios" a corto plazo sin preocuparse de las consecuencias a largo plazo. Operar desde una perspectiva diferente puede hacer insostenible esa clase de comportamiento.

Karma

"Quienes viven de espada morirán por ella". La ley del karma encontrada en las cosmologías africanas y asiáticas es importante aquí. No hay paz, ni sentido de actualización por sí mismo para todos aquéllos que viven su vida de acuerdo con los enfermizos errores que se ofrecen. Así como el mundo industrializado vive del empobrecimiento de otros y del deterioro del ambiente, ese es el destino reservado para ellos. Sin embargo, debido a que todo está interrelacionado, todos sufriremos por el hueco en la capa de ozono y el aire imposible de respirar. Para los 40 millones de africanos que se espera mueran este año no servirá de consuelo saber que su muerte la ocasionará una lógica insana que transformará a sus progenitores en víctimas. "Recogerás lo que siembras".

Rapidez

Para muchos el valor de un automóvil se mide según el límite de su velocidad. La tecnología ha logrado que las cosas se hagan con más rapidez. En Occidente hay una gran fascinación por la velocidad. Lo que parece no haber traído mayor satisfacción, tal vez podamos aprender de enfoques como los del Zen, que haciendo menos se puede lograr más (esto es satisfacción).

Ritmo

Esta noción consiste en que hay un momento y un lugar para todo. Un momento para descansar, en el que no es conveniente seguir luchando con la naturaleza, para aceptar las estaciones e ir al compás de su demanda y su exigencia.

Espiritualidad . . . .
En la cosmología africana la espiritualidad es inseparable de la vida cotidiana. Por tanto, las emociones, el sexo, la música, el orden social, etc., tienen una relación intrincada. En este paradigma no es congruente operar en el trabajo de un modo que tenga consecuencias negativas en otros aspectos de la vida o de la sociedad.

El individuo . . . .
En muchas otras cosmologías, incluidas algunas de tradición europea, el individuo se separa de la colectividad y la comunidad. Cualquier acción del individuo debe considerar los efectos que tendrá en los demás y en el individuo en sí. El bienestar psicológico y espiritual del individuo se relaciona con el de la comunidad. Ambos tienen una responsabilidad recíproca.

Ojalá que los administradores puedan profundizar su comprensión sobre esto y lo utilicen para ejercer diferentes modos de lograr el cambio verdadero, no sólo repetir lo mismo.

■ ¿Qué puede hacer el administrador?

Cambio y ansiedad . . . .
Para que se genere el cambio debe haber motivación y reconocimiento de la necesidad de hacerlo. Muchos administradores pueden ver esa necesidad. Sin embargo, la ansiedad es una de las cosas que encuentra en el camino de pasar del reconocimiento de esa necesidad a ejercer la acción y hacerla realidad. El miedo a lo desconocido también se puede convertir en incapacidad para "ver" alternativas. Es fácil inmovilizarse frente a un modelo para vislumbrar, conceptuar y actuar. La ansiedad de los administradores que se abstienen de hacer cambios tiene que ser dirigida, porque con frecuencia es sólo en el proceso de movilización que las nuevas fuentes de información y conceptualización del individuo pueden hacer parte de su marco conceptual. Este proceso puede capacitarlos para observar las situaciones existentes en las nuevas maneras para reestructurarlo cognoscitivamente. El hecho de no permanecer muy apegado a la visión del mundo, de estar preparado para reexaminar las creencias y los patrones de comportamiento puede facilitar el cambio de prácticas y las posibilidades actuales, que quizás no se perciban como tal antes de movilizarse.

¿Qué son estas ansiedades? ¿Temor o pérdida de la identidad? ¿Temor a un nivel de vida "más bajo"? ¿Temor o dominación racial o nacional? Para algunos existe la necesidad de desarrollar una visión que otros también puedan ver, en la cual la identidad, para Occidente, no se construya sobre el temor y el control. En esta misión la vida puede lograr la satisfacción mediante la cantidad de amor y atención que estemos en capacidad de demostrar unos a otros, de dar y recibir. Las posesiones materiales no han conducido, por sí solas, a la satisfacción personal. Las necesidades que éstas debían satisfacer no se han encontrado aún –un sentido de pertenencia en las familias, entre hombres y mujeres, entre pueblos, en las comunidades, nacional e internacionalmente.

Mediante el compromiso con el proceso de cambio de un modo congruente con la clase de cambio que se desea efectuar, los administradores pueden, al mismo tiempo, satisfacer algunas de sus necesidades. Por ejemplo, mediante la lectura, la reflexión, el intentar cosas nuevas y con el apoyo de personas con ideas similares, como miembro, necesita un sentimiento de misión o propósito de vida, de identidad, de pertenencia (¿emoción y aventura?). Esto llama al administrador a elegir para encontrar a otros, en la organización o fuera de ella, que puedan ayudarlo y apoyarlo.

En una corporación multinacional en la que trabajé hace poco me enteré de que allí existía una red clandestina que funcionaba para prevenir que se desenmascarara a la compañía por los peores abusos contra el ambiente y público. Se había "filtrado" cierta información a la prensa y, como resultado, se obligó a la compañía a admitir su culpabilidad y a pagar una considerable suma de dinero para rectificar el daño causado.

Saber que no tienen la firme lealtad de sus empleados cuando se refiere a ciertas áreas es una restricción forzosa. No hay duda de que en el Reino Unido y en el mundo existen muchos grupos que están adoptando esta actitud. El desafío es cambiar la restricción forzosa por una que libere energía positiva.

Existen organizaciones y movimientos que surgen y aceptan este desafío y trabajan para desarrollar y practicar modos alternativos de operar. Hace poco visité una librería céntrica en Londres y me sorprendió el número de publicaciones disponibles realizadas por individuos y grupos interesados en encontrar una manera diferente de operar en un paradigma más positivo.

En el contexto de una compañía u organización hay una variedad de pasos que pueden ayudar a aliviar la situación. Algunos administradores están en una posición en que pueden apoyar, desarrollar e iniciar cambios creativos en las políticas. Por ejemplo, una compañía que desarrolle una relación de "hermandad" con un país para obtener beneficios mutuos (para la compañía los beneficios no serán sólo económicos).

Otros estarán en una posición en la cual puedan facilitar el desarrollo de políticas con una ética de exportación. Esto es posible para compañías que pueden ganar dinero al vender productos de las regiones económicamente más pobres del mundo, que no se produjeron a expensas del deterioro ambiental y por las cuales se pagó un precio muy "justo". Esto se relaciona con el hecho de no permitir que sus compañías exporten de manera inadecuada a las naciones más empobrecidas (por ejemplo, armas, drogas y prácticas prohibidas o consideradas dañinas en Occidente).

Hay estilos de vida personales que el administrador puede escoger, hecho que está asociado con la noción de que para lograr algo en realidad diferente hay que *ser* diferente. Ellos pueden salirse con rapidez del fetichismo del consumidor; buscar calidad de vida como una manifestación distinta a la posesión de cantidad de cosas; influir sobre otros mediante sus acciones; si es posible, dar la bienvenida a las iniciativas de otros, pertenecientes o no a la organización, que intentan hacer un positivo cambio de paradigma.

Al ser diferente el administrador puede hacer la diferencia. Es probable que la mayor presión para el cambio no provenga del ambiente de trabajo de las organizaciones. Es crucial que aunque los administradores no sean los promotores del cambio, al menos no obstaculicen su desarrollo. Siendo más optimistas, cualquier cambio que ocurra necesitará quien lo administre. Traer lo nuevo requiere personas con compromiso y habilidades de administración eficaces, que hayan desarrollado otros modos de pensar y que incidan en el proceso de realización del trabajo.

Con seguridad, no se han contemplado muchas cosas, y se podría hacer más sugerencias. Algunos dirán que no se han dado respuestas. No fue mi intención elaborar un modelo para salvar el mundo, en parte porque no lo tengo y además porque buscar respuestas en esta situación podría ser prematuro. Quizás este sea el momento para desarrollar herramientas que ayuden a encontrar las preguntas y las respuestas *correctas* debido a que se tiene un mayor sentido de pertenencia si se trabaja para desarrollar cosas por sí mismos. Para los administradores es más apropiado encontrar sus propias preguntas y respuestas mediante la actividad de quienes desean cambiar. He asesorado a muchas personas en el sendero que conducirá a esas respuestas, entonces he cumplido con mi trabajo.

El trabajo que hacen los administradores para desarrollarse a sí mismos como seres humanos íntegros no intenta separar la razón de los sentimientos; para constituir o vincular grupos en el trabajo y fuera de él; para trabajar de una manera que refleje una perspectiva del mundo que valore la diferencia en los métodos de actuar y de ser; estas cosas ayudarán a la creación de nuevos futuros y a la preparación para administrarlos.

PALABRAS DE OTROS, 4

"Muchos se quejan de que las palabras de los sabios siempre son sólo palabras y no tienen aplicación en la vida diaria, que es la única vida que tenemos... En realidad, todas estas palabras sólo expresan que lo incomprensible es incomprensible y sabemos que es así. Pero las preocupaciones con las que tenemos que luchar todos los días, son otro asunto".
Franz Kafka

"Es difícil imaginar un mundo en el cual las personas vivan juntas sin pelear, se mantengan de los productos que ellas mismas produzcan, se protejan y satisfagan sus necesidades, se diviertan y contribuyan a la diversión de otros con arte, música, literatura y juegos; que sólo consuman una parte razonable de los recursos de la tierra y en lo posible no contribuyan a su contaminación, que no tengan más niños de los que puedan criar decentemente, que continúen explorando el mundo y descubran mejores modos de relacionarse con él, conocerse a sí mismos y así comportarse bien".
B. F. Skinner

"En los negocios siempre se pasa de un momento significativo a otro y la tarea del líder es ante todo comprender *el momento por el que se pasa*. Por eso su tarea es tan difícil, por lo que requiere grandes cualidades, las percepciones más sensibles, más delicadas, imaginación e intuición, y coraje y fe al mismo tiempo".
Mary Parker Follett

"Aquí el punto inicial fue crítico: Una visión amplia parecía generar movimiento más que un proyecto. Se concluyó que tales visiones tienen un proceso significativo y beneficios de implementación en términos de asumir compromisos y permitir a los grupos interesados vincularse al proceso de cambio...".
Andrew Pettigrew

"Debido a que hacemos parte de un mundo civilizado,
también necesitamos equiparnos con un sistema ético,
un sentido de justicia y un sentido de la proporción
a medida que consideramos las diferentes maneras
en que, colectiva e individualmente,
podemos prepararnos mejor para el siglo XXI".
Paul Kennedy

"En política el principal aspecto es cuál versión del ideal profesional y social se aplica a la sociedad británica, el ideal igualitario en el sector público, o uno solícito y bondadoso que funciona con profesionales bien remunerados, o el ideal del sector privado de iguales oportunidades para quienes tienen la capacidad de ascender la cuesta corporativa de éxito y competencia en la lucha por la supervivencia de las corporaciones más capaces".
Harold Perkin

"La actividad enloquecida, el ritmo predominante de nuestra sociedad, niega el espíritu. Movidas por la ambición, la competencia, los ideales perfeccionistas o la absoluta necesidad de mantener un trabajo que demanda un ritmo frenético, las personas se arrojan con violencia al espacio. En sus sueños dejan su alma atormentada por las torturas nazis y sus cuerpos llenos de espacios vacíos ".
Marion Woodman

"Desde que las guerras se iniciaron en las mentes de los hombres, allí es donde podemos construir las defensas de la paz".
Constitución de la Unesco

"Al comienzo es difícil ubicar el presente pues es muy pequeño. Se estruja entre el presente y el pasado".
Jane Arden

"Volverme pasivo con el mundo, rehusarme a actuar sobre las cosas y los otros es mi propia elección".
Jean-Paul Sartre

"¿Cómo puedo avanzar si no conozco el camino que voy a seguir?"
John Lennon

"¿Cómo estudiar el futuro? Una manera es escuchando. En medio del bullicio y la actividad del actual mundo de negocios hay muchas notas de cambio. Algunos de estos sonidos son 'notas altas, innovaciones o estrategias que generan emoción y desafío, aunque todavía no se comprendan del todo. Pero algunos sonidos son disonantes, estilos de trabajo y conceptos de administración que no parecen encajar del todo o desarmonizan. Ambos deben ser escuchados como claves del futuro".
Rosabeth Moss Kanter

"La esperanza social comienza con hombres y mujeres que cuestionan los supuestos culturales y tienen la autoridad para interpretarlos, no importa adónde conduzca la búsqueda de la verdad. Pero eso implica que deben tener suficiente conciencia de la muerte y su proceso, que hacen que en la vida valga la pena cuestionar".
Gordon Lawrence

"Ruskin: Fue uno de esos pocos hombres que piensan con el corazón, así pensaba y decía no sólo lo que había visto y sentido, sino lo que todos pensarán y dirán en el futuro".
Leo Tolstoy

Lectura adicional . . . .

Trainer, Ted. *Develop to Death*, Londres, Green Print, 1989.

CAPÍTULO 

La configuración de la economía posmoderna

¿Pueden los negocios desempeñar un papel creativo?

James Robertson

■ Enfrentando el futuro

La historia de la humanidad ha evolucionado de una era a otra. Cada una ha tenido sus propias características, que incluyen el modo de vida de las personas, las instituciones sociales que las organizan e influyen en ellas, las tecnologías que utilizan, su conciencia dominante o su visión del mundo –incluso sus valores y teorías, su comprensión de sí mismas, de los demás, lo natural, lo sobrenatural o lo divino.

Los europeos podemos mirar atrás: una era prehistórica; sociedades antiguas, como Grecia y Roma; la era medieval, es decir, del año 1000 d.C. al 1500; y la era moderna, que va aproximadamente del año 1500 d.C., con personajes como Cristóbal Colón, Nicolás Maquiavelo y Nicolás Copérnico, y el apogeo del periodo de la Ilustración, hace más de 200 años.

Esta era moderna está llegando a su fin. A medida que arriban los últimos años del presente milenio se entra en una nueva fase de la historia de la humanidad. El nuevo modelo de vida y de pensamiento posmoderno, posterior a la influencia europea, se reflejará en la conformación de una comunidad humana pluralista en un solo mundo, en el cual las personas se relacionarán de un nuevo modo posmoderno consigo mismas, con los demás, con la naturaleza y con lo que ellas sienten que está detrás de todo esto y que les proporciona un marco conceptual y un contexto.

Hoy muchas personas –del mundo de los negocios, del gobierno, la ciencia, los profesionales y académicos–, condicionadas por la visión científica de la era moderna, piensan en el futuro como algo independiente de ellas. Su interés en éste, si acaso lo tienen, es para predecirlo, adaptarse, sobrevivir y tener éxito en él, a pesar de que cambie. La planificación y la predicción de los negocios son ejemplos típicos.

Ese enfoque no es del todo humano. La percepción posmoderna emergente consiste en que los humanos ayudamos a crear el futuro, cada uno de nosotros, gústenos o no, de manera consciente o por omisión. No podemos evadir nuestra responsabilidad compartida de elegir o no entre futuros posibles y de ayudar a concretar alguno de ellos. Según Francis Bacon "Dios y los ángeles determinan ser los observadores de este teatro de la vida del hombre". En otras palabras, somos parte del proceso de transformación de la vieja era que está agonizando, mientras una nueva está próxima a nacer. Hay que elegir lo que se va a hacer en esta transición histórica.

Los grandes negocios y las grandes finanzas, como los grandes gobiernos, son característicos de la era moderna. Orientados hacia el valor del dinero como una norma seudoobjetiva, se han limitado a la uniformidad monocultural más que a la riqueza multicultural que existía en el mundo antes que ellos y que florecerá de nuevo en el futuro. Los veinte años trabajando para ellos, seguidos de veinte años como profesional independiente, me han hecho consciente de la brecha que hay entre lo organizacional y los valores de la carrera que aún prevalecen en las instituciones de la era industrial y los valores y las percepciones evolucionistas de las personas fuera de ellas. Ahora experimento un severo *shock* cultural cuando –en salas casi por completo llenas de hombres de edad intermedia vestidos formalmente– discuto asuntos que afectan la condición humana y su futuro.

Algunos de mis amigos creen que los negocios pueden conducir a un futuro posmoderno más verde, más centrado en las personas, más holístico. Lo dudo. Los grandes negocios, las grandes finanzas y los grandes gobiernos –como los conocemos ahora– son aspectos del pasado que pronto estarán a la defensiva, en retirada. Aunque eso no significa que no sean importantes. Por el contrario, el modo como ellos afronten esa situación ayudará a determinar si la transición de la economía posmoderna será moderadamente suave o si evolucionará al colapso y al caos.

En este aporte se discute el desafío que enfrentan los negocios. Cuánto ha crecido, en las décadas de los años 80 y 90, la conciencia de cambiar de dirección hacia un nuevo sendero de progreso humano. Desde ese punto de vista, el pensamiento y el desarrollo económico convencionales son imperfectos debido a una cantidad de errores. Están surgiendo nuevos principios que serán importantes para todos los aspectos de la vida y el pensamiento económico posmodernos. El cambio hacia estos nuevos senderos de progreso evolucionará hacia un proceso complejo de transformación, en el cual personas de diversas clases realizarán diferentes funciones. Por último, pregunto si es realista esperar que los grandes negocios desempeñen un papel creativo y, de no ser así, qué conclusión se podría sacar.

■ Un cambio de dirección

La necesidad de una nueva dirección

En la actualidad hay más de 5.000 millones de personas en el mundo. Más de 1.000 millones viven en pobreza absoluta. La contaminación amenaza los ecosistemas del planeta y en muchos casos los destruye.

Según las proyecciones demográficas, la población mundial llegará a 10.000 millones o quizás a 15.000 millones antes de estabilizarse en el próximo siglo. Esto implica duplicar o triplicar el impacto ecológico actual, aun con poco desarrollo en muchos de los países pobres.

Entre tanto, la minoría rica (cerca de 1.000 millones) consume y contamina en una proporción per cápita de 10 a 20 veces más que la mayoría "menos desarrollada" (cerca de 4.000 millones). La visión actual de "desarrollo" y crecimiento económico, propagada por el mundo de manera inexorable por los gobiernos, comerciantes de los países ricos, los principales economistas y los medios de comunicación, ofrece al hombre la perspectiva de elevar el nivel de vida hasta alcanzar el que ahora tienen los países ricos. Si se lograra, se multiplicaría el impacto ecológico muchas veces más, lo que sería catastrófico.

Nuevos enfoques

A medida que esto se hace cada vez más evidente en la década de los años 80, crece la presión por nuevos enfoques respecto del ambiente y el desarrollo, que integran la conservación ambiental con la clase de desarrollo que hará énfasis en la erradicación de la pobreza. En el ámbito oficial, la Comisión Mundial para el Ambiente y el Desarrollo (Brundtland Commission) publicó su informe *Our Common Future*[1], en 1987, seguido por cinco años de preparación de la Conferencia de las Naciones Unidas sobre el Ambiente y el Desarrollo (o 'Cumbre de la Tierra'), realizada en Río de Janeiro en junio de 1992.

Los gobiernos, las empresas multinacionales y las organizaciones científicas están muy implicados. Su enfoque ha sido modificar, en vez de reorientar de manera radical, la dirección convencional del desarrollo basada en el mercado libre capitalista y el crecimiento económico convencional. En Río de Janeiro este enfoque de la "clase dirigente" no logró acuerdos entre los gobiernos ricos del Norte y los pobres del Sur acerca de las medidas para cambiar el mundo hacia un nuevo sendero de desarrollo sostenible. En consecuencia, se considera que la conferencia oficial de Río de Janeiro fracasó al enfrentar el desafío que se había propuesto, aunque su esencia se mantiene en la necesidad de reconocer la gravedad de los problemas que encara la humanidad.

En el ámbito no oficial, en los últimos años la creciente preocupación popular de desarrollo sostenible y más equitativo se ha hecho evidente en una nueva coalición mundial de organizaciones no gubernamentales y movimientos de ciudadanos y pueblos. Esta creciente red de vínculos informales entre grupos de presión ambiental y de desarrollo (como la World Wide Fund for Nature y la Christian Aid) en el Norte rico, grupos ambientales y otros grupos de ciudadanos en las antiguas economías socialistas, movimientos de desarrollo alternativo, ambientales y de justicia social en el Sur, condujo a miles de personas procedentes de todo el mundo al Foro Mundial que se realizó paralelo a la Conferencia oficial de las Naciones Unidas sobre el Ambiente y el Desarrollo. Como dijo un participante, "Estar presentes con casi 10.000 personas en una búsqueda común por la salud de la Tierra fue una experiencia extrañamente edificante".

Como parte de este amplio movimiento de cambio han surgido nuevas tendencias económicas. La Other Economic Summit (TOES), la New Economics Foundation de la Gran Bretaña y grupos similares en muchos otros países se centran ahora de manera

[1] The World Commission on Environment and Development (Brundtland Commission) Report, *Our Common Future*, Oxford, Oxford University Press, 1987.

específica en los cambios necesarios en los hábitos económicos de vida, las instituciones y las prácticas económicas, así como en la comprensión y la teorización de éstas.

Quienes apoyan los nuevos movimientos económicos consideran que es más necesaria una reorientación económica radical que el hecho de que los negocios y los gobiernos se entiendan. No creen que un desarrollo sostenible pueda lograrse mediante la economía convencional del mercado libre más que mediante la economía planificada del antiguo bloque soviético. Ven el colapso del comunismo y el declive del socialismo no como "el final de la historia", sino como el primer paso en una gran transición global que también incluye la transformación del capitalismo convencional.

La importancia de 1992

En la Conferencia de las Naciones Unidas sobre el Ambiente y el Desarrollo o 'Cumbre de la Tierra, fue la primera vez en la historia que representantes de todos los pueblos del mundo se reunieron para discutir "nuestro futuro común". Este evento coincidió con los quinientos años del Descubrimiento de América y resaltó su importancia histórica, lo que indujo a muchas personas a fijarse en el resultado de 500 años de expansión de Europa y Norteamérica y de dominación mundial, y la configuración del nuevo periodo histórico posterior a la influencia europea que puede estar comenzando ahora.

Lo que se necesitaba como resultado de la Conferencia de las Naciones Unidas sobre el Ambiente y el Desarrollo era conseguir los estatutos, las convenciones, los tratados y las declaraciones, además de la consolidación global de los siguientes acuerdos:

- Los países ricos se comprometen con un nuevo sendero de progreso que se centre en el mejoramiento de la calidad de vida de sus habitantes y a la vez reduzca el impacto ecológico per cápita a un nivel más sostenible para una eventual población mundial de 10.000 millones de habitantes, lo que implicaría, por ejemplo, la disminución de cuatro quintas partes del consumo actual per cápita de la energía generada por combustibles fósiles.
- Los países "menos desarrollados" (también los antiguos países socialistas) aceptan el hecho de que ellos nunca pueden alcanzar el nivel per cápita actual de producción material, contaminación y desperdicio del mundo rico. También se comprometen con un nuevo sendero de desarrollo ecológicamente sostenible, posterior a la influencia europea y norteamericana y centrado en las personas, que incluya políticas de estabilización de la población y el reconocimiento del papel de la mujer.
- Los países ricos se comprometen por interés propio con un apoyo técnico y financiero eficaz para el desarrollo sostenible en cualquier parte del mundo y deben reconocer que el daño ecológico allí afecta el ecosistema global del cual depende su propio futuro.
- También deben aceptar la enorme deuda de su desarrollo con los países "menos desarrollados", el cual proviene del daño hecho por los países ricos al ambiente global y a otros pueblos en los últimos 100 años. Ellos deben acordar la cancelación

del resultado de la deuda financiera del Tercer Mundo, como parte de la nueva consolidación global para el desarrollo sostenible.

• Por último, se debe lograr el acuerdo respecto de la reestructuración de las Naciones Unidas como un sistema de gobierno mundial que podría, por ejemplo:
  – Incluir procedimientos regulares anuales para negociar, hacer seguimiento y reportar el progreso de las políticas nacionales y globales para el desarrollo equitativo y sostenible;
  – Conducir a las instituciones económicas, como el Fondo Monetario Internacional (FMI), el Banco Mundial y la Organización Mundial de Comercio (antiguo GATT), en ese marco conceptual y político, con la supervisión democrática de la asamblea general de las Naciones Unidas, a obrar en defensa de la comunidad mundial.

La Conferencia de las Naciones Unidas sobre el Ambiente y el Desarrollo efectuada en Río de Janeiro no se acercó a estos acuerdos, lo que refuerza las dudas existentes acerca de la voluntad y la capacidad del mundo de los negocios de Occidente de proporcionar liderazgo mundial. Alcanzar algunos de dichos acuerdos es el primer desafío que aún enfrentan los pueblos del mundo, al igual que un futuro común.

■ Desarrollo y pensamiento económicos convencionales

Orígenes de la visión económica del mundo moderno . . . .

Los aspectos clave de la perspectiva actual y convencional de los negocios se originan en el fundamento secular del pensamineto europeo moderno. Seguir el proceso europeo de hace 500 años y la subsecuente ruptura de percepción del mundo del cristianismo medieval tomó un tiempo (casi 300 años) a la visión europea para cristalizarse. Entre los pensadores que ayudaron a la configuración de este periodo están René Descartes, Francis Bacon, Isaac Newton y Thomas Hobbes. En sus ideas se fundamentó Adam Smith, como parte de la "Ilustración" del siglo XVIII, y sistematizó el enfoque de la economía en el pensamiento moderno.

Descartes dividió la realidad en dos categorías, *res cogitans* y *res extensa,* (asuntos del pensamiento y asuntos extendidos), condujo a la concentración del conocimiento y la ciencia en esos aspectos de la experiencia y la comprensión humanas que son materiales y medibles y están fuera de nosotros mismos. Su método analítico también impulsó a dividir estos aspectos de la realidad en campos separados. Así que ahora nuestra manera convencional de comprender la riqueza y su proceso de creación –competencia de la economía y los negocios– se separa de nuestra comprensión de otras cosas importantes, como la salud, la sabiduría y lo divino, las cuales pertenecen a profesiones y disciplinas académicas diferentes, como la medicina, la filosofía y la teología.

Bacon impulsó el conocimiento y la ciencia a centrarse en el aprovechamiento y la explotación de los recursos naturales. Dijo que torturáramos la naturaleza para aprender sus secretos y así utilizarla para el "alivio de los inconvenientes del hombre". He aquí otro aspecto clave de la economía y el progreso de los negocios modernos.

Newton condujo la ciencia a interpretar la realidad mediante sistemas sin valores, mecánicos, matemáticamente estructurados, sin necesidad de la intervención de lo ético o lo divino para seguir adelante. Así la ciencia nos enseña ahora a entender el funcionamiento del universo en términos de números y a considerar que el universo y sus componentes no se dirigen con propósitos o decisiones morales. La economía convencional hace lo mismo. La adición tardía y marginal de la "ética de los negocios" a su currículo sólo destaca la atención limitada que los negocios prestaron a las consideraciones éticas.

Lo que la mayoría de la gente recuerda respecto de Hobbes es su argumento de que –haciendo caso omiso de la teoría– las leyes morales y divinas no controlan en forma eficaz el comportamiento humano y las personas deben someterse al control de un soberano en la Tierra. De lo contrario, sus vidas están condenadas a ser "solitarias, pobres, indecentes, irracionales y breves". Sin embargo, la importancia de Hobbes para el pensamiento de la economía moderna consiste en que, como Maquiavelo, enseñó a sus sucesores a ver la sociedad humana no como debería ser sino como en realidad es: una lucha por el poder. Para muchas personas el éxito en la vida económica significa tener más éxito que otros –o al menos "ir a la par con los Jones". Y lo más importante de la actividad de los negocios es la competencia por el éxito, o al menos por sobrevivir, en los mercados nacionales e internacionales.

Adam Smith siguió a Descartes al excluir del análisis económico los aspectos menos tangibles de la experiencia y la actividad humanas, como los que ahora denominamos 'participación, 'autodesempeño y 'autodesarrollo'. Siguió a Bacon al aceptar que la vida económica radica en la explotación de los recursos naturales por el avance humano. Coincidió con Hobbes en la interpretación de la vida económica como una lucha por el poder sobre otras personas y, en particular, sobre el trabajo de éstas y sus productos. Se identificó con Newton en la explicación de la vida económica como un sistema sin valores, gobernado por leyes particulares e impersonales. Aunque como filósofo moral Smith quizá haya considerado providencial la "mano invisible" de la oferta y la demanda, sus sucesores han tomado eso para manifestar que Dios y la ética no hacen parte de la vida económica. Si cada uno persigue su propio interés, el sistema económico trabajará por el interés de todos: "No es por la benevolencia del carnicero, el cervecero o el panadero que esperamos nuestra comida, sino por la consideración de sus propios intereses".

Smith también supuso que la vida económica se resuelve con dinero –precios, salarios, ganancias, rentas, etc.–. La importancia de las cifras en la ciencia moderna es paralela a la importancia creciente del valor monetario en la vida económica moderna. Respecto de la supremacía de los datos cuantitativos en el conocimiento científico moderno Lord Kelvin explicó:

> Cuando lo que se dice puede medirse y expresarse en números, se sabe de lo que se habla; de lo contrario, el conocimiento es pobre e insatisfactorio.

Lo mismo corresponde al valor. El dinero expresa el valor en números y la comprensión de la economía convencional considera muy pobre e insatisfactorio el valor de los bienes, los servicios y el trabajo (como lo que solía llamarse trabajo de "mujeres") que no se paga con dinero. En el análisis económico convencional, si no se puede contar el valor monetario de algo, no existe. No hay lugar para las consideraciones cualitativas en la valoración económica y menos para el valor intrínseco. Los negocios, como los conocemos hoy, viven y mueren por el valor del dinero.

Aspectos perjudiciales del desarrollo económico convencional . . . . .

Este breve antecedente histórico explica algunos de los aspectos perjudiciales del progreso económico y el éxito de los negocios convencionales, incluidos la dirección predominante del desarrollo tecnológico y el grado de dependencia económica de la tecnología y la producción militar que hoy agobia al mundo.

Primero, el desarrollo económico convencional ha extendido de manera sistemática las relaciones dominio/dependencia que han despojado a los pueblos y a las comunidades locales de la capacidad de confiar en sí mismos. Los han hecho dependientes de los pueblos y las organizaciones más poderosos, y de factores económicos impersonales sobre los cuales no pueden tener control. Por ejemplo, los cercamientos en países como la Gran Bretaña alejaron a la "gente común" de la tierra y la despojaron de la capacidad de confiar en sí misma para obtener su sustento y la volvieron dependiente del trabajo remunerado. El mismo modelo se repite hoy en países como Brasil e Indonesia, donde se aleja de la selva a los pueblos tribales para dar vía a cabañas o ranchos y se expulsa a los campesinos de sus tierras para dar cabida a las grandes represas. Con seguridad muchos de nosotros disfrutamos ahora de una mayor comodidad material que nuestros antepasados, pero al precio de habernos vuelto dependientes de los empleadores remotos que nos dan trabajo en negocios remotos y otras organizaciones para proveer las necesidades de la vida diaria en un Estado burocrático remoto que nos proporciona bienestar y seguridad, y de las fuerzas remotas e impersonales de los mercados financieros nacionales e internacionales que deciden si debemos mantener nuestras casas o nuestros trabajos.

Segundo, el sendero convencional del progreso económico y del éxito de los negocios es perjudicial para la ecología. Esto no necesita una elaboración adicional. Casi todo el mundo es ahora consciente de la responsabilidad que tienen los negocios en el calentamiento global, los huecos en la capa de ozono, las lluvias ácidas, la contaminación del aire y del agua, la deforestación, la erosión y la desertización del suelo, la sobrepesca y otras amenazas tales para el bienestar y la supervivencia de la humanidad.

Tercero, la concepción moderna es que la vida económica debe ser tratada como si fuera inmoral y sin valores. "No hay que confundir la ética con la economía" es una de las primeras lecciones que los estudiantes de economía deben aprender. Infortunadamente, la naturaleza detesta el vacío y, en la práctica, el vacío ético de la economía moderna se ha llenado con los valores del poder y la ambición, la competencia y la avaricia, la envidia y el miedo. Así, el "mercado libre" convencional en las naciones y entre ellas significa que la minoría rica se enriquece cada vez más, en tanto que un número creciente de personas se empobrece más y se vuelve más dependiente. La comunidad y la vida familiar se deterioran por la creciente movilización del trabajo y el capital que demanda la competencia del mercado libre nacional e internacional. Los negocios contribuyen en gran medida con el "progreso" de esta clase.

Cuarto, la vida económica moderna y su comprensión han estado muy preocupadas por el dinero y los cálculos monetarios. La función dominante del dinero, las entidades financieras y las ocupaciones de la vida moderna reflejan mayor énfasis en los valores cuantitativos y no en los cualitativos. Para muchas personas de los países industrializados el culto al dinero se ha convertido en una religión, y para muchos de ellos éste trae desilusión e insatisfacción, enfermedades de afluencia extendida, pobreza y miseria espirituales.

Quinto, la comprensión moderna de la economía y la organización ubican todavía a la nación-Estado en el centro, siguiendo el esquema de Adam Smith acerca de las riquezas de las naciones. La política económica convencional está más relacionada con la competencia entre las naciones y no lo suficiente con la riqueza de los pueblos o de la Tierra, la familia o la comunidad local. El juego de perdedores y ganadores de la economía internacional aumenta el potencial de conflictos y guerras internacionales –un factor de la militarización creciente de muchas sociedades– a medida que este juego agudiza los conflictos internos.

Sexto, relacionado de manera estrecha con los puntos anteriores, el pensamiento y la vida económica modernos –la civilización de los negocios– se inclinan mucho más por los valores y las orientaciones masculinos que femeninos.

Estos aspectos perjudiciales del moderno método convencional de la vida económica son de naturaleza fundamental. No pueden rectificarse mediante modificaciones secundarias, sino por medio de una reorientación fundamental basada en un conjunto de principios diferentes.

■ Las nuevas economías

Principios

Los siguientes principios son el fundamento del pensamiento de los nuevos movimientos acerca de la nueva dirección del progreso económico y las nuevas bases para la comprensión de los que se necesitan ahora.

Primero, la nueva dirección debe *capacitar e impulsar la toma de decisiones en* las comunidades y las naciones, en especial las que ahora son mayoría en el mundo, para controlar su vida económica. Debe fomentar un mayor grado de cooperación y autosuperación comunitarias.

Segundo, debe *conservar* la Tierra y sus recursos. Si acaso no hay otra razón, la supervivencia y el interés propio lo requieren. Aunque cada vez más las personas sienten que la nueva dirección del progreso económico no debería ser tan antropocéntrica. Esto no restaría importancia a los intereses de la humanidad.

Tercero, esto debe enfrentar en forma positiva las *decisiones éticas* en la vida económica y la reintroducción de los valores éticos en la comprensión de la economía.

Cuarto, la vida económica debe hacer *énfasis en los valores, cuantitativos y cualitativos*, relevar las actividades remuneradas y no remuneradas, reconocer que hay muchas cosas importantes que no pueden comprarse ni venderse y comprender que muchas decisiones importantes, públicas o personales, no se pueden basar en cálculos monetarios de costos y beneficios.

Quinto, debe reconocer que ahora existe una sola comunidad humana en el mundo, por lo que el intercambio comercial debe evolucionar hacia acuerdos justos como parte de una economía mundial *descentralizada* y *a diferentes niveles,* que capacitará a las personas para conservar la Tierra y respetar la diversidad religiosa y cultural.

Sexto, debe reconocer, por su propio bien y por crear un aporte esencial a los cinco puntos anteriores, que la nueva dirección del progreso económico debe hacer *énfasis* en los *valores femeninos* y el *papel clave de la mujer* en la vida económica y la importancia de un nuevo equilibrio entre lo masculino y lo femenino.

Aplicación de los principios

En los nuevos movimientos económicos se trabaja en la aplicación de estos principios a todos los aspectos del pensamiento y la vida económicos, incluyendo lo siguiente:

- El modo de vida de las personas.
- Las actividades familiares.
- Las economías locales (por ejemplo, la economía de las ciudades).
- Las economías nacionales y sus políticas económicas.
- El desarrollo de las economías supranacionales (por ejemplo, en Europa).
- La economía global e incluso el intercambio comercial.
- Los negocios y otras organizaciones.
- El dinero: impuestos, rentas, créditos, moneda en circulación, deudas, etc.
- El trabajo.
- La tecnología y la industria.
- La energía.
- Los alimentos y la agricultura.
- El transporte, la construcción y la planificación.
- Los derechos de las futuras generaciones.
- Los métodos para la medición de la economía y su análisis.

Para dar algunos ejemplos ilustrativos, en ciertos países la atención comienza a centrarse en:

- La conveniencia y la posibilidad de remplazar los impuestos en las rentas existentes con nuevos impuestos en la energía.
- La propuesta de que todos los ciudadanos deben recibir de la comunidad una renta incondicional, la cual reducirá su dependencia de un trabajo y los liberará para realizar otra clase de trabajo.
- La ampliación del alcance del papel jugado en la economía por las cooperativas, la comunidad de los negocios y otras empresas del "sector terciario".
- El alcance para revisar las misiones establecidas en las empresas y los códigos profesionales que conduzcan a incorporar los valores establecidos.

El proceso de cambio y transformación

En los nuevos movimientos económicos existen diferencias en el énfasis de cómo ha de realizarse el cambio de dirección. Pero lo que viene a continuación traerá amplio acuerdo.

Los factores negativos, al igual que las acciones positivas, desempeñarán su función. Los desastres industriales particulares, como los de Chernobyl, *Exxon Valdés* y Bhopal, continuarán reforzando una conciencia más general de que las cosas van mal –como el riesgo creciente de cáncer de piel debido a los huecos en la capa de ozono, la congestión y la contaminación crecientes causadas por el tráfico automotor o el desastre ocasionado por un sistema financiero internacional al que se le permitió salirse de control–. Aumentará la presión por una mayor responsabilidad por parte de los negocios y el área financiera. Se extenderá la conciencia de que no se puede seguir por mucho tiempo por el mismo sendero. La perspectiva del derrumbamiento amenazará por mucho tiempo. Las organizaciones ambientales y de desarrollo no gubernamentales y los grupos de presión continuarán resaltando la necesidad de cambio. Cuando aparece la acción positiva para crear la brecha hacia el nuevo sendero las posibilidades parecen casi ilimitadas. Hay una acción para todos. Los siguientes son algunos ejemplos:

1. *Cambios en el estilo de vida*. Incluye muchas clases de acciones individuales, algunas pequeñas y sencillas, cambiar el modo de vivir, comer, gastar, ahorrar, trabajar, viajar, descansar y atender la casa.
2. *Cambios económicos, sociales y políticos*. Esta clase de acción puede tomar muchas formas. Consiste en cambiar las instituciones sociales (como el sistema de impuestos) y los procedimientos organizacionales (como la publicación de estadísticas importantes) y así legitimar los valores éticos e influir en el comportamiento de las personas para mejorar, no para empeorar. Lo que incluye buscar cambiar desde adentro la organización para la cual se trabaja, apoyar las presiones de los grupos externos (por ejemplo, para la conservación ambiental), formar parte activa de las políticas, utilizar el poder del dinero propio (los ahorros y las inversiones), de un modo u otro, tomar parte en cualquier acción no violenta para manifestar la necesidad de cambios particulares, y así sucesivamente. De nuevo, un creciente número de organizaciones no gubernamentales apoyan el compromiso individual y facilitan un amplio campo de acción para las organizaciones y los grupos de presión.
3. *Nuevos desarrollos tecnológicos*. Esta clase de acción consiste en desarrollar y extender la implementación de tecnologías que capacitan y conservan (como las tecnologías de energía no convencional). Aquí hay un papel importante para los inventores y los innovadores, los científicos y los ingenieros, los industriales y las personas de negocios, los políticos y los gobernantes, al igual que para los consumidores, los inversionistas y los electores. En muchos países ya se están iniciando organizaciones con tecnologías apropiadas.
4. *Nuevos pensamientos económicos e investigaciones*. Aquí hay una acción para las profesiones relacionadas o no con la economía: a) Los economistas pueden incluir –ya lo están haciedo muchos de ellos– en los análisis económicos el valor y el costo (como los recursos naturales), lo cual ha sido ignorado hasta ahora por sus pares

convencionales. b) Entre tanto los que no son economistas (y también los economistas) pueden ayudar a ubicar la economía tradicional en el lugar adecuado, considerando que muchas decisiones en verdad importantes deben basarse en algo más que en cálculos de dinero y que otras formas de conocimientos y de experiencias también son importantes en el modo de conducir nuestra vida económica.

5. *La ecología del cambio*. Estos diversos modos de actuar se refuerzan entre sí. Todos ocupan su nicho propio en la ecología del cambio. Hay límites en lo que cada persona puede intentar, y los diferentes individuos desempeñan diferentes funciones. Pero todos podemos intentar una imagen más amplia mientras desempeñamos nuestro papel. "Pensar globalmente, actuar en la localidad" es una frase que se utiliza con frecuencia para sugerir la filosofía de acción de las nuevas economías, aunque –ahora que muchos están enterados– también tenemos que actuar globalmente.

■ ¿Pueden los negocios enfrentar el desafío?

Aún pocos líderes y teóricos de los negocios parecen entender la dimensión del desafío que enfrentan. Han aprendido a hablar de "desarrollo sostenible". Pero se comportan como si lo sostenible fuera la estampida progresiva de los "*canallas de Gadarene*". Todavía no reconocen que el progreso de la economía convencional –que enfrenta una población mundial de 10.000 millones a 15.000 millones de habitantes, que busca un consumo y una contaminación mayores con los estilos de vida de los países ricos de hoy– es irremediablemente insostenible. Pocos han comenzado ya a tomar las escalas masivas de la conversión económica que esto demanda.

Parecen ver el desafío para los negocios como lo era antes: adaptarse a las demandas cambiantes de los clientes, los inversionistas, los empleados, las comunidades afectadas, los gobiernos locales, nacionales e internacionales, los electores, los grupos de presión, entre otros. Y todavía su meta parece ser lograr la misma clase de éxito corporativo.

Tomar el consumismo verde. Esto se promociona ahora como *marketing ploy* con un significado honesto para los negocios convencionales y el éxito financiero. Sin embargo, desde un punto de vista más amplio, el consumidor verde podrá verse como si fuera un "arenque rojo", una distracción a la necesidad de reducir el consumo.

Pero –dada la presión constante de los accionistas por la maximización de los beneficios en un mercado financiero internacional predatorio e impersonal–, ¿podrán los grandes negocios de hoy sobrevivir si toman el sendero de reducir el consumo, la producción, los empleos parciales por los que clama un futuro sostenible? ¿Es razonable esperar que los negocios tomen la iniciativa para resolver el problema de un ambiente sostenible u otros problemas importantes, como la pobreza mundial, el desempleo y la insalubridad? ¿Sería realista esperar que las instituciones financieras de hoy tomen la delantera para desarrollar sistemas financieros nacionales e internacionales que en verdad contribuyan con el bienestar de los miles de millones de personas cuyas vidas perjudican y destruyen?

Temo que la respuesta es "No". Si los negocios y los líderes financieros consideran estos problemas en verdad importantes, deben ubicarlos a un lado como responsabilidad de otros. Aceptar la responsabilidad significaría para ellos redefinir las metas de los negocios y el éxito que conllevan y evolucionar hacia una nueva cultura corporativa más holística, menos instrumental. No se espera que los líderes de los negocios hagan esto. Sus prioridades sobresalientes deben ser sobrevivir y tener éxito en la jungla corporativa de hoy. Es más, después de escalar la cultura corporativa –maximización de dinero, sin valores, competitiva– se condicionan en forma profunda a sí mismos, a los valores y los horizontes de los negocios de hoy.

Por tanto, temo que sólo es prudente para nosotros, como personas y como ciudadanos, sospechar que nuestros negocios y nuestros líderes financieros (y políticos) quizás estén navegando en mares desconocidos, como los líderes comunistas de Europa oriental en 1989, sin la capacidad de confrontar el desafío histórico de su tiempo, incluso auncuando fueran capaces de reconocerlo. Es realista aceptar que las personas que persiguen el éxito de su carrera y la supervivencia en los negocios, las finanzas, la política y el gobierno encuentren casi imposible escapar de las estructuras de poder y los sistemas de valores dominantes que los encierran –de modo que no pueden salirse de la línea si quieren participar en el juego.

Este no es un consejo de desespero. Es una guía para la acción. Hay que reconocer que sólo los movimientos de ciudadanos y pueblos independientes tienen la libertad para trazar la ruta de un nuevo mañana y dirigirse allí, que los negocios y los líderes financieros no estarán en capacidad de iniciar los cambios necesarios, y que sólo si los convencemos de seguir nuestro sendero estarán en capacidad de tomar el camino correcto. Si se reconoce esto, se puede actuar y asegurar no sólo que la economía posmoderna contribuye con las necesidades de las personas y la Tierra, sino también que la transición hacia allí será más fácil y menos caótica de lo que sería de otro modo.

PALABRAS Y CIFRAS PARA RECORDAR

Las ventas anuales de la Exxon son seis veces más altas que el producto interno bruto de Irlanda.

Muchas personas han sido infectadas de SIDA (aunque no tienen síntomas), así que el número acumulativo de casos se cuadruplicará para el año 2000

Casi un cuarto de la población mundial vive en China.

El sector militar de todo el mundo absorbe entre un cuarto y un tercio de todos los gastos e inversiones de capital en I & D*.

En Etiopía hay sólo un médico por cada 100.000 personas. En el Reino Unido, esto correspondería a un médico para todo Oxford o York.

En Estados Unidos uno de cada cinco niños vive en la pobreza.

Un tercio de la población mundial está por debajo del nivel aceptable de pobreza.

Entre 1945 y 1982 hubo 140 conflictos en el mundo.

Un millón de personas entra a Alcatraz cada año.

Los "blancos" corresponden al 13% de la población mundial.

Dos libras esterlinas pueden salvar de la ceguera a un niño africano.

En Beijing uno de tres viajes diarios se hace en bicicleta; en Londres, uno de quince.

* Investigación y Desarrollo

"Diseño de la pintura moderna en el estado de Nueva York", *Roy Lichtenstein*, 1967. Reproducido con la autorización de Visual Arts Library.

Lecturas adicionales

The New Economics Foundation in Britain (Segundo piso, Universal House, 88-94 Wentworth Street, Londres, E1 7SA) puede proporcionar una completa lista de libros y otros materiales de referencia.

Daly, H. y J. Cobb. *For the Common Good*, Londres, Green Print, 1990.
Davies, J. *Greening Business: Managing for Sustainable Development*, Oxford, Basil Blackwell, 1991.
Elkins, P. *Wealth Beyond Measure*, Gloucester, Gaia Books,1992.
Robertson, J. *Future Wealth: A New Economics for the 21st Century*, Londres, Cassell, 1990.

CAPÍTULO 10

Reenfoque de las organizaciones mediante el desarrollo de los valores femeninos

Judi Marshall

En este artículo se sugiere que hay unas cualidades humanas, llamadas valores femeninos, que las sociedades de Occidente han negado en forma selectiva y que están resurgiendo en la vida de los hombres y las mujeres, en las organizaciones y en la sociedad en general. Los valores femeninos, y la mujer están relacionados de manera estrecha aunque no son sinónimos. Además de tratar los aspectos de la igualdad femenina, se asumirá que el profundo desafío que Europa occidental enfrenta estaría mejor orientado si hombres y mujeres trabajaran de consuno como compañeros iguales y valoraran sus potenciales diferencias y similitudes.

Estas ideas son posibilidades a ser consideradas. No son una verdad absoluta. Eso no existe. Están abiertas a la revisión a medida que nuestra experiencia y comprensión de este artículo cambien.

■ Antecedentes del marco conceptual

A manera de un lente para observar las organizaciones, resulta útil hacer una amplia distinción entre los valores masculinos y los femeninos, como arquetipos o principios de ser, recurriendo a la filosofía taoísta del *yang* y el *yin*[1,2,3]. La Tabla 10.1 resume estos principios. Para facilitar las referencias aparecen ordenados en una lista, pero en esencia son complementarios y son eficaces en la medida en que sean dinámicos.

Hombres y mujeres tienen acceso a ambos conjuntos de cualidades. Mediante su naturaleza biológica y física, la socialización y la función social, las mujeres parecen razonar más con los principios femeninos, y los hombres, con los masculinos[3]. Sin embargo, esto puede ser contradictorio o poco claro para las mujeres que han tenido éxito en la educación tradicional[4]. El desarrollo individual significa integrar ambos principios en una psiquis.

1 Bakan, D., *The Duality of Human Existence*, Boston, MA, Beacon Press, 1966.
2 Colegrave, S., *The Spirit of the Valley: Androgyny and Chinese Thought*, Londres, Virago, 1979.
3 Marshall, J., *Women Managers: Travellers in a Male World*, Chichester, Wiley, 1984.
4 Perera, S. B., *Descent to the Goddess: A Way of Initiation for Women*, Toronto, Inner City Books, 1981.

Tabla 10.1 Valores humanos complementarios

Valores masculinos	*Valores femeninos*
Autoafirmación	Afiliación
Separación	Apego
Control	Receptividad, aceptación de la unión
Competencia	Cooperación
Percepción centralizada Claridad	Conciencia de modelos, del todo y de sus contextos
Racionalidad	Intuición
Análisis	Tono emocional
Discriminación	Síntesis
Actividad	Ser
Logro	Apoyo, sostenimiento
Ambición	Restricción
Aspectos subyacentes	
Independencia	Interdependencia
Centralización	Apertura
Control del mundo exterior	Ciclos de cambio y renovación
Cuestionamiento del mundo exterior	Contemplación del mundo interior

No obstante, los principios femeninos y masculinos pueden tomar formas adaptables o degenerativas. Por ejemplo, el control puede ser una estructura apropiada o puede convertirse en algo intolerante, mezquino, destructivo, vulnerable ante fuerzas para las que no se está preparado. De igual modo, la apertura a diferentes influencias puede conducir a una síntesis creativa o puede desbordarse por el punto de vista de otras personas y perder el propio terreno.

A pesar de que los principios femeninos y masculinos son potencialmente iguales y complementarios, las sociedades patriarcales han hecho énfasis en los masculinos, lo que ha dividido su organización, sus normas culturales, su discurso, y así sucesivamente[5,6]. Por ejemplo, muchas culturas organizacionales asumen la racionalidad, el individualismo, la competencia, las fronteras claras y el control como características de valor. En cambio, menosprecian, suprimen y acallan las cualidades femeninas y las hacen inaccesibles para mujeres y hombres. Se han tergiversado los principios masculinos por haberlos aislado, desequilibrado. Su potencial degenerativo ha sido conte-

5 Spender, D., *Man-Made Language*, Londres, Routledge and Kegan Paul, 1980.

6 Marshall, J., "*Re-visioning Career Concepts: A feminist invitation*", en M. B. Arthurs, D. T. Hall y B. S. Lawrence (eds.), *A Handbook of Career Theory*, Cambridge University Press, 1989, pp. 275-291.

nido de manera insuficiente. Al comienzo la acentuación de los valores masculinos tal vez fue un salto del desarrollo humano[2], pero ahora está fuera de su curso. Toda fuerza excesiva se convierte en debilidad. Hombres y mujeres experimentan el estrés y son forzados por la actual situación polarizada[7,8].

A manera de ilustración

Sé que he estado en un ambiente en el cual he vivido sobre todo con los valores masculinos, en parte por la rigidez que experimento al finalizar la jornada laboral. En lo físico, mis hombros, mi cuello y mi cabeza están tensos y mi respiración es superficial. Por lo general, el resto de mi cuerpo está pesado, incapaz de hacer ejercicios. En lo intelectual me siento sobrecargada, "ocupada", llena de impresiones a medio digerir que ahora debo escudriñar u omitir. Tal vez he estado haciendo algo todo el tiempo, sin pausas para reflexionar (incluso a la hora del almuerzo), gastando mi energía. Ante todo, debía estar discutiendo problemas de un modo racional, aislado, sin sentirme libre para acercarme a la intuición o a la experiencia personal, excepto de un modo disfrazado. Por tanto, de antemano, he estado reflexionando acerca de mi aporte, traduciéndolo a un lenguaje aceptable culturalmente, previniendo su mala interpretación y la mía. Es probable que haya experimentado ser más libre en mis pensamientos y expresiones, pero éstos han sido ignorados, rechazados, menospreciados –advertencia de las reglas implícitas establecidas–. Emocionalmente me encuentro algo confundida. He estado en guardia en conversaciones que parecían más competencias encubiertas o batallas, y sentí que las personas con quienes traté estaban enmascaradas, cerradas en sus funciones.

Quizá se piense que éste es un día de trabajo normal, pero sé que hay otras posibilidades, otras clases de fatiga que indican compromisos, más eficaces y que agobian menos. Esta situación es apenas "normal" si se hubiera aprendido de las culturas organizacionales desequilibradas en sus cualidades básicas y muy improductivas en muchos aspectos. En secciones posteriores se sugieren modos de alcanzar un modelo básico, más eficaz, más sano, más creativo.

Regresar al marco conceptual

A medida que se intente conseguir un equilibrio de valores más equitativo, no se deben glorificar o devaluar ni los masculinos ni los femeninos. Algunas escritoras han sido muy eufóricas al encontrar que los valores estereotipados de las mujeres con frecuencia no son, por definición, deficientes; éstos sólo han sido contemplados en sus aspectos positivos. Algunos hombres también están "descubriendo" lo femenino como la respuesta sin complicación para todos los problemas sociales. Tal pensamiento encubre complejidades potenciales. Por ejemplo, el principio femenino se asocia con

[7] Keen, S., *Fire in the Belly: On Being a Man*, Londres, Piatkus, 1992.

[8] Marshall, J., "*Patterns of Cultural Awareness as Coping Strategies for Women Managers*", en S. Kahn y B. Long (eds.), *Women, Work and Coping: A Multidisciplinary Approach to Workplace Stress*, Montreal, McGill-Queen's University Press, 1993, pp. 90-110.

devorar y morir, aspectos necesarios de los ciclos de la vida, que facilitan, limpian y renuevan pero son muy crudos y violentos.

Estas son las desventajas de polarizar los valores femeninos y los masculinos, como se hace aquí. Tal vez parezcan establecidos y bien definidos, cosa que no son. Los riesgos de perpetuar los estereotipos de hombres y mujeres pueden aumentar. Esto también omite algunas complicaciones respecto de lo que pasa cuando un grupo socialmente dominante, en este caso algunos hombres, juzgan a otros desde su punto de vista selectivo. Las características "femeninas" devaluadas mencionadas antes se le han atribuido a varios grupos sociales que parecen "diferentes" (y por naturaleza), no sólo a las mujeres. En su discusión, Eden Charles sugiere que una lista similar de cualidades polarizadas se ha atribuido, por ejemplo, a estilos de administrar "blancos" y "negros". Así que los valores aquí designados como "masculinos" quizá se ven mejor como los ideales de un grupo dominante, que les permite diferenciarse de otros y mantener su poder[9].

A pesar de estas complicaciones se utilizará aquí el marco conceptual. Proporciona un diagrama de las posibles características humanas, en contraste con las cuales se puede evaluar lo que pueda faltar en una situación. Esto recuerda que estas cualidades están relacionadas de manera estrecha con los estereotipos de los sexos masculino y femenino, y que son muy útiles como punto de referencia a medida que las personas crean su identidad. Diferenciar los valores femeninos de los masculinos también ha sido útil como el vehículo para configurar los principios femeninos socialmente acallados.

Para resumir, hay cualidades a las que nuestra cultura ha limitado el acceso porque han sido suprimidas de manera sistemática. Las primeras iniciativas de igualdad de oportunidades cambiaron un poco esta valoración relativa porque la igualdad era urgente por el hecho de que los hombres y las mujeres pertenecen a la misma especie. Ahora algunos hombres y mujeres comprenden que nuestra herencia reprimida todavía no está muy unificada y esos valores del mundo público son distorsionados con frecuencia, así como los valores masculinos se ejercen aisladamente.

■ Tiempos de cambio

Las sociedades de Occidente han desarrollado ciertas clases de inteligencia –racional, analítica y separada–. Han creado organizaciones como lugares de orden aparente donde el control parece posible. En forma selectiva excluyen algunas cualidades de las personas, como sus emociones y sus otras funciones, como casi una defensa contra los aspectos desordenados y caóticos de la vida. Pero los límites de esta ilusión se experimentaron casi siempre en la superficie y ahora son más evidentes a medida que crecen los desafíos que las organizaciones parecen incapaces de enfrentar. Hombres y mujeres expresan desilusión y buscan alternativas.

9 Eisler, R., *The Chalice and the Blade: Our History, our Future*, Londres, Unwin Paperbacks, 1990.

Las agendas que los autores persiguen con sus aportes a este libro se dirigen casi todas, de algún modo, a los problemas generados por el desarrollo exagerado del principio masculino (el desarrollo de estos principios por separado tendrá consecuencias degenerativas). Ahora se experimenta de varias maneras el resurgimiento de los valores femeninos como un aspecto central de un cambio social más amplio[10]. Ahora necesitamos reclamar la herencia perdida, reenfocar la mitad de nuestra inteligencia humana y el ser que nos han suprimido. Hay señales de que esto está sucediendo. Los aspectos relacionados con el género están en el corazón del cambio debido a lo que estamos dando por descontado (en especial las mujeres), la responsabilidad mutua, las emociones, los grupos naturales y sociales que son radicalmente diferentes de los que tienen el poder para definir la cultura. Por tanto, necesitamos comprometernos de manera deliberada con tres clases de desarrollo:

1. Facilitar el desarrollo de los valores femeninos en la vida de hombres y mujeres.
2. Asegurar la igualdad para las mujeres y otros grupos marginados como vehículos principales de estas visiones alternativas en la sociedad.
3. Rescatar el principio masculino de su posición degenerativa.

Estos tres cambios están en camino. El último es el más reciente. En medio de controversias, lo persiguen hombres como R. Bly[11], S. Keen[7] y M. Simmons[12], quienes señalan la amplia experiencia del hombre que vive con los estereotipos tradicionales de la masculinidad y explora, de modos diferentes, posibilidades más positivas para los principios masculinos.

El trabajo en las agendas de estos tres cambios es simultáneo y sincero aunque provisional. Es un producto de su tiempo, una reacción a la visión actual y restringida que trata de proclamar apreciaciones difíciles de captar. Debemos aceptar esto como un proceso evolutivo, buscando articular cualidades que han sido reprimidas y acalladas –que, tal vez, en cualquier caso, requieran nuevos modos de expresión–. Hay que encontrar los modos apropiados para trabajar con este material y, de igual manera, con el cambio. Con frecuencia, "las nuevas visiones" parecen muy emocionales, pasionales, irracionales o críticas para otros. Las personas reaccionan con la defensa. En cambio, lo que necesitamos es buscar las formas de mutua solicitud, aprender –por encima de todo– a escuchar a otros con respeto, en especial cuando son diferentes a nosotros, permitiendo a lo tentativo ser tentativo y que se exprese la pasión, aprendiendo a aceptar lo que emerge y no permanecer aferrado a medida que permitimos que nuestras apreciaciones del mundo cambien. Esto no es fácil. Estas son habilidades de administración para el futuro[13].

10 Capra, Fritjof, *The Turning Point: Science, Society and the Rising Culture*, Londres, Wildwood House, 1982.

11 Bly, R., *Iron John: A book about men*, Shaftesbury, Dorset, Element Books, 1990.

12 Simmons, M., "*Undoing Men's Gender Conditioning*", *Industrial and Commercial Training*, noviembre-diciembre 21-23, 1986.

13 Torbert, W. R., *The Power of Balance: Transforming Self, Society and Scientific Inquiry*, Newbury Park CA, Sage, 1991.

No creo que podamos o debamos evitar los desarrollos en proceso en la actualidad. Hemos generado un poder de destrucción formidable. El sentido de alienación que experimentan muchos individuos es un ímpetu significativo para el cambio. Incluso más importantes son las desigualdades del mundo, de las cuales ahora somos del todo conscientes y no deberíamos condenar. Eden Charles y James Robertson proclaman estos aspectos en su libro. Debemos controlar el daño ecológico que estamos ocasionando. Necesitamos entender cómo trabajar de manera conjunta como un solo mundo, cómo lograr economías sostenibles ecológicamente y mucho más[14]. Los llamados valores femeninos pueden ayudarnos a reconocer nuestra interdependencia esencial, aunque este no es un sendero agradable.

En el contexto de este mundo no sorprende, con las incertidumbres rechazadas por los individuos, que muchos de los aportes de este libro tengan la ansiedad como uno de los temas principales. Mediante la supresión de nuestra inteligencia emocional y favoreciendo la imparcialidad por encima de la relación y la contención, tenemos que "desarmarnos" para manejar tales desafíos. Necesitamos aprender nuevas estrategias de vida. Al parecer, mucha de la ansiedad que se expresa está asociada con el descubrimiento de la naturaleza múltiple y cambiante de la identidad "individual" (para mayor información, *véase* el artículo de Philip Boxer). Estos descubrimientos serán en especial amenazadores para quienes aprendieron a esperar de sí mismos un sentido estable, independiente y coherente. Esto ha sido heredado más por los hombres que por las mujeres. Como grupo social las mujeres afrontan diferentes problemas. A partir de sus experiencias y necesidades de vida parecen tener de sí mismas una imagen múltiple y cíclica o que evoluciona. Muchas están interesadas en expresar sus diversas experiencias, en especial cuando éstas difieren de los códigos sociales dominantes[15].

Creo que con el tiempo se apreciarán los beneficios de desarrollar nuestra diversidad social y personal, de ser capaces de asumir muchas perspectivas. Siempre he encontrado en las leyes de Ashby un requisito que expresa la variedad. En esencia, dice que una persona o un sistema no pueden apreciar en el mundo exterior más variedad de la que abarcan en su mundo interior[16]. A medida que necesitamos intervenir en mundos exteriores más complejos, debemos preservar y desarrollar nuestra diversidad interior. Por ejemplo, podemos hacerlo si comprendemos que cuando atribuimos cualidades o emociones negativas a otras personas son con frecuencia aspectos de nosotros mismos que no estamos en capacidad de reconocer. Apropiarnos de ellos y no extenderlos a otros no disminuye nuestra conciencia. Nuestro sentido de diferencia personal no tiene que ser una carga, es nuestra posibilidad de ser nosotros mismos y de comprometernos con los demás.

14 Starhawk, "*Feminist Earth-based Spirituality and Ecofeminism*", en J. Plant, *Healing the Wounds: The Promise of Ecofeminism*, Londres, Green Print, 1989, pp. 174-185.

15 Belenky, M. F., B. M. Clinchy, N. R. Goldberger y J. M. Tarule, *Women's Way of Knowing: The Development of Self, Voice and Mind,* Nueva York, Basic Books, 1986.

16 Ashby, W. R., "*Self-regulation and Requisite Variety*", en F. E. Emery (ed.), *Systems Thinking*, Harmondsworth, Penguin Books, 1965, pp. 105-124.

En los siguientes párrafos se sugieren los pasos para trabajar en forma activa con la reintegración de valores que se presenta ahora. Incluye dos revaloraciones fundamentales del pensamiento occidental. Una de ellas es el tema de este artículo –lograr una sinergia más apropiada y emocionante entre las formas generativas de los valores femeninos y los masculinos (no considero esto como un modo igualmente inexpresivo). Quizá sólo se puede empezar a hacer esto de manera productiva ahora que cruzan una fase significativa de desarrollo diferente[2]. La otra está muy relacionada: considera el variado ambiente natural y humano y nuestra relación espiritual con él como el rasgo más importante de cualquier organización humana. En estos propósitos tengo afinidad con Roger Harrison cuando busca desarrollar altos grados de conciencia en las organizaciones. Al parecer, su análisis incorpora la apreciación de los valores femeninos.

Primero se observarán los aportes que los valores femeninos hacen a la vida organizacional si se toma la práctica más a fondo. Así, se destacará lo femenino, aunque es preferible la combinación de los principios masculino y femenino. Se sugerirán procesos para lograr estos desarrollos. Todos los propósitos provienen de la práctica que he tenido en algunas organizaciones. Son el futuro que surge del presente. Cuando ocurren pueden cambiar la naturaleza del mundo. Sin embargo, como son diferentes de la cultura dominante y de sus hábitos establecidos por mucho tiempo, son difíciles de formular. En particular, esquivan su reconocimiento como parte del ser, están más sujetos a identificarlos con la experiencia que con la comunicación en términos abstractos. Se arriesgan a parecer comunes o ingenuos, dadas las denominadas "realidades" de la vida. Sin embargo, están en los extremos de las expectativas de la mayoría de las personas. Pero en tiempos de cambio uno de los recursos más poderosos es nuestra imaginación[17]. Crear "campos de posibilidad" en los cuales ciertas clases de comportamientos surjan con más probabilidad que otros. Es así, guiados por suposiciones inconscientes, como esperamos, notamos e impulsamos. Así establecemos y delimitamos la cultura. Por tanto, podemos crear nuevas realidades actuando "como si" fueran ciertas.

En las líneas siguientes invito al lector a explorar su visión del mundo y de la organización con la cual trabaja, y a considerar posibilidades alternativas acerca de la vida organizacional, que asumen el valor de los principios femeninos y su igualdad con los principios masculinos. Los ejercicios específicos que aquí se ofrecen aparecen en *bastardillas*. Estas sugerencias son sólo el comienzo. Si se adopta una actitud abierta y nos comprometemos por completo con lo que surge, los cambios se darán.

[17] Harman, W., *Global Mind Change: The Promise of the Last Years of the Twentieth Century*, Indianapolis, Knowledge Systems, Inc., 1988.

Aportes potenciales de los valores femeninos a la vida organizacional

Las organizaciones son diferentes cuando los valores femeninos constituyen los aspectos centrales de su funcionamiento. Asumo que las formas generativas de los valores masculinos están presentes de igual modo, pero no voy a tratarlos.

Muchas de las propuestas se refieren a las maneras de apreciar el mundo mas no de actuar. Con frecuencia, es inadecuado emprender acciones (que pueden dar mucha importancia a la actividad de los valores masculinos). En cambio, se sugieren algunos "planes inactivos". Es decir, advertir los modelos de actividades en los cuales se está comprometido, qué hacer para mantenerlos iguales, y permitir o no que surja alguna acción, según el caso. Esto no es arrollador como método hasta saber más acerca de la situación y cómo sostenerla, lo que puede generar cambios espontáneos. El simple hecho de interrumpir los comportamientos habituales puede tener efectos profundos. Esto se puede combinar con el cuestionamiento de la naturaleza de asumir la "realidad" y crear imágenes alternativas (quizás utilizando el anterior marco conceptual de valores). Este enfoque para el cambio –basado más en la energía del *yin* que del *yang*– incluye el logro del futuro mediante la atención de las cualidades del presente y mantener abiertas las expectativas.

Reunificación de las polaridades divididas

Se pueden reintegrar las cualidades que han sido separadas en las culturas de dominio masculino adoptando un enfoque de "ambos... y ..." en lugar de "uno... u otro...". Al parecer, hay tres polaridades importantes que se pueden remediar: lo profesional-personal, lo intelectual-emocional y lo público-privado. La demarcación de estas fronteras nos separa como personas, elimina aspectos importantes de nuestro conocimiento y separa al individuo de la comunidad.

Por ejemplo, podemos desarrollar nuestra inteligencia emocional y utilizarla en combinación con nuestro intelecto. Muchas organizaciones están recargadas de ambientes emocionales, en especial de ansiedad y rencor. Pero su retórica es la racionalidad. Esto controla alguna variabilidad pero también restringe la visión, limita los aspectos que pueden orientar y suprime otras fuentes de conocimiento del mundo, incluidos quizá sentidos éticos. Tratar las emociones abierta y productivamente en las organizaciones es excepcional. Para lograrlo se necesitan ambientes que ofrezcan apoyo y desafío para reducir la vulnerabilidad de la apertura. (Las emociones separadas tienen funciones protectoras.) Las personas desarrollan sus emociones y sus habilidades autorreflexivas en una amplia variedad de actividades de capacitación personal y profesional. Cada vez más personas son emocional e intelectualmente competentes y tienen las habilidades para moverse entre estos sentidos. Es muy emocionante y reconfortante saber que muchas de ellas están en sus primeros veinte años, lo cual sugiere que esto no es una combinación que sólo viene con la edad.

También es cuestionable la frontera que se mantiene entre nuestra función en el trabajo y en la vida como un todo, y la prioridad que con frecuencia se da al primero. La separación en sí crea esferas polarizadas –lo público-profesional (masculino) y lo privado-personal (femenino)– con diferentes códigos de ética y de ser. Aprecio los beneficios de esta frontera cuando salgo molesta con los niños y conduzco hacia el "trabajo". Pero muchas de las cualidades generadoras de lo "personal" pueden incluirse en el trabajo, en especial si las organizaciones se vuelven más responsables y cuidadosas en el sentido más amplio de estos términos. Las consecuencias personales de construir la vida en torno de la identidad organizacional también pueden ser degenerativas y perjudiciales, sobre todo en el caso de que ésta fracase. Más adelante se retomarán estos aspectos.

Fíjense en las señales que se dan acerca de otras funciones y otros compromisos de la vida en su organización. ¿Cómo se interpreta este material?

¿Si las personas mencionan sus otras funciones en la vida se deteriora su imagen profesional? ¿Es dudosa su dedicación o competencia? ¿Es mejor pertenecer a un club de *golf o tener niños? ¿Reaccionan las personas de manera diferente ante la función de hombres o mujeres como padres?*

Qué convenciones dominan sus respuestas: "¿Cómo estás?". ¿Se espera que las personas señalen la racionalidad, estén bajo control y tengan su mente "en el trabajo"? ¿Cómo reaccionan las personas a las expresiones de emoción y ansiedad si tienen otras preocupaciones? ¿Cómo afectan estos juicios la valoración del individuo, los estereotipos de los grupos sociales o étnicos de donde provienen?

No se sugiere que siempre se puedan combinar todas las posibilidades mediante un enfoque sintetizado. Algunas veces la reunificación apropiada es más un juego interrelacionado entre elementos diferentes. Por ejemplo, se puede ser consciente de las diversas funciones en la vida y moverse entre ellas, en lugar de encerrarse o dar prioridad a una. En este sentido, y quizás en otros, debemos jugar más con las posibilidades en el futuro, en las organizaciones y las demás actividades de nuestras vidas.

El respeto a la diversidad

Debido a que se salen del punto de vista dominante, las iniciativas que acogen lo femenino son, por definición, más con respecto a la diversidad que a la búsqueda de la uniformidad. Antes se argumentó que lograr la diversidad es beneficioso para el individuo y para cualquier grupo social. Pero esta no es una vía fácil. Las culturas organizacionales necesitan coherencia para sobrevivir. Sin embargo, muchas exigen demasiado conformismo a sus miembros. Podemos desarrollar prácticas que ayuden a personas con puntos de vista e ideas diferentes a vivir con los otros y aceptarlos sin rivalidades agresivas. Podemos contener las diferencias, con amplitud pero con firmeza. Esto parece suceder cuando los puntos de vista se expresan con libertad, cuando se siente con el corazón, cuando se respeta a las personas aunque sus aportes sean desafiantes y cuando los criterios para tomar decisiones son públicos y se debaten de manera abierta.

Pero tales prácticas no son suficientes por sí solas. Trabajar en ambientes pluralistas abiertos al cuestionamiento es un desafío. Vivir creativamente con diferencias requiere dedicación, coraje y la disposición continua de aprender de la inconformidad.

La exploración de la participación

Algunos autores identifican un aumento en la apreciación de la interdependencia y una actitud de participación como temas de la actualidad[10]. Ellos expresan el resurgimiento de los valores femeninos centrales. La participación se emplea de varias maneras. Para algunos significa prácticas de trabajo de consultoría. Más importante aún, significa apreciar nuestra relación esencial con cualquier mundo –humano y no humano– en el cual estemos incluidos y tomar conciencia de ello en los sentidos de empatía, identificación y responsabilidad[18].

Gran parte de esta apreciación de involucrarse en una red de ser sin limitaciones es necesaria para dirigir los problemas del mundo, aunque es difícil de lograr en la práctica cotidiana[19]. Se pueden extraer esquemas de sus significados, por ejemplo, de las experiencias de sentir "por uno" algunos ambientes naturales. Hay que superar los estereotipos culturales que consideran negativas la interdependencia y la afiliación, o causan pérdida de identidad y ubican a alguien en una posición de dependencia. Cuán radicales puedan ser la concepción de la participación y su práctica son interrogantes clave de nuestro tiempo. Una manera de trabajar con estos aspectos es explorar y ampliar las percepciones y los supuestos acerca de la interdependencia.

Utilice las siguientes preguntas para ubicar sus valores y los de su organización.

¿Considera que debe hacer cosas solo para probar sus logros independientes?

¿Qué piensa de las personas que trabajan en colaboración?

¿Reconoce y premia a los subalternos por sus aportes en el trabajo comunitario?

Cuando encuentra que la interdependencia funciona bien, ¿la considera una habilidad de desempeño intrascendente o accidental?

Sin embargo, hay que cuidarse de no idealizar la participación. Con lo vital que es, no se puede lograr sin la atención adecuada de su opuesto. La separación y la adhesión son necesarias para valorar la identidad relacional y la integridad individual. La excesiva participación tiene su potencial degenerativo, a medida que las mujeres toman conciencia de haber vivido hasta ahora con más vínculos con la vida que los hombres. Es importante mantener algunas fronteras en la medida en que éstas puedan hacerse "con amplitud".

La creación de organizaciones a partir de imágenes humanas . . .

En vez de suponer que las organizaciones tienen una lógica externa a la que hay que adaptarse, podemos crearlas contemplando imágenes humanas, de manera que las personas puedan vivir en ellas con satisfacción. Se necesitan procesos sociales para dignificar a la humanidad. A continuación se relacionan algunas prácticas para lograr estas condiciones.

1. Organizar mediante modelos flexibles, incorporando pequeñas unidades con las cuales se identifiquen las personas (si lo desean) para lograr una coordinación y unos vínculos más amplios.
2. Apreciar la diversidad en lugar de exigir la conformidad como precio por la condición de miembro.

[18] Skolimowski, H., *Living Philosophy: Ecophilosophy as a Tree of Life*, Londres, Arkana, 1992.
[19] Devall, B. y G. Sessions, *Deep Ecology*, Salt Lake City, Gibbs Smith, 1985.

3. En cambio de una posición de control, mantener una de apertura, de contingencia, de sensibilidad.
4. Aceptar los ciclos de flujo y reflujo, de muerte y crecimiento, y permitir un espacio para afligirse con las pérdidas (*véase* el aporte de Roger Harrison).
5. Extraer variadas nociones de tiempo. Las culturas occidentales favorecen los modelos estructurados, lineales, monocrónicos (hacer una sola cosa a la vez), y maximizan la rapidez y la productividad. En este mundo sobrecargado es respetable, casi obligatorio. Pero el afán, la enfermedad y el estrés son comunes. El tiempo puede extenderse, tratarse como si fuera elástico, considerarse como frecuencia cíclica. Podemos insistir en proyectos, hacerlos surgir, podemos "holgazanear". Tales prácticas parecen legitimar estos días, aunque creen espacios para desarrollar la creatividad. Podemos también respetar las habilidades inherentes a hacer más de una cosa a la vez (policronicidad)[20].
6. Dar igual importancia a la calidad de ser y a la calidad de la acción.
7. Manejar el estrés sistémico y personal como parte de la práctica cotidiana y ayudar así a las personas a mantener su salud emocional.
8. Acondicionar las necesidades físicas para la comodidad, el ejercicio y el relajamiento.
9. Responder con flexibilidad a los cambios y aspiraciones de los modelos de vida de las personas.
10. Dar cabida y facilitar el desarrollo de las personas, incluso las transformaciones de identidad.
11. Apoyar a las personas que sin agotarse cuidan a otros, interna y externamente.
12. Abrir las fronteras, con espacios para los niños y los mayores.

Estos aspectos parecen ideales debido a las presiones económicas actuales y al movimiento de algunas organizaciones importantes para reclutar y hacer carrera incluso más sistemática y legal. Pero de manera paralela al desarrollo de estas grandes compañías hay también personas que trazan el curso de su vida según valores diferentes. A éstas las fortalecen futuristas que predicen formas más orgánicas de organización y empleo[21].

Las prácticas tradicionales de empleo parecen reñir cada vez más con la forma de vida que muchas personas desean y están en capacidad de conducir. Pero los supuestos clave los mantienen en su lugar. Los que en particular necesitan ser cuestionados son la necesidad de trabajar continuamente, de tiempo completo, para ser tomado "en serio" en términos de carrera y la necesidad de probar el compromiso (en lugar de eficacia), con frecuencia por la concertación de indicadores como horas extras de trabajo y dar prioridad a las exigencias organizacionales por encima de las otras funciones de la vida. A menos que se piense más allá de estos requerimientos y se encuentren modos más directos de dirigir las necesidades que defienden, las prácticas de empleo se mantendrán inmodificables.

[20] Bluedorn, A. C., C. F. Kaufman y P. M. Lane, "*How many things do you like to do at once? An introduction to monochronic and polychronic time*", *Academy of Management Executive*, vol. 6, Cap. 4, 1992, pp. 17-26.

[21] Handy, Ch., *The Age of Unreason*, Londres, Arrow Books, 1990.

Hace poco encontré de nuevo la fuerza de necesidades supuestas en un seminario que promovía las buenas prácticas que la compañía desarrollaba hacia las mujeres. Al final del día se discutieron en un panel las preguntas de los participantes. A pesar de la retórica del comienzo sobre la igualdad, rechazaron el trabajo de medio tiempo como estrategia viable para las mujeres. Creían que las mujeres tenían que probarse a sí mismas en "la cultura profesional" (que no critican del todo), y que no serían tomadas en serio si trabajaban "medio tiempo". Esta es una consideración común, que se expresa a gritos cuando se aplica a los hombres.

Usted puede experimentar identificando lo que es impensable en su organización, utilizando quizá las verificaciones de la salud organizacional antes mencionadas y considerando los aspectos "imposibles", "demasiado idealistas" y entonces preguntarse por qué.

La promoción de la heterarquía y la restricción mutua

Se suele mantener el orden mediante las jerarquías, que en particular incluyen la incertidumbre y la ansiedad. En las organizaciones estas jerarquías dan rango y poder. Sabemos quién busca liderazgo y cuando estamos a cargo. Con frecuencia nos sentimos derrotados por nuestros líderes, pero al menos sabemos a quién culpar. Por lo general, las personas establecen prioridades en sus vidas y, con frecuencia, el trabajo domina las otras facetas.

Pero las jerarquías tienen limitaciones. Se vuelven inflexibles. Pueden crear expectativas imposibles de "líderes" designados y dinámicas improductivas de dependencia y abandono de responsabilidades individuales. En la medida en que apreciamos estos problemas y buscamos aceptar la diversidad de las personas en habilidades y puntos de vista, necesitamos modelos alternativos. Reconocer por igual la dignidad humana de todas las personas es un paso importante, pero esto puede crear normas que rebasen las necesidades, habilidades, derechos y poderes iguales en todas las situaciones. Esto también es limitado al negar potencialmente diferencias significativas. En la noción de *heterarquía* hay más potencial[22]. En una heterarquía no hay una persona al mando. Más bien, las pirámides de autoridad temporal se constituyen, cuando sea conveniente, en un sistema de restricciones e influencias mutuas. El juego de los niños con papel, piedra y tijeras proporciona una ilustración simple: el papel envuelve la piedra, la piedra despunta las tijeras, las tijeras cortan el papel. No hay jerarquías fijas, pero todas son eficaces y reconocidas en su campo.

Este modelo teórico me ayuda a explicar los procesos de "restricción mutua" que he experimentado en algunas situaciones cuando un grupo se hace responsable de su manejo, incluida la atención de los procesos emocionales. Cuando es necesario las personas asumen diferentes funciones. No hay necesidad de un líder fuerte, independiente, pero algunos asumen esta función de manera explícita, con consentimiento si es necesario. Esto prueba un modo de trabajar más flexible dando más espacio a los procesos y necesidades propios de los individuos y aun proporciona un espacio de restricción fuerte, mientras se negocia abiertamente.

22 Schwartz, P. y J. Ogilvy, *The Emergent Paradigm: Changing Patterns of Thought and Belief*, Informe analítico número 7, Values and Lifestyles Program, Menlo Park, CA, SRI International, 1980.

Observe cuántas veces al día se asume que hay una jerarquía y se confía a ella el orden.

Fíjese cuándo se está cruzado de brazos esperando ser organizado o atendido. ¿Cuáles son las respuestas intelectuales y emocionales para esto?

¿Cuáles son los propósitos de las responsabilidades jerárquicas?

¿Está usted implicado en situaciones en las cuales las personas tienen responsabilidades compartidas para manejar y reprimir? ¿Cómo reacciona ante esta situación? ¿Se siente menospreciado, seguro, ansioso o...?

El cuestionamiento de la supremacía dada a las organizaciones . . . .

Me uno a James Robertson al cuestionar por qué han ubicado las organizaciones por encima del hogar o la comunidad como unidades importantes de administración y análisis. Quizá porque son ambientes relativamente controlados y delimitados en comparación con la naturaleza condicional y cambiante de la vida exterior. Pero estoy interesada respecto de esa prioridad, en especial en el significado aparente que extrae de la vida de las personas y sus experiencias de relaciones y de la comunidad y las vierte en las convenciones artificiales del trabajo. También quienes trabajan sin remuneración están privados de los derechos civiles. Incluso si se da a las organizaciones una forma más humana no compensará esta distorsión. La entrada de más mujeres a la administración quizás acentúe el modelo.

Las organizaciones proporcionan los principales modelos sociales para evaluar a las personas –categorías de trabajos, rangos organizacionales, tamaño de los automóviles de la compañía, franjas salariales, entre otros. Pero utilizando las características organizacionales para juzgar la vida de los individuos la invadimos con significados de valor externos y socialmente atribuidos. Las personas se vuelven más vulnerables si se amenaza su identidad social a medida que aumenta la inseguridad de conservar su trabajo. La ansiedad resultante se revierte en la sociedad en nuestras percepciones de amenaza, riesgo e inestabilidad.

Durante la próxima semana observe qué intereses de la vida influyen en sus decisiones, sentimientos y valores propios, niveles de estrés y flujo de ideas. Si ninguno de los aspectos de su vida predomina, reflexione acerca del porqué y de lo que sucede con el resto.

■ Procesos para trabajar en el contexto de cambio organizacional

En esta sección se sugieren maneras que pueden ayudar a articular en forma positiva los valores femeninos en su organización y darles espacio para su desarrollo. De nuevo se hace énfasis en invitarlo a reflexionar y a cuestionar.

Observar valores y suposiciones . . . .

Con frecuencia no imaginamos el cambio debido a que vemos a través de suposiciones arraigadas con profundidad. Sólo cuando nos vemos en el acto de observar tenemos la posibilidad de explorar nuestras responsabilidades y remodelarlas, si así lo deseamos.

Usted puede apreciar el equilibrio de los valores femeninos y masculinos en su pensamiento y en la toma de decisiones, y ver el mundo de manera deliberada desde otra posición si uno de ellos ha sido acallado. En las reuniones, ¿cómo se definen los problemas, qué responsabilidades se asumen, qué valores están implícitos, qué posibilidades se ignoran? Es probable que al comienzo sea más necesario ampliar su capacidad para trabajar con los valores femeninos –para ver la interdependencia o quizás un conjunto de problemas en un contexto–, en la medida en que éstos son cualidades socialmente menos desarrolladas. También puede empezar a cuestionar la invocación automática de los valores masculinos donde se presenten. En este caso, ¿es la desvinculación un beneficio real? ¿Se tratan mejor estos problemas por separado?

Una vez que usted adopte los modelos dominantes de suposiciones en su organización, puede desarrollar una lista personal de verificaciones de las dimensiones que con frecuencia se ignoran, para detectarlas con regularidad y ampliar su punto de vista.

Tales estrategias le ayudan a ver más allá de los horizontes de las suposiciones habituales y crean perspectivas más completas para un enfoque en la toma de decisiones. Éstas cambian las apreciaciones de ser una estructura, configurada con modelos habituales de los cuales somos inconscientes, hacia la conciencia de una estructura utilizada y la capacidad de revisarla adecuadamente. Esto incluye un alto nivel de aprendizaje y pone a disposición un amplio rango de estrategias.

Usted puede promover esta clase de conciencia con más amplitud haciendo preguntas de continuo, en los ámbitos personal y público, en especial acerca de propósitos y suposiciones.

Por ejemplo, mi institución está revisando sus propósitos para los próximos años. El partido laborista ha puesto en circulación el borrador de un proyecto denominado "Una amplia agenda para la universidad" para someterlo a consulta. Sobre todo se refiere a las actividades a seguir y el modo de hacerlo. En la primera lectura fue fácil responder en el marco conceptual establecido por los autores. Pero en la segunda lectura el borrador tenía implicaciones respecto de qué clase de institución se quiere construir, las cuales eran más implícitas. Esto condujo a un conjunto muy diferente de preguntas, respuestas y sugerencias más orientadas a la identidad de la universidad.

Es importante revisar sus técnicas de "retroceder" para lograr una visión más amplia y, si es necesario, complementarlas. Cómo se logra es tal vez un asunto muy personal. Las percepciones más allá del alcance inmediato del marco conceptual ocurren, por ejemplo, cuando observo algo de nuevo, cuando salgo a otra parte del edificio, cuando noto que al principio las ideas me parecen extrañas, cuando dejo algo para "digerirlo" durante la noche, cuando explico mis reacciones a alguien y cuando conduzco.

¿Qué preocupaciones se repiten en las conversaciones privadas y los documentos públicos de su organización? ¿Son consistentes? ¿Qué valores reflejan?

La implementación de procesos de conscientización para abrir espacios a los principios femeninos . . . .

Apreciar cuáles valores se consideran importantes y tienen el poder de delimitar problemas implica un desarrollado proceso de conscientización. Cada vez más es una habilidad administrativa necesaria. En esta sección se sugieren unas pocas maneras de desarrollar los valores femeninos. En términos más amplios, los procesos de conscientización se pueden utilizar para estimular la expresión, el desarrollo y la protección de los valores femeninos y para cuestionar el dominio habitual de los valores masculinos.

Por ejemplo, los procesos de conscientización pueden ayudar a observar diversos puntos de vista que son bienvenidos o buscan la uniformidad. Este es un esfuerzo clave para el manejo de cualquier situación de grupo. La variedad y la coherencia son necesarias para la vida organizacional, su equilibrio adecuado variará de acuerdo con las circunstancias. Esto puede lograrse en forma consciente, con la debida atención a los propósitos y con un conocimiento abierto de la elección que se hace o con disimulo o inconscientemente.

Esto ayuda a ser conscientes de los modelos de defensa de los principios masculinos y femeninos y ser capaces de prestarles atención. Por ejemplo, quienes actúan con base en los principios masculinos en una situación amenazadora tal vez se comprometen en la separación, la intelectualidad, la proyección y el ataque. Es más probable que quienes expresan los principios femeninos lleguen a confundirse, a no ser claros con respecto de los límites y la retirada. Estos modelos pueden influir en gran medida en la interacción de las organizaciones. He estado en reuniones donde dichas dinámicas se han advertido y reconocido. Este cuestionamiento ha generado una apreciación más profunda de los aspectos relacionados. Algunas veces ha sido posible comentar en broma el comportamiento estereotipado, incluido el nuestro, y así nos divertimos en vez de pelear.

Puede prestarse atención a quienes están configurando agendas, cuyas voces están en silencio o acalladas. Es valiosa la conciencia de cómo el género y el poder pueden interactuar aquí.

¿Es alto el valor asignado a las actividades tradicionalmente efectuadas por hombres y más bajo el valor de las relacionadas con mujeres? ¿Dónde encajan en la matriz de valores los comportamientos que mantiene la organización, como apoyo, atención y trabajo cooperativo? ¿Parecen influir más los argumentos basados en los datos claros, racionales y cuantitativos que los que se fundamentan en la intuición, la complejidad y la cualidad? ¿Se reconocen y se cuestionan los usos del poder basados en el género y los cambios organizacional, social e interpersonal?

Estos problemas son importantes tanto para escribir acerca del futuro como de otras actividades sociales. Como se ha señalado, muchas de las actuales teorías de tiempos cambiantes invocan el resurgimiento de los valores femeninos, con frecuencia de manera implícita. Cuando leo este material asimilo más de los autores que consideran que los temas que dirigen pueden estar de alguna manera relacionados con el género. Por ejemplo, pueden dirigirse a los aportes teóricos de mujeres y de hombres o pueden referirse en forma explícita al género al desarrollar su marco conceptual. En el momento, pocas teorías de la sociedad humana pueden proclamarse neutrales respecto del género, porque todavía vivimos con muchos legados del patriarcado. Esto no significa que todas las teorías estén dominadas por los análisis de género; más bien, hay que explorar de qué manera son importantes para cualquier tema estudiado.

Cuando vi el primer borrador de otros aportes para este libro no estaba de acuerdo con que muchos no mencionaban alguna conscientización con respecto de los problemas de género. Estaba interesada en que el futuro se definiera desde un punto de vista tradicional y, por tanto, de predominio masculino, reproduciendo así las prioridades y los modelos culturales. Entonces, de algún modo este aporte se ofrece como un compañero potencial para el resto del libro. Creo que los aportes de Eden Charles y de James Robertson tienen un estatus similar. Los tres buscamos hablar por los grupos o los problemas marginados o acallados por la corriente ortodoxa que prevalece hoy. Tratamos de ayudar a cambiar los procesos y la agenda de debate de esta corriente. Hasta que el cambio consiga la paz, consideramos que corremos el riesgo de no ser importantes o de afrontar a las personas en nuestro intento de hablar con claridad.

Reconocer los procesos de flexibilidad

Esta sección busca la aplicación especial del proceso de conscientización. El cambio de las organizaciones es en extremo difícil. Muchos de ellos, incluso en el más radical de los intentos, se hacen en el idioma de lo que ya existe. Las culturas de la acción generan estrategias de acción para el cambio, y así sucesivamente. Los intentos de cambio con frecuencia se vuelven "más de lo mismo", incluso, de manera paradójica, refuerzan la cultura actual. Esto ha pasado con muchas de las soluciones para incorporar más mujeres en la administración. Por ejemplo, de varias maneras es de gran utilidad proporcionar facilidades para el cuidado de los niños. Pero esto puede reforzar el supuesto de que el trabajo continuo, de tiempo completo, es "natural" y que ese cuidado es una actividad humana menos importante que el trabajo. Entonces dichas estrategias pueden tolerar el trabajo excesivo para hombres y mujeres. En este sentido podemos notar cuándo las soluciones y las iniciativas están en la estructura. Tomar los valores femeninos con más seriedad puede significar encontrar diversos modos de juzgar a las personas con igualdad de valores y diseñar contratos de trabajo a la medida de las condiciones de vida de las personas.

Otra manera de expresar la flexibilidad se manifiesta con frecuencia mediante la cooptación de valores alternos en el marco conceptual dominante, y así disuelve sus efectos. Parte de esto sucede a medida que se fortalecen los valores femeninos. Las nociones clave –como la atención, la interdependencia, la intuición y el pensamiento complejo– se incorporan en los esquemas tradicionales masculinos. Esto no reconstruye el núcleo de la teoría ubicando los valores masculinos y femeninos en términos iguales. De nuevo, hay que estar alerta a esta posibilidad y dispuestos a cuestionar.

Crear nuevos modelos a propósito

Los intentos para transformar las culturas organizacionales sólo tendrán éxito si se revisan los modelos, estilos y esquemas, al igual que el contenido. En especial, cuando se trata con valores, el medio es el principal "mensaje". Por ejemplo, si creo que todo el conocimiento se crea a partir de una perspectiva, que no hay una verdad, escribo en primera persona, incorporo información sobre mis puntos de vista y empleo ilustraciones de mi experiencia. Escribir en tercera persona podría contradecir y, por tanto, subvalorar mi posición. Presentar nuevas ideas en los modelos establecidos mantiene la cultura dominante.

Los modelos masculinos dominan aún la mayoría de las organizaciones, las cuales tienden a ser lineales, jerárquicas, controladoras del tiempo, centralizadas y delimitadas; la flecha es un símbolo clave. Los valores femeninos son más cíclicos, respecto de la creación de espacios, de igualdad y de apertura; el círculo es un símbolo clave. Cada vez más encuentro los resonantes modelos femeninos en el escenario de los negocios. Estos parecen impulsar la participación equitativa, la expresión de diferentes clases de conocimiento, el apoyo mutuo y el logro de una toma de decisiones de mucha calidad. En mi experiencia, ellos no son cómodos en especial, más "penetrantes" en el sentido profundamente escudriñador. En su mayor parte, ellos me han ofrecido una retroalimentación y una percepción individuales, al igual que la participación en la consecución de los grupos productivos.

Muchas prácticas organizacionales que honran lo femenino se basan en círculos. Por ejemplo, en la toma de decisiones todos los miembros de un grupo pueden ser invitados, expresar sus posiciones y hacerse oír. Esto no fuerza a la conformidad pero permite un amplio rango de expresión de puntos de vista. Algunas veces un acuerdo potencial se vuelve evidente a través de este proceso. Otras, se hace obvio que no es posible la coherencia de los puntos de vista. O en otras emergen soluciones creativas.

Un enfoque similar puede utilizarse para unir las energías al comenzar una reunión. Se puede invitar a los participantes a hablar con brevedad acerca de aspectos personales o profesionales o mencionar algo que tengan en mente. En vez de obstruir los "negocios" con los problemas personales, este proceso parece respetar pero no avivar estos últimos. Con frecuencia he tenido la experiencia de iniciar reuniones de este modo y la agenda oficial se ha desarrollado con una tranquilidad y una rapidez particulares. Pero esta técnica no se debe utilizar como un ritual vacío, en el cual no se escucha con atención a las personas.

Prestar atención a los ciclos y permitirles seguir su curso es también un proceso más femenino. Por ejemplo, incluye el juicio de la conveniencia de la acción y la suspensión de ésta, y trabaja con los modelos de energía de las personas y no las invalida, reconoce el valor de "detenerse" e incorpora fases de preparación y relajamiento como parte de una visión de acción más cíclica. Con frecuencia, el resultado puede ser sorprendente. Una escasa motivación no es necesariamente "pereza" pero puede traer mensajes acerca de la tarea que, si emerge, puede transformar su naturaleza. Por supuesto, respetar los modelos de energía debe equilibrarse con una medida de persistencia y logro derivada más de los principios masculinos que de la habilidad de la compañía.

¿Se respetan las fases de energía y se trabaja con ellas? ¿Cómo se reacciona cuando la energía se rompe? ¿Se intenta sostenerla en forma artificial o se prosigue así aprendiendo sus lecciones? ¿Se sabe cuándo persistir y cuándo ceder?

Los nuevos modos de operación necesitan repetirse mucho para establecerse. Al comienzo se deben presentar conscientemente, después se volverán habituales.

Desarrollo de habilidades administrativas que facilitan el trabajo con los valores femeninos

Tanto las habilidades de observar y cuestionar el mundo habitual como las de reestructurarlo, propuestas en este capítulo, requieren desarrollar la conciencia del equilibrio interno entre los valores femeninos y masculinos y la disposición de experimentar con éstos. Tal exploración facilita una actitud de respeto a la diversidad. Muchas formas de conciencia y de capacitación en habilidades personales amplía estas dimensiones en forma productiva. Con frecuencia las personas poseen características capaces de crear o participar en ambientes en los cuales los valores femeninos y masculinos mantienen un diálogo productivo. Estas son:

1. La habilidad de escuchar las grandes cualidades y adoptar este enfoque en muchas de las situaciones.
2. La actitud de aceptar cosas a medida que aparecen como una base inicial de ser y de actuar.
3. Una actitud de razonar y cuestionar utilizada para aumentar la conciencia de otras personas (cuando los líderes formales –que tienen opciones y presiones de afirmarse como tales– adoptan esta postura que tiene efectos muy significativos).
4. Una competencia emocional: conscientizarse de sus propios sentimientos y limitaciones, y una capacidad de expresarlos con otras formas de conocimiento.
5. Unas habilidades de atención que les permitan mirar su mundo interior y exterior al mismo tiempo.

■ Un ejemplo

Para cerrar estas exploraciones se ofrece el ejemplo de una organización en la que a veces tienen lugar algunas de las sugerencias.

La organización es el concejo del distrito de Wrekin, en la Gran Bretaña. Tiene una fuerza de trabajo de casi 1.500 personas y no es un modelo de virtud, pero es abierta, flexible y responsable en aspectos que hacen su cultura poco usual. He estado vinculada a Wrekin desde mediados de la década de los años 80. Ahora soy consultora ocasional de un equipo de la empresa que trabaja en asuntos de la cultura organizacional que efectúa los proyectos y mantiene informados a los directores ejecutivos (en sí esto es una distinción, una cultura de aprendizaje en acción). Para comenzar hemos estatuido juntos un "retrato" cultural[23]. Un tema clave ha sido "orientarlo a las personas": por ejemplo, fortalecer la autonomía de los empleados y respetar las demás funciones de sus vidas.

Yo estaba trabajando con el equipo un día que planeaban su siguiente presentación ante los directores, y querían que yo asistiera. Dije que no podía hacerlo porque la reunión era el segundo día festivo del calendario escolar de verano; no quería estar lejos de mis niños y al día siguiente visitarían a sus abuelos. La respuesta del grupo fue: "Tráelos", y me ofrecieron inscribirlos en sus planes de recreación. Yo acepté su oferta.

A nuestra llegada nos llevaron al lugar acordado y nos presentaron al equipo, que estaba enterado de nuestra situación. Permanecí allí hasta dejar instalados a mis hijos y luego fui a la reunión. La presentación terminó al final de la mañana y después

[23] Marshall, J. y A. McLean, "*Reflection in Action: Exploring Organizational Culture*", en P. Reason (ed.), *Human Inquiry in Action*, Londres, Sage, 1988, pp. 199-220.

almorcé con el director ejecutivo, el gerente de personal y el equipo de cultura. Más tarde me reuní con el director ejecutivo para continuar la discusión. Entonces me aclaró que estaba enterado de que yo había venido con mis hijos y planeamos la forma de unirme a ellos y tomar el tren que necesitábamos. Estos planes funcionaron. En ningún momento me sentí menospreciada por el hecho de ser madre o que no debía cobrar la tarifa usual de mis servicios o que estuvieran en duda mi competencia, mi capacidad o mi concentración. Me sentí aceptada por todos.

Este ejemplo me impresionó mucho en cuanto a las suposiciones comunes de las personas, la condición de madre y la competencia. Con frecuencia las personas, en especial las mujeres, se sorprenden cuando les cuento esto; es difícil considerarlo posible... por el momento.

■ Reflexión

Al concluir este aporte me quedo con mis propias observaciones y preguntas. La intención no es glorificar los valores femeninos y despreciar los masculinos, pero mi posición puede sugerirme hacerlo. He llegado a sentirme incómoda de repetir "valores femeninos", lo cual parecía necesario para estructurar los problemas y dar algunas aclaraciones, pero la repetición me ha hecho más consciente de lo simplificada y útil que es esta noción. Me he vuelto más consciente de cómo las expresiones frágiles y provisionales de una vía alternativa deben necesariamente existir, y cuán ingenuas y triviales parecen si se analizan con los parámetros de la cultura dominante.

Al escribir este capítulo a veces he perdido la fe, al pensar que mi experiencia y la de otros corran el riesgo de parecer posibilidades excesivas. Pero tengo la sensación que, a la vez, los cambios implicados son profundos y mínimos, que vivir otra visión del mundo es un paso importante y sólo un cambio que se vislumbra a lo lejos como mirar a través de las diferentes caras de un cristal. Creo que sí está surgiendo la disposición para las transformaciones.

Aunque me pregunto qué futuro es y quién puede teorizar acerca de él. Temo que habrá una competencia para definirlo, pero creo que los valores femeninos y otras voces marginadas, incluso en el planeta, serán lo suficientemente fuertes para sostenerse en la arena de ataque. En el momento éstas necesitan protección y algún apoyo deliberado. Pero también creo que son aspectos centrales de la experiencia humana, relacionados con el sentido interior de significado que algunas veces logramos cuando reducimos la marcha, respiramos profundo y vemos a nuestros compañeros y al resto del mundo con más compasión. Esta voz interior oscila, se abre al cuestionamiento, crece y cambia, pero es fuerte a su manera. Su aceptación de la vulnerabilidad es su principal fortaleza.

PALABRAS DE OTROS, 5

"Hay que cambiar el pensamiento y también el modo de operación. No es suficiente tener tan sólo una nueva política: se requieren nuevos métodos de organización, porque *la política está en la implementación*".
E. F. Schumacher

"Cualquiera que me relacione con las primaveras ocultas de la vida, cualquiera que aumente en mí el sentido de la vida es mi líder".
Mary Parker Follett

"Su representante le da no sólo su industria, sino su juicio y lo está traicionando si lo sacrifica con respecto a lo que usted opine.
Edmund Burke

"Por medio de lo desconocido encontraremos lo nuevo".
Charles Baudelaire

"A pesar de que durante más de 2.000 años de historia de la escritura el concepto de sabiduría ha desempeñado un papel importante, la noción parece desaparecer de la escena científica moderna".
Chandler y Holliday

"Los individuos pueden juntar sus manos y promulgar la democracia. Pueden establecer su dominio y supremacía propios mediante el rechazo de lo dado, lo mecánico y lo impersonal. Trabajando juntos, reflexionando juntos, forjando la comunidad juntos tal vez superen por lo menos lo intolerable; quizá puedan transformar su mundo".
Maxine Greene

"Es necesario un pensamiento para cambiar el mundo, pero primero debe cambiar la vida del hombre que lo efectúa . Éste debe ser el ejemplo".
Albert Camus

"No existe un camino libre para el futuro. No hay autopistas pavimentadas. No hay autopistas pavimentadas desde el hoy hasta el mañana. Sólo hay desiertos. Sólo terreno incierto. No hay mapas de carreteras. No hay señales en la vía. Entonces promover líderes se confía a la brújula y al sueño".
Robert L. Swiggett, presidente de la corporación Koll Morgan, Estados Unidos

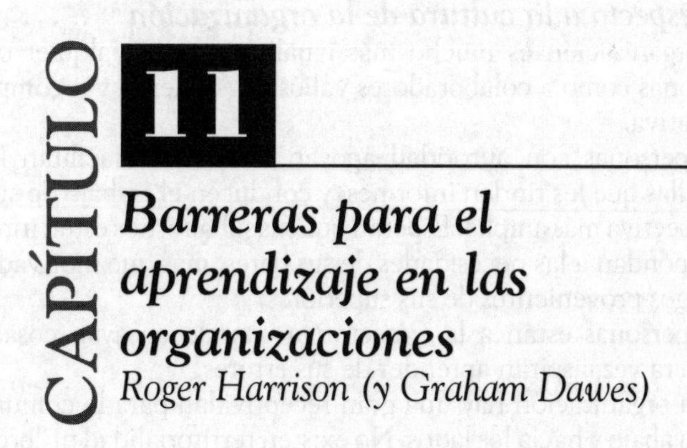

CAPÍTULO 11

Barreras para el aprendizaje en las organizaciones

Roger Harrison (y Graham Dawes)

■ Introducción

Como consultor de desarrollo organizacional, siempre me ha interesado que las personas aprendan nuevas formas de trabajar y de relacionarse entre sí. Sin embargo, según mi experiencia (y la de otras personas) no ha sido claro el enfoque que se le ha dado al aprendizaje). Algunas veces la prioridad no es tanto el aprendizaje, sino resolver problemas inmediatos. También hay una confusión entre las diferentes clases de procesos de aprendizaje. El adiestramiento, el aprendizaje mediante ensayo y error, la experimentación planeada, el rediseño del trabajo y la planeación estratégica pueden ser procesos de aprendizaje, pero no todos construyen la capacidad de los individuos para aprender ni la mayor parte de ellos construyen los sistemas de cooperación ni el compromiso compartido para aprender lo que los promotores de la organización aprenden unos con otros sobre unas bases continuas.

Aunque a menudo no es claro lo que las personas quieren decir cuando se refieren a "una organización de aprendizaje", mi intento de definir sus cualidades es el siguiente: Creo que la mayoría de las personas tienen en mente muchos de los elementos que se mencionarán a continuación, al considerar la pregunta: "¿Cómo convertimos las organizaciones en sistemas de aprendizaje?".

A *nivel individual* . . . .

- Los individuos innovan e inician. Creen que al hacer las cosas bien sus éxitos serán recompensados y que su fracaso se puede considerar como un paso en el proceso de aprendizaje.
- Los individuos desarrollan buenos hábitos de aprendizaje. Plantean muchos interrogantes, llevan a cabo experimentos para probar sus ideas, de manera libre y abierta agrupan la información en lo que funciona y lo que no funciona.
- La avidez de las personas por obtener datos y experiencias de primera mano excede sus diferencias con respecto a las personas con autoridad.

Con respecto a la cultura de la organización

- La organización es mucho más igualitaria que cualquier otra cosa. Trata a las personas como a colaboradores valiosos. Alimenta y recompensa su creatividad e iniciativa.
- Las personas con autoridad apoyan, aceleran y facilitan las contribuciones de aquellas que les rinden informes, y conducen el trabajo de sus unidades hacia una perspectiva más amplia. Esperan que sus subalternos estén internamente motivados y respondan a las necesidades de sus pares, más que motivados por recompensas y castigos provenientes de sus superiores.
- Las personas están a la expectativa cuando ensayan cosas; si no funcionan la primera vez, aspiran aprender de sus errores.
- En la organización hay una gran receptividad para la comunicación hacia arriba, hacia abajo y hacia los lados. No existen territorialidad ni "propiedades exclusivas". Es fácil encontrar un oído receptivo para las ideas de los demás.
- Los individuos están autorizados a contribuir de acuerdo con sus habilidades y sus necesidades de desarrollo, más que por sus posiciones en la organización. Las ideas se juzgan según sus méritos y no por la función o el estatus de la persona que las promueve.
- Las normas y los valores de la organización se basan en la cooperación y el apoyo mutuo. Las personas se ayudan unas a otras más allá de las necesidades formales de su trabajo, y se valoran por compartir sus conocimientos, experiencias y talento más que por dedicarse a sus logros individuales.
- Las personas, unas a otras, celebran sus logros y se afligen por sus fracasos. Hay un sentido de comunidad, camaradería y protección.

Los lectores que están familiarizados con mi trabajo sobre culturas de la organización y sus niveles de conciencia asociados, reconocerán en las líneas las cualidades y características de las culturas que he denominado logro y apoyo o, en mi trabajo más reciente, autoexpresión y mutualidad[1,2,3,4,5,6,7]. Tales culturas de la organización propenden a apoyar la cooperación, la iniciativa y el riesgo personal. Las organizaciones tradicionales con culturas orientadas al poder y a la función (transaccionales) tienden a bloquear el aprendizaje de las personas en los niveles bajos de la pirámide y a confiar mucho en los premios y en el miedo a desempeñarse, mediante estructuras, reglas y

1 Harrison, R., "*Understanding your organization's character*", *Harvard Business Review*, mayo-junio 1972.
2 Harrison, R., *Organization Culture and Quality of Service*, Londres, Association for Management Education and Development, 1987.
3 Harrison, R., *Culture and Levels of Consciousness in Organizations*, Mountain View, CA, Harrison Associates, Inc., 1990.
4 Harrison, R., *Humanizing Change: Matching Interventions to Organizational Reality*, Mountain View, CA, Harrison Associates, Inc., 1991.
5 Harrison, R., *Towards the Learning Organization: Promises and Pitfalls*, Framingham, MA, Innovation Associates, 1992.
6 Harrison, R. y H. Stokes, *Diagnosing Organization Culture*, San Diego, CA, Pfeiffer & Co., 1992.
7 Harrison, R., "*Working with organization culture: A workbook & manual for the instrument*", *Diagnosing Organization Culture*, Mountain View, CA, Harrison Associates, Inc., 1990.

procedimientos rígidos que bloquean las comunicaciones y coartan la iniciativa y la cooperación intergrupal.

Con respecto a todo el sistema

- Las personas cuyas funciones las colocan en los extremos de la organización se valoran por la inteligencia que irradian en el entorno: los desarrollos tecnológicos, los mercados, los clientes, el gobierno y el público. Como todos en la organización también viven parte del tiempo en el entorno, están motivados para aportar tal información. Así mismo se han desarrollado sistemas para clasificar y distribuir la información ambiental a las personas que puedan utilizarla.
- Todos suponen tener una "necesidad de saber". Un gran pacto de esfuerzo, tiempo y tecnología que se dedica a desarrollar el "holograma organizacional", en el cual cada parte entiende, aprecia y honra su interdependencia con las otras partes y el todo.
- La organización desarrolla y utiliza *tecnologías participativas* para:
  – Dar a todos en la organización una comprensión y apreciación del estado del desempeño y funcionamiento interno y externo de la organización, y de los requerimientos y las necesidades ambientales que enfrenta.
  – Capacitar a todos para contribuir con la calidad del pensamiento y la planeación estratégica de la organización.
- El organigrama más parece una red que una pirámide, muestra interdependencia de tareas y de información, así como de estructuras de responsabilidades.
- Se presta atención a la elaboración de mapas de "nodos" o "ganglios" de la red, en los cuales convergen todos los puntos con un impacto significativo en el éxito de una tarea, proyecto o función. La organización desarrolla sistemas y procesos para facilitar el aprendizaje mutuo en estos nodos.
- La organización invierte mucho en aprendizaje. Su horizonte en el tiempo es más amplio que el de muchas otras entidades, y sus estrategas están dispuestos, cuando sea necesario, a renunciar a los resultados a corto plazo en favor del posicionamiento a largo plazo.
- Los miembros de la organización tienen un sentido de su propósito y su labor además de generar beneficios. El sentido compartido de un valor y un significado mayores para la existencia de la organización justifica y apoya el equilibrio entre el pensamiento a corto y a largo plazos y entre los valores humanos y económicos.

Por fortuna, una organización no necesita poseer todas estas cualidades y características para manifestar mejores niveles de aprendizaje que los comunes. Muchas de las cualidades y condiciones mencionadas son poco comunes en las organizaciones de hoy. Sin embargo, bastantes están dentro de los logros de las organizaciones con las que trabajo y me dan la confianza de que la persistencia en este esfuerzo de desarrollo será recompensada.

Mi confianza proviene de la lectura de las necesidades actuales y futuras. Todos, como individuos o como organizaciones, debemos *aprender a aprender* bien y de manera continua. La competitividad actual y el paradigma de explotación están destruyendo con rapidez la capacidad del planeta para sostener nuestra vida (hay que transformar nuestro modo de pensar, aprender y entender los más altos niveles de conciencia que nos conducirán a la armonía con los demás y con nuestro entorno). Como individuos, como organización y como especie nuestra situación es precaria. Las cosas que estamos haciendo para enfrentar los problemas causan más perjuicio que beneficio. Para prosperar, incluso sobrevivir, el aprendizaje debe ir más allá de cómo hacer las cosas mejores y con más rapidez en nuestro marco conceptual actual (hay que aprender cómo transformar nuestras organizaciones, nuestras instituciones y a nosotros mismos).

Quizá sólo el desastre de un cataclismo conmocionará de tal manera nuestro modo de pensar como para estimular la evolución necesaria. Pero las semillas del nuevo pensamiento se sembrarán para siempre en las fronteras de lo común y lo conocido. La inversión en la alimentación de estas semillas de nuevos modos de aprendizaje proporcionará modelos para sobrevivir en transiciones de cataclismos futuros y retribuirá dividendos más tangibles a mediano plazo. Sólo esta creencia permite a conciencia llevar a cabo proyectos para líderes y gerentes que, sin considerar en privado cuán idealistas sean, han de producir resultados positivos en sus organizaciones imperfectas en un tiempo razonable.

■ Aprendizaje de alto orden

Para enfrentar los cambios actuales y futuros, las organizaciones han de elevar a un orden más alto sus procesos de aprendizaje. En las organizaciones tradicionales estos últimos son el polo de contraste, que no concibo como un "aprendizaje de bajo orden", sino como un "aprendizaje común", actividades y procesos que por lo general se encuentran en las organizaciones orientadas al poder y a la función. Dichas actividades incluyen el adiestramiento y otros procesos de aprendizaje cuyo propósito es transferir conocimientos y habilidades que la organización posee y que el empleado necesita saber y estar en capacidad de hacer. Incluyen aprendizaje mediante ensayo-error y "aprender haciendo"; enfoques de solución de problemas que intentan aislar los problemas y tratarlos fuera del contexto y de sus conexiones sistemáticas con otras partes de la organización o del entorno; procesos informales y sólo parcialmente conscientes mediante los cuales se aprende la cultura de la organización: a quién hemos de prestar atención o ignorar; cuáles reglas deben ser obedecidas y cuáles violadas impunemente; qué diferencia los valores adoptados de los valores en acción; qué acciones y actitudes conducen a la recompensa y el reconocimiento y cuáles generan consecuencias menos placenteras.

Estos "procesos de aprendizaje común" también ocurren en organizaciones que manifiestan "aprendizaje de alto orden". Muchas veces el aprendizaje de alto orden es un "algo más" y no necesariamente un "en vez de". Sin embargo, los procesos de aprendizaje común a menudo actúan como bloqueos y barreras en el aprendizaje de alto orden. Entonces, hemos de cambiar nuestros modos de pensar, aprender y entender si vamos a liberar los procesos de orden más alto.

Algunos criterios de aprendizaje de alto orden, que ayudarán a estructurar lo que de otra manera sería confuso, son los siguientes:

- *El aprendizaje de alto orden requiere atención constante del proceso de aprendizaje.* El aprendizaje es uno de los valores de la cultura de la organización. Hay aprendizaje al hacer parte de todas las actividades de la organización. Llevar a cabo acciones incluye examinar las consecuencias y los resultados de la acción, entonces *no hay acción sin aprendizaje.*
- *El aprendizaje de alto orden es más amplio y su alcance es más largo.* Se va más allá de la búsqueda de las causas inmediatas de los síntomas y con rapidez encaja en un intento por comprender todo el sistema y la relación con el entorno, y la evolución de éstos con el tiempo. Lo anterior significa que cuando existe un problema, por lo general es formulado en términos más complejos que los inicialmente establecidos para comprender cómo encaja en el sistema más amplio y cómo se relaciona con el entorno del sistema. Entonces, con frecuencia se descubrirá que las causas están lejos en el tiempo y en el espacio de los efectos y los síntomas que se desean cambiar.
- *El aprendizaje de alto orden es autoiniciado y autodirigido.* Los miembros de la organización asumen las responsabilidades a partir de su propio aprendizaje en vez de confiar la capacitación y el desarrollo de oportunidades a autoridades y profesionales.
- *El aprendizaje de alto orden es más global que local en el uso que hace del pensamiento sistémico, la atención a la complejidad de las relaciones y la preocupación por el todo y no por las partes.* A medida que el alcance de solicitudes se amplía más allá del ámbito local, se descubrirá que la solución a un problema en una parte del sistema, por lo general crea problemas en otras. Así, las actividades del aprendizaje de alto orden son probablemente cambiar los problemas que necesitan soluciones por dilemas que requieren una decisión entre opciones imperfectas. Al momento de tomar la decisión las acciones se basan en una comprensión de la mezcla de consecuencias, positivas y negativas, que tal vez produzca resultados.
- *El aprendizaje de alto orden incluye suposiciones básicas de articulación y cuestionamiento y modelos mentales de realidad, y no limitación del cuestionamiento de los problemas al paradigma actual.* El aprendizaje de alto orden incluye, aunque no está limitado a esto, lo que en todas partes se denomina "aprendizaje de segundo orden". Además, incluye el cuestionamiento de los valores y las normas organizacionales, en particular las que limitan el aprendizaje ignorando de manera sistemática ciertos problemas, comportamientos y modelos, aceptándolos como indiscutibles. Estos aspectos de la cultura organizacional los denomino la *sombra*, debido a que hay fuertes influencias en el comportamiento que son invisibles y desconocidas. Éstas no son necesariamente negativas pero operan fuera de nuestra conciencia. Traer la sombra a la luz puede liberar la creatividad y la energía de la organización porque aumenta la *decisión* en forma significativa.
- *El aprendizaje de alto orden incluye la creación de sistemas de aprendizaje, denominado a veces "aprendizaje organizacional", al igual que aprendizaje individual.* La organización que opera como un sistema orgánico de aprendizaje se capacita más para incluir y comprender información compleja del ambiente y modificar su comportamiento sobre la base de esa información. A menos que la organización esté bien desarrollada como un sistema de aprendizaje, frustrará los intentos individuales de

sus miembros de poner en práctica su aprendizaje, y sus conocimientos y sabiduría no se utilizarán por completo.

■ Barreras contra el aprendizaje en las organizaciones

Entre las fuertes barreras para el mejoramiento del aprendizaje en las organizaciones, las dos más importantes son:

- La inhibición del aprendizaje por el miedo, la ansiedad y otras fuertes emociones negativas en la organización.
- La tendencia a la acción, inherente al carácter de la mayoría de los líderes y administradores y al de la cultura de sus organizaciones.

Aquí no se ofrece una cura segura para ninguna de ellas; son parte de la estructura de la vida organizacional. Hay que tenerlas en cuenta si se espera crear organizaciones como sistemas de aprendizaje, pero antes de saltar a las "soluciones" hay que ser claros respecto de la naturaleza de estas y otras barreras.

El miedo inhibe el aprendizaje en las organizaciones

Por la psicología sabemos que despertar un modesto grado de sentimientos (rabia, miedo, emoción) promueve la atención y al parecer facilita el aprendizaje; en altos grados, el aprendizaje puede decaer con rapidez. Lo que mis colegas y yo vemos cada vez más en Norteamérica y Europa son organizaciones donde las personas luchan por aprender y adaptarse a altos niveles de cambio mientras trabajan sometidas a pesadas cargas de miedo, resentimiento y ansiedad.

Diferencias entre miedo y ansiedad

En este análisis es importante distinguir entre miedo y ansiedad (angustia) en las organizaciones. Cuando inicié mi práctica de consultoría advertí mucho miedo. Con frecuencia, las personas temían la autoridad del jefe. Quienes padecieron las dificultades de la Gran Depresión temían estar de nuevo sin empleo. Muchos tenían miedo de expresar sus puntos de vista acerca de la realidad organizacional porque temían estar "fuera de lugar" o parecer "excéntricos". Estos miedos eran más o menos específicos y podían articularse con claridad cuando se establecía confianza con la persona.

Ahora es diferente. Si bien todavía existen los miedos específicos a la autoridad, al rechazo de los compañeros o a perder el trabajo, hay muchas organizaciones en las cuales se delega autoridad y autonomía a las personas, en contraste con lo que ocurría hace veinte o treinta años. Sin embargo, aun en esas organizaciones parece haber una nube más oscura de ansiedad experimentada por la mayoría de las personas en la organización. Con frecuencia es muy sutil y muchas veces no es específica.

La ansiedad no tiene un *objeto* como sí lo tiene el miedo, y por lo general es difícil de enunciar. Se le conoce mejor por sus efectos, que incluyen un sentimiento general de dificultad o malestar, una tendencia a ser disperso o muy estricto en el propósito de cada cual, una fuerte inclinación a adoptar comportamientos adictivos como el abuso de sustancias o la obsesión por el trabajo, una incapacidad para concentrarse o reflexionar con profundidad acerca de los problemas organizacionales y la preferencia por el pensamiento a corto plazo.

El miedo siempre ha estado presente en las organizaciones y quizá no sea más importante ahora que en el pasado. De hecho, la tendencia a delegar autoridad lo ha disminuido de manera sustancial. Aunque el miedo puede haber disminuido, el incremento de la ansiedad parece más general. Cada vez más mis colegas informan que tales modelos prevalecen en las organizaciones para las que trabajan. Éstos se aprecian en muchas organizaciones de éxito en curvas de crecimiento muy pronunciadas, al igual que en las que luchan con la competencia. Al parecer, la diferencia consiste en que en las organizaciones que lo hacen mal hay más miedos y ansiedades específicas en cuanto a la posibilidad de perder el empleo, en tanto que en las de éxito las personas experimentan una ansiedad más pasajera.

Además de los temores ocasionados por la reducción de personal mediante la reestructuración y la nivelación de las organizaciones de negocios, junto con los tiempos difíciles y los desplazamientos tecnológicos, en general las personas se sienten inseguras económicamente. Hay un sentimiento creciente de que nuestro planeta no puede sostener los altos niveles de afluencia a los cuales estamos acostumbrados en los países desarrollados. Mientras las personas no estén dispuestas a creer que los desastres sucedidos en los antiguos países comunistas sucederán de manera inevitable en Occidente, somos conscientes cada vez más de las interdependencias económicas complejas que nos hacen siempre más vulnerables a los problemas de otros.

Hay un sentimiento de dificultad y un hado inminente que se cierne sobre nosotros y no es tanto un miedo de algo específico, sino la ansiedad asociada con la incertidumbre general acerca de cuáles son las causas de nuestras dificultades, qué futuro nos espera y qué podemos hacer para incidir en él de una manera positiva.

Las fuentes de rabia y resentimiento

La rabia y el resentimiento también aumentan a medida que las organizaciones más grandes desmantelan el contrato implícito que tienen para manejar las relaciones burocráticas entre la organización y sus empleados gerenciales y de "cuello blanco". Cada vez más las personas necesitan cambiar y aprender nuevos modos de pensar, nuevas actitudes y nuevos comportamientos como condiciones para mantener su empleo. Aun cuando no enfrentamos en forma activa tal elección, hay otras personas que sí lo hacen.

Lo que se comunica a los miembros de las organizaciones después de años de satisfactorio servicio es que de repente no son tan buenos, y que tal vez prescindan de ellos si no actúan de consuno, lo que en muchas organizaciones ocasiona una nube de emotividad negativa que se cierne sobre la vida laboral de sus empleados. En dichas organizaciones las personas sentían que tenían buenas razones para creer que si seguían las normas y se desempeñaban de manera adecuada, podían contar con un trabajo de por vida y una buena jubilación. La vieja creencia de que la seguridad se daba mediante grandes organizaciones burocráticas a cambio de la lealtad y el conformismo de los empleados ha dado paso a una actitud agresiva y de intereses egoístas en el empleador y el empleado. Ese contrato implícito se ha terminado en muchas organizaciones en los Estados Unidos y la Gran Bretaña y, en consecuencia, hay más ansiedad, rabia y resentimiento.

Enfrentados con el resentimiento y las reducciones de personal, muchos de los trabajadores de hoy no saben si tendrán empleo mañana. Se sienten impotentes ante la pérdida inminente del empleo y tienen un amargo resentimiento con las organizaciones que los tratan cada vez más como bienes de producción que usan cuando les conviene y que arrojan en el ambiente social como productos de desecho humano en el proceso de producción.

Las traiciones en las organizaciones . . . .

Gran parte de la rabia y el resentimiento en las organizaciones se asocia con la *traición*. Una de sus formas tiene lugar cuando la parte más poderosa para un acuerdo fracasa en mantener la fe y termina el acuerdo en forma unilateral. La rabia por esta traición no se limita a la causa inmediata, sino que es alimentada por todas las veces que en el pasado fuimos engañados y defraudados por alguien en quien confiábamos o de quien dependíamos: los padres, los amigos y hermanos mayores, los profesores o los amantes.

Es una verdad que muchas de las organizaciones están empeñadas en la *transformación*, es decir, cambios en los modos fundamentales de percibir, comprender y evaluar el mundo alrededor de nosotros (a veces denominado "cambio de paradigmas"). Las transformaciones pueden ocurrir espontáneamente pero por lo general se ponen en movimiento por una dolorosa inconformidad: las cosas no son lo que parecen y no funcionan como se supone. Muchas transformaciones implican traición, en el sentido en que incluyen la terminación unilateral, implícita o explícita, de los contratos entre las organizaciones y sus miembros.

Con frecuencia las traiciones ocurren en torno a la reducción de las organizaciones mediante la cancelación del contrato de trabajo de personas que tenían razón para creer que sus empleos eran seguros, a tal punto que hicieron lo que se les indicó y siguieron las normas. Por lo general, incluye despidos permanentes; algunas veces la sensación de traición se agudiza porque la administración asegura que ese despido es el último. Otra traición frecuente incluye cambios en el trabajo o en el cargo, de manera que los individuos afectados pierden un poco de estatus o identidad que los hace creer que tienen merecida esa suerte y con razón.

El proceso de cambio y mejoramiento también encierra la posibilidad de traición. Con frecuencia las personas necesitan confiar, arriesgarse y tener iniciativa. Se les pide dar a partir de un lugar más profundo, yendo más allá de lo convenido en el contrato correspondiente de facultades y funciones en las organizaciones. En lugar de un trabajo simple y de recompensas vanas, se induce a las personas a trabajar por un propósito y un compromiso. En efecto, se les invita a trabajar por amor y lo que se les promete es nada menos que un orden nuevo en el cual la dignidad, el respeto, el apoyo y la camaradería mutuos toman el lugar del egoísmo, la explotación y la alienación.

Cuando las iniciativas de cambio carecen de esencia y compromiso a largo plazo de parte de los líderes ellos se suman a la seducción de la inocencia. Quienes "contratan" y "compran" son aquellos en quienes creer y confiar. Cuando los líderes fracasan en mantener el derrotero y entregan los sueños que han creado, la sensación de traición es mayor que cuando las personas pierden su trabajo mediante las operaciones "normales" de mercadeo, tecnología y ciclo de los negocios.

No se trata de meter las manos al fuego por los líderes, que están sujetos a la misma debilidad que los demás. Sólo es asunto de un proceso muy costoso en la transformación de las organizaciones. En Norteamérica no confiamos en los líderes. Cuando se nos induce a superar nuestras desconfianzas y a dar más de nosotros mismos, cualquier traición a nuestra confianza genera un profundo pesimismo que hace menos probable que las iniciativas futuras tengan credibilidad. Como razón principal considero que es más fácil generar confianza y desempeño motivado internamente en las organizaciones nuevas, lo que corresponde en las organizaciones antiguas a un legado de viejas traiciones que existe en muchas organizaciones que no tienen ninguna historia.

La subestimación que hacen los líderes de los efectos de las emociones negativas

Los líderes subestiman los efectos de las emociones negativas fuertes. Las personas eliminan esa negatividad en su interacción con las figuras de poder. No quieren parecer débiles, desleales o desmotivadas, y pueden temer las consecuencias de descubrirse como tales. Así, en primer lugar, la expresión de sentimientos negativos se autorregula. El miedo, la ansiedad y la rabia son indiscutibles en las organizaciones.

A veces es aceptable hablar de manera abierta de los miedos ajenos y casi nunca de los propios. La rabia y el resentimiento son un poco más fáciles de dirigir, aunque no tanto. Cuando las emociones fuertes afloran, el proceso rara vez es constructivo y se confirma la renuencia de las personas a tratarlos sin reservas.

Por su parte, la mayoría de los líderes no quieren enterarse de los sentimientos negativos de las personas. Saber que los subordinados están furiosos y resentidos aumenta la ansiedad. Saber que están ansiosos y temerosos deja sentimientos de impotencia en muchos de ellos. La mayoría de los administradores son hombres, hombres con frecuencia violentos al tratar con su aflicción o la de otros. Para los líderes es difícil escuchar y admitir la existencia de problemas emocionales cuando no se sienten capaces de tratarlos con eficacia. Se sienten responsables por el bienestar de sus subordinados y no saben cómo ayudarlos. Así, por una variedad de razones, administradores y líderes desestimulan, sutil o abiertamente, la expresión de las emociones negativas.

Debido a que ellos no están en contacto con el dolor en sus organizaciones, con frecuencia buscan desarrollar programas (iniciativas de calidad, reorganizaciones, mejoramiento del servicio, etc.) que requieren fuertes inversiones en el aprendizaje y un seguimiento directo de los eventos organizacionales traumáticos, como la reducción de personal. Además, lo hacen porque están sometidos a fuertes presiones para mejorar el desempeño organizacional y pasan esa presión de uno a otro en el establecimiento de las jerarquías. En parte, ellos no saben con certeza cuán traumatizados y estresados están los miembros de la organización, y cuando son conscientes, no saben cómo remediarlo.

En tales condiciones el aprendizaje es difícil y con frecuencia de bajo orden. Las personas hacen lo que se les indica, pero no corren riesgos ni toman iniciativas, no experimentan y rehusan a participar. Si se desea enfocar la transformación de las organizaciones hacia sistemas de aprendizaje de alto orden, o si sólo se quiere que la organización sea un lugar que apoye el aprendizaje y el crecimiento de los individuos y los grupos, hay que encontrar modos de aliviar la angustia y el trauma, para mejorar sus efectos en el aprendizaje.

La acción como evasión del aprendizaje

A menudo los miembros de la organización manifiestan que están recargados con tareas urgentes para comprometerse con investigaciones y reflexiones más profundas acerca de las causas de los problemas. Esta afirmación se basa en la cantidad de tiempo que las personas dedican al trabajo. La mayoría de mis clientes están trabajando más duro como nunca antes lo había visto en mis años de consultor; están ocupados no sólo con las operaciones administrativas, sino con reuniones interminables dedicadas al cambio y a la solución de problemas.

La mayoría de mis clientes se consideran decididos y orientados a la acción. Manifiestan que necesitan la información requerida para tomar una decisión y adelantar el trabajo de implementarlo, y les creo. También observo, y ellos lo confirman, que en las reuniones fracasan en lograr una decisión, porque la información que se necesita no se obtiene o el curso correcto de la acción no es claro o hay serias desventajas en cada una de las propuestas que hay sobre la mesa. No son decididos u orientados a la acción. Se sienten indecisos y frustrados, debido a que parecen estar perdiendo el tiempo en el procesamiento interminable de los mismos problemas. A menudo tienden a interpretar su incertidumbre como una falta del coraje para decidir; por tanto, interpreto esto como la expresión de una necesidad desconocida de un aprendizaje más profundo.

Un círculo vicioso impide el aprendizaje

Las personas están motivadas por la tarea urgente de decidir con rapidez y de avanzar, pero la inseguridad, la ansiedad y el miedo de fracasar los lleva a perder mucho tiempo en reuniones inconclusas y en otras ocupaciones "inoficiosas". Muchos de los integrantes de las grandes organizaciones experimentan más seguridad cuando llevan a cabo los aspectos estructurados y habituales de sus trabajos en los cuales saben que pueden tener éxito. En este ambiente familiar son decididos. Frente a lo desconocido y lo ambiguo sienten aversión a la aventura, y tomar una decisión es muy arriesgado.

A menudo la decisión es arriesgada porque la misma situación no tiene a mano la *solución* del problema; en cambio, hay un *dilema* que requiere que los participantes hagan y vivan con las consecuencias de una elección entre las alternativas que conducen a una mezcla de resultados convenientes e inconvenientes. El tiempo dedicado a las reuniones aumenta la sensación de urgencia y reduce la disponibilidad para dedicarse a deliberaciones reflexivas.

Los hombres y las mujeres de acción ven la reflexión y la investigación profundas como si no condujeran con rapidez a resultados concretos. Ellos harían algo en seguida y entonces darían el siguiente paso con base en el resultado. De este modo, muchos de los problemas resueltos en las organizaciones se llevan a cabo mediante el proceso de ensayo-error. Infortunadamente, este procedimiento sólo conduce a una reparación permanente si las verdaderas causas de los problemas están cerca de sus efectos en tiempo y espacio. Si están ocultas en la complejidad de un sistema más grande, este método de solución de problemas por lo general los exacerba.

Otra razón para eludir la reflexión profunda consiste en que al comienzo conduce a experimentar la situación como más compleja de lo que parecía, lo que aumenta la ansiedad y la frustración de las personas. Así, las actividades de aprendizaje que podían conducir a un sentido de mayor claridad respecto de las elecciones implicadas y a una mayor comodidad con los resultados se eliminan debido a que a corto plazo aumentan el dolor (*véase* Figura 11.1).

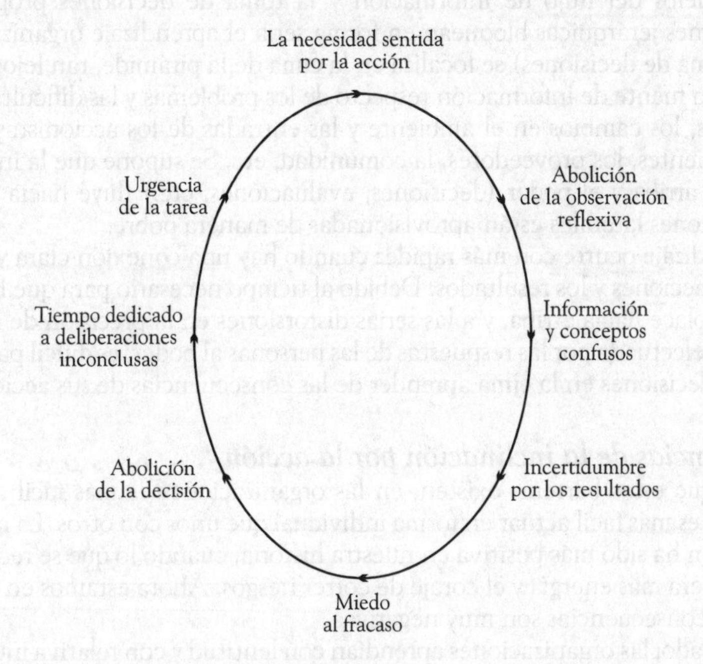

Figura 11.1

Se requiere coraje y voluntad para romper el círculo y tomar el tiempo para examinar la situación con más profundidad y complejidad. El estímulo de un consultor ayuda; el apoyo de una autoridad más alta es más potente. Más eficaz aún es el apoyo de una cultura organizacional en la cual la demanda de cambio y un desempeño más alto se equilibran con la compasión por la fragilidad humana (las dudas, los miedos, los temores, la renuencia y el resentimiento que la mayoría de nosotros experimenta cuando es necesario cambiar y crecer). En tales organizaciones no siempre se tiene que proyectar una imagen de competencia y seguridad. Podemos compartir nuestras incertidumbres y frustraciones y, al hacerlo, aliviamos la carga individual.

La competencia inhibe el aprendizaje . . . .

Los sentimientos y las actitudes competitivas restringen el aprendizaje. En parte esto lo ocasionan las características de la personalidad compartida fomentadas en nuestra cultura por la educación y por los modelos de los padres. Éstas son intensificadas y alimentadas por el sistema de recompensa que promueve la competencia. En muchas organizaciones, si no en la mayoría, el grado de competencia es dañino y enemigo del aprendizaje del individuo y la corporación. Esa instrucción no sólo se vuelve un recurso pobre en la batalla de todos contra todos, sino que la experimentación y el riesgo esenciales para el aprendizaje de alto orden son eliminados por el miedo de caer tras otros en la carrera interminable hacia el éxito.

Los modelos del flujo de información y la toma de decisiones propios de las organizaciones jerárquicas bloquean en forma seria el aprendizaje organizacional. El mando (toma de decisiones) se localiza en la cima de la pirámide, tan lejos como sea posible de la fuente de información respecto de los problemas y las dificultades en las operaciones, los cambios en el ambiente y las entradas de los accionistas externos, como los clientes, los proveedores, la comunidad, etc. Se supone que la información fluye hacia arriba y el poder (decisiones, evaluaciones, etc.) fluye hacia abajo. Las comunicaciones laterales están aprovisionadas de manera pobre.

El aprendizaje ocurre con más rapidez cuando hay una conexión clara y ágil entre la toma de acciones y los resultados. Debido al tiempo necesario para que la información se desplace hacia arriba, y a las serias distorsiones en la precisión de la retroalimentación efectuada por las respuestas de las personas al poder, es difícil para quienes toman las decisiones en la cima aprender de las consecuencias de sus acciones.

Consecuencias de la inclinación por la acción . . . .

Debido a que estas barreras existen, en las organizaciones es más fácil actuar que aprender, y es más fácil actuar en forma individual que unos con otros. La inclinación por la acción ha sido más positiva en nuestra historia, cuando lo que se requería para tener éxito era más energía y el coraje de correr riesgos. Ahora estamos en un tiempo en que sus consecuencias son muy negativas.

En el pasado, las organizaciones aprendían con lentitud y con relativa inconciencia por medio de sus reacciones a los cambios internos y externos. Aprendieron a fuerza de resolver los problemas a medida que surgían, aislando cada problema e implementando una solución sin mucha consideración de cómo el problema estaba relacionado de manera sistemática con otros aspectos del funcionamiento de la organización. Cuando se aplicaba una solución en un lugar generaba otro problema en otro lugar, y éste se enfrentaba de nuevo aisladamente. Las cosas sí tendían a mejorar, pero con lentitud, y tras muchos intentos y sobresaltos. Sin embargo, donde el ambiente de la organización no cambia con rapidez, tal enfoque para el aprendizaje sí funciona. Mediante el procedimiento de ensayo-error se produce con el tiempo una buena adaptación entre el arreglo organizacional y dichas realidades ambientales, como los mercados, los recursos de provisión, las características de la fuerza laboral, etc.

El método de aprendizaje antes descrito está muy orientado a la acción. Se basa en la suposición de que existe algo que llamamos "obtenerlo correctamente", y podemos conocerlo cada vez más mediante aproximaciones más y más cercanas. Así que cuanto más rápido implementemos cada intento de soluciones, más rápido nos acercamos a la meta de la excelencia. El énfasis se hace en descubrir los problemas y aplicar las soluciones con energía y con prontitud.

Las organizaciones orientadas al logro de objetivos se inclinaban mucho a la acción y el aprendizaje mediante experiencias concretas y la experimentación activa, opuestas a la observación, la reflexión, la construcción de una teoría y la intuición. Las personas tienden a incorporar sus aprendizajes en las rutinas de acción, entonces son semiconscientes de lo que hacen. No desarrollan su experiencia a un grado de generalidad más alto. Allí se desarrolla una mentalidad de "disponibilidad, fuego, meta" que coloca a los miembros de la organización en el filo de la batalla, donde cada acción requiere una respuesta que requiere otra acción. El sentido de urgencia se alimenta por sí mismo, y las personas se sienten incapaces de sacar tiempo para reflexionar y comprender.

La solución de problemas y la acción en las organizaciones complejas .

Ahora militan dos factores contra el éxito de tales enfoques primitivos para el aprendizaje organizacional. Uno es la *complejidad* de los sistemas que nos esforzamos por optimizar; el otro es un *acoplamiento más cercano* de las partes del sistema. Cuando un sistema es complejo, hay muchas partes, cada una de las cuales tiene alguna relación con las otras y se afecta con los cambios entre ellas. Las organizaciones complejas tienen muchas partes que nunca podemos conocer o especificar su relación con las otras. En los sistemas muy complejos (por ejemplo, los reactores nucleares) los diversos procesos de medida de las operaciones del sistema cambian sus características de operación y tal vez es más difícil saber lo que sucede.

Los sistemas con acoplamientos más exactos tienen estrecha relación con las partes, de modo que un cambio en una parte produce cambios significativos en muchas otras. En los sistemas acoplados libremente los cambios en una parte tienen menos impacto en las otras y éstos toman más tiempo en extenderse por el sistema. Por ejemplo, los sistemas de producción continua tienden a ser acoplados de manera estrecha, mientras que los sistemas de procesamiento por lotes son acoplados con más libertad.

La solución de problemas: ¿perjudicial para la salud organizacional? .

Cuando intervenimos en una parte de un sistema complejo tenemos muchos efectos inesperados en las otras, además de los esperados en todas las partes que hemos elegido. Cuando el sistema se acopla con libertad, estos efectos tienen un impacto relativamente pequeño y su difusión es lenta. Cuando el sistema se acopla con exactitud, los efectos inesperados que producimos con nuestra solución del problema en una parte de la organización son esenciales y ocurren con mucha rapidez.

La solución de problemas locales en sistemas complejos acoplados con exactitud crea de inmediato efectos inesperados en otras partes del sistema, algunos de los cuales se convertirán en problemas para las personas que participan en dichas partes. A su vez, estas personas se dedican a buscar la solución de problemas más locales, creando más problemas en todas partes. Pronto el sistema empieza a complicarse y las personas deben trabajar duro para resolver los problemas generados en su interior que han producido los intentos de solución de los otros problemas. Debido a la tendencia a la acción (en oposición a la comprensión) que existe en muchas organizaciones, la presión que crea este círculo vicioso conduce a una actividad cada vez más frenética y a una consideración cada vez menos previsora de lo que en la actualidad está en funcionamiento y de cómo se relacionan entre sí los sucesos en cada problema particular. En estas circunstancias no es exagerado decir, parafraseando al cirujano general, que "la solución de problemas puede ser perjudicial para la salud de su organización".

La tendencia a la acción como adicción

Como la advertencia del médico a los fumadores, mi mandato contra la solución de problemas apunta a una adicción común. La adictiva calidad de acción y de solución de problemas es lo que los hace tan difíciles de cambiar. Considero la adicción como cualquier modelo de comportamiento que se adopta, para reducir el dolor y el miedo, y que no puede abandonarse sin experimentar el dolor y el miedo que enmascara. Después de varios años de observaciones cuidadosas me he convencido de que la acción frenética y la solución de problemas locales desarrolladas por organizaciones en la actualidad se explican, sólo de manera parcial, por consideraciones de trabajo racionales y, sobre todo, por el síndrome adictivo denominado "obsesión por el trabajo". El dolor y el miedo que enmascaran las normas obsesivas por el trabajo en las organizaciones expresan soledad y desvinculación de los otros, miedo al fracaso y a la incapacidad, y la desesperación y la vergüenza implicadas al poner energía, talento y creatividad en un sistema económico que por intuición cada uno de nosotros sabe que destruye la salud y los valores humanos porque es insostenible ecológicamente.

El dolor que concierne a todos aumenta cuando sacamos tiempo para estar tranquilos y callados; y disminuye con la actividad y en especial con la que implica situaciones dramáticas. En muchas organizaciones con las que trabajo, la sensación de drama y urgencia enmascara la desesperación profunda y el pavor indecible, y nuestra tendencia a la acción mantiene a raya la desesperación. Está de más decir que este punto de vista no es común en los clientes, ¡no es común en mí! Como ellos, encuentro un alivio y una sensación significativos al vincularme a sus situaciones dramáticas y mis miedos a la incapacidad se mantienen a raya haciendo mi trabajo de manera que parezca competente, casi siempre brillante.

Se ha aprendido mucho acerca del tratamiento de las adicciones en Alcohólicos Anónimos y sus ramificaciones. Aunque aquí no es adecuado explorar en profundidad cómo podría aplicarse ese trabajo a las organizaciones, vale la pena observar que el cariño, el apoyo, el ser desafiado a decir la verdad acerca de uno mismo y tener una vida espiritual parecen ser ingredientes importantes. Los métodos que incluyen estos componentes se pueden utilizar para comprender los modelos adictivos en nuestros modos de hacer y de ser en las organizaciones y, desde allí, liberarnos de nuestra dependencia de ellos. Sin embargo, hay que decir también que una adicción compartida (o cualquier defensa compartida frente a la realidad) es el asunto más difícil que debe tratar un consultor para dirigir a sus clientes de manera constructiva. Con frecuencia, uno tiene que esperar que la organización "toque fondo" en el sentido de padecer más dolor por la adicción que por las angustias y los miedos que ella enmascara.

Nada de lo que se ha dicho implica que el trabajo duro, de mucha energía y dedicación a las labores, sea en sí mismo negativo o perjudicial para la salud de las organizaciones o los individuos. El significado y el propósito de estos modelos consisten en la necesidad de cuestionarlos y confrontarlos, no en su existencia. Durante algún tiempo ha habido aspectos en los escritos de administración que deploran el pensamiento a corto plazo y la preocupación por los parámetros que se ha vuelto endémica en los negocios en Norteamérica. Este aspecto va en la misma dirección del razonamiento anterior. Hay una aprehensión general de no estar dirigiendo los problemas reales, de no estar pensando lo suficiente. Cuando nuestra atención cambie de los negocios individuales a los sistemas económicos más grandes o al ambiente global se hará evidente que la continua preocupación por soluciones inmediatas para los problemas locales es muy perjudicial y puede destruir los sistemas de los cuales dependen nuestra supervivencia y nuestra comodidad.

■ Más allá de las barreras

Hasta aquí sólo se han explorado, dos barreras para el aprendizaje en las organizaciones. Hay otras como:

- La incapacidad para reconocer en público aspectos del hacer y del ser de las organizaciones, contrarios al modo en que a los líderes y a los miembros de la organización les gustaría pensar de sí mismos. Esto produce incongruencia y socava la integridad.
- Las necesidades que no se cubren para proporcionar alivio en las organizaciones sufren cambios mayores. Se presta poca atención a trabajar en una mezcla de emociones fuertes producidas por altos grados de cambio.

Los consultores que tratan de estimular el aprendizaje en las organizaciones serán siempre requeridos. Lo mismo si se proponen ayudar a los administradores a superar las barreras. Aquí me limitaré a identificar los factores actuales de operación que deben orientarse mediante cualquier enfoque viable para el aprendizaje organizacional.

Como se indicó al comienzo de este artículo, un dogma clave del enfoque orientado al aprendizaje consiste en que cuando nos esforzamos para aumentar la capacidad de aprendizaje de un grupo o una organización, debemos involucrar a los clientes en el diseño y la creación de su propio aprendizaje paso por paso. Una de mis prácticas como consultor en aprendizaje es educar a los clientes para llevar a cabo actividades imaginadas.

Sigo un principio que denomino la “máxima elección factible”. En el diseño de experiencias de aprendizaje me pregunto: “¿Existe una razón obligante por la que deba tomar esta decisión o llevar a cabo esta actividad de aprendizaje, en lugar de delegar la responsabilidad al aprendiz o al cliente?” A veces tal razón existe, pero al hacer la pregunta, con frecuencia encuentro que mis clientes pueden hacer por sí mismos muchas de las cosas que suelo hacer por ellos; en este caso se fortalece su capacidad de manejar su propio aprendizaje.

En el momento en que se adopta el principio de la máxima elección factible, se reelabora el contrato entre el cliente y el consultor con respecto al aprendizaje conjunto. Esto nos aleja de conducir eventos que son "piezas sueltas" hacia eventos diseñados conjuntamente que surgen del trabajo compartido.

He desarrollado tres criterios para determinar lo que constituye la elección factible.

- Los clientes tienen o pueden obtener suficiente información como base para tomar una decisión acerca del problema en cuestión.
- La decisión es importante para sus intereses; existe una compensación en los resultados.
- Se está dispuesto a asumir responsabilidades por el resultado de la decisión.

A veces no sé hasta qué punto del proceso se cumplen o no los criterios. De manera intencional suelo equivocarme al correr el riesgo por la voluntad y la capacidad de mis clientes para manejar su propio aprendizaje.

■ Un esquema de aprendizaje para la consultoría

Atraigo nuevos clientes al facilitar su aprendizaje. El mensaje que me esfuerzo en comunicar con mis palabras y mis acciones incluye lo siguiente:

1. *Creo de manera profunda en la capacidad de las organizaciones que son mis clientes para aprender lo que necesitan para moverse en sus dilemas y continuar su desarrollo.* Su organización tiene la capacidad de aprender lo que necesita, y es muy probable que haya personas que tengan el conocimiento y la sabiduría para dirigir la situación con eficacia. Es probable que su organización *no sabe que conoce* lo que necesita para dirigir sus problemas, y ese es uno de los aspectos que orientaré en mi trabajo. Las organizaciones por lo general tienen acceso al conocimiento que suelen utilizar. El conocimiento que se necesita ahora existe en los individuos y grupos a los que en la actualidad no se les ha solicitado contribuir con lo que saben. Es casi seguro que en la organización hay barreras contra esto. En nuestro trabajo conjunto confrontaremos y nos esforzaremos en comprender esas barreras y trabajaremos para encontrar alternativas en torno a ellas. En el proceso se convertirán en aprendices adeptos; *aprenderán cómo aprender*.
2. *No se necesita un consultor, a menos que el aprendizaje precise la confrontación y la revisión más o menos profundas y se mantenga sin examinar las suposiciones, las actitudes, las creencias y los sentimientos respecto de su trabajo, la cultura de su organización o de su liderazgo.* No me necesita para emprender el *aprendizaje de primer orden*: exponer problemas y buscar soluciones en la matriz de percepciones, creencias y suposiciones familiares y sobre las que hay acuerdos, que denominamos *paradigma*. Se poseen los recursos y las rutinas para conducir estos aspectos de su negocio. Estoy aquí para ayudar más allá de los modelos mentales utilizados en la

actualidad para construir la realidad, y para inventar unos nuevos que producirán mejores resultados para sus negocios. Con frecuencia, este *aprendizaje de segundo orden* sí requiere ayuda externa. Cuando pensamos en nuestro esquema de la realidad como realidad misma, no se nos ocurre diseñar uno mejor. Mi tarea consiste en ayudar a identificar y describir esos modelos mentales, que permitan elegir la extensión o el mejoramiento de la organización.

3. *Me comprometo a interesarme en su aprendizaje y también en su comodidad y su bienestar en este proceso*. Juntos dirigiremos la tarea de equilibrar el deseo de aprender y crecer contra el miedo al aprendizaje y el deseo de preservar la comodidad y la seguridad. Exploraremos nuestras defensas contra el aprendizaje con respeto y trataremos de movernos más allá de ellas de manera eficaz pero sin sometemos a violencia emocional.

Las siguientes son maneras de hacer y de ser útiles para una orientación de aprendizaje. Algunos son hábitos de pensamiento y de lenguaje que facilitan el aprendizaje de alto orden, en tanto que otros pueden denominarse “herramientas”.

- Inclinación por desarrollar la sabiduría y la comprensión, en contraste con una inclinación por la acción.
- Tendencia a trabajar con el todo: todo el sistema, el interno y el externo, el manifiesto y el oculto, el claro y el oscuro.
- Identificación del miedo y otras emociones negativas que bloquean el aprendizaje y tratarlos con calidez, amor y apoyo.
- Compromiso de los clientes para que diseñen y lleven a cabo actividades que por lo general se estiman como función del consultor profesional: asambleas y análisis de datos organizacionales, planificación y conducción de jornadas de reflexión, reuniones de equipos de desarrollo y similares.
- Apelación e invocación del cuidado inherente y profundo, y el sentido de integridad de mis clientes.

La consultoría orientada al aprendizaje no es fácil de vender. Muchos posibles clientes buscan eventos de capacitación y quieren hacer algo que parezca y se sienta como un arreglo rápido, aunque no se sientan cómodos de tener esa necesidad. Incluso cuando los clientes están dispuestos a entrar en una relación como la indicada, el camino hacia adelante será desafiante y requerirá persistencia y fe en sus propios recursos. Quizá crezcan apocados y fracasen a lo largo del camino. Necesitan inspiración y estímulo y deben experimentar una serie continua de “pequeñas victorias”.

Criterios de diseño para el aprendizaje organizacional

Al desarrollar experiencias de aprendizaje he encontrado ocho criterios de diseño muy útiles. Un buen proceso de aprendizaje organizacional debe contemplar lo siguiente:

1. Fomentar más la energía y el compromiso en el proceso de aprendizaje.

2. Crear periodos de reflexión y generalización en el proceso para maximizar el aprendizaje de cada experiencia.
3. Apoyar los riesgos por parte del aprendiz y ayudarlo a reflexionar y a aprender de los errores.
4. Utilizar con eficacia los recursos de otros, en la organización y fuera de ella.
5. Unir el intelecto y las emociones al proceso de aprendizaje.
6. Convertir el proceso de aprendizaje en "trabajo real" útil para la organización y crear responsabilidad por el resultado del proceso.
7. Legitimar y estimular el uso del tiempo y los recursos para el aprendizaje, al igual que "resolver las dificultades".
8. Transformar el aprendizaje de los individuos en "aprendizaje organizacional" logrando la integración de los resultados a través de la técnica de "ideas en circulación". Éstas se convierten en parte de la aceptación del aprendizaje y la práctica de la organización.

Muchos de estos criterios se encuentran en forma pobre en los programas de aprendizaje convencional. Por lo general, en éste se nos traslada del espacio de trabajo a una situación orientada a la función, en la cual se aprende porque eso es lo que se espera, no porque en realidad nos interesen los resultados. Estos premios son pequeños; no estamos interesados en el trabajo real y no somos responsables de los resultados. Sólo se involucran nuestras cabezas, no nuestros valores y emociones ni los intereses de operación. Cuando trato de aplicar el aprendizaje en el trabajo, donde el riesgo y las consecuencias reales surgen del éxito o del fracaso, encontramos que la capacitación no nos ha preparado para integrar el conocimiento con los sentimientos ni para correr el riesgo de aplicar lo que hemos aprendido. Debido a que en la capacitación no se tienen las cosas hechas en realidad, nosotros y nuestros supervisores tendemos a considerar improductivo el tiempo dedicado al aprendizaje. Porque otros no ven resultados concretos de lo que se aprendió, lo cual suele considerarse propiedad individual. Esto no encuentra la manera de compartir creencias, modos de pensar y prácticas de operación que conformen las "ideas en circulación" en una organización más grande.

Por supuesto, el aprendizaje no tiene lugar en el trabajo, durante las actividades diarias. Por una variedad de razones, en el trabajo, se suele ser menos eficaz de lo que deseamos. Con frecuencia, evitamos emprender tareas nuevas, más arriesgadas y menos estructuradas, en favor de las familiares y rutinarias. Además, siempre hay otras necesidades que llenar, no suelen hacerse pausas y reflexionar acerca de lo que aprendimos antes de actuar. Si fracasamos, tal vez debamos interesarnos en eliminar las consecuencias negativas de nuestra falla y dedicar tiempo a aprender de ésta. Porque creemos que se espera que seamos fuertes e independientes, a menudo perdemos las oportunidades de aprender con la ayuda y los consejos de nuestros colegas o de recursos externos.

No obstante, hay rayos de esperanza, en algo nuevo, algo que ha estado con nosotros durante mucho tiempo. La extensión de esta contribución no permite enunciar la relación con otros enfoques acerca del aprendizaje organizacional, pero quiero honrar algunos que coinciden con los principios antes esbozados: *Action Learning*, de Reg

Revans, *Self Managed Learning*, de Ian Cunningham, *Dialogue*, de David Bohm, *Double Loop Learning*, de Chris Argyris, *Future Search Conferences*, de Fred y Merrilyn Emery, *Approach to Building Community*, de Scott Peck y *Technology of Participation*, del Institute for Cultural Affairs.

El futuro del aprendizaje

Lo único nuevo acerca de nuestra atención en el aprendizaje es el enfoque. El aprendizaje siempre ha estado ahí, ha tomado la velocidad del cambio y el resultado de la obsolescencia del conocimiento para aclarar ahora que este proceso es más importante que el contenido aprendido.

Este cambio de enfoque puede tener una profunda influencia sobre cómo experimentamos la vida *organizacional*. Esto, sólo cuando hablamos de aprender una habilidad específica o una parte del conocimiento que el aprendizaje vuelve estática, con un comienzo, una mitad y un final. Cuando demos al aprendizaje el lugar central en la dinámica de la vida organizacional, cuando lo alimentemos con nuestros mejores talentos y le demos el recurso del *tiempo*, podremos experimentar su dinamismo.

La diferencia entre los modos dinámico y estático en las organizaciones es bastante significativa. Por ejemplo, existe la tendencia a apreciar el cambio como el hecho de partir de una situación, como están las cosas ahora, a otra, como queremos que sean. En este modo de pensar, sólo el proceso de pasar de un estado estático a otro es dinámico. Esa visión tal vez sea suficiente cuando las cosas se muevan con lentitud, aunque hoy no estén en un estado estático –el cambio es continuo y nunca llegamos a su fin–. Cuando aprendemos nuestra experiencia en términos estáticos estamos condenados a la frustración. Toda situación deseada que alcanzamos, de inmediato comienza a deslizarse a la obsolescencia. Nos sentimos confundidos y sin equilibrio, a medida que iniciamos por lo menos otro proyecto de cambio y de solución de problemas para atender las siguientes dificultades.

Hoy más que nunca se necesitan organizaciones fluidas y flexibles, y su configuración adecuada y los procesos que las rigen todavía se desconocen. Se carece de modelos para organizar tales entidades. No se sabe hasta cuándo se verán organizaciones como con las que estamos familiarizados, pero presiento que serán muy diferentes. Los principios del aprendizaje consciente serán la fuerza principal para determinar su configuración y su funcionamiento. Las organizaciones que incorporen estos principios cambiarán en forma continua. El aprendizaje consciente acerca de las tareas que realizan y respecto de un ambiente más en el cual operan conducirá estos procesos de cambio.

Establecemos nuestros "finales" como metas a alcanzar, pero es importante recordar que nunca vivimos en esos finales, vivimos en los "medios". En el ámbito individual, el aprendizaje como proceso dinámico es lo que mantiene las cosas vivas, lo que renueva el mundo. A muchos las experiencias de aprendizaje formal nos niegan esa renovación personal, y debemos reconocer que en cualquier empresa de aprendizaje el desafío de ésta debe estar en un grado manejable para el aprendiz. Si el desafío es muy grande sólo servirá para impulsar una reacción defensiva y no habrá aprendizaje. Pero, si el cambio y las novedades son muy pequeños no se percibirá la importancia de nuestro compromiso. Operar en los límites aceptables de desafío mantendrá la vida fresca. Hay un grado en el cual la naturaleza del aprendizaje es mucho menos importante que el hecho de que éste se realice. El estímulo proporcionado, el cuestionamiento que se efectúa y el estímulo de éste inducen a que todo justifique una *orientación* del aprendizaje, un poco alejada de los beneficios del contenido aprendido de manera específica. Dicha orientación tendrá consecuencias positivas para la clase de organizaciones que tenemos. Muchos de nosotros soñamos con lugares de trabajo donde las personas estén en capacidad de crecer, expresar su creatividad y trabajar en un ambiente de colaboración y sólo podemos imaginarlas mediante un enfoque de aprendizaje. No será fácil. Cuando reflexionemos acerca de las dos barreras para el aprendizaje estudiadas aquí y consideremos lo que debemos hacer para desmantelarlas, notaremos que habrá que hacer cambios fundamentales en el modo en que vivimos nuestra vida organizacional. Tendremos que aceptar el desafío de reconocer las emociones negativas fuertes engendradas por lo que sucede día tras día en las organizaciones y comenzaremos a explorar el modo de tratarlas. Tenemos que resistir el hecho de lanzarnos a la acción para calmar la ansiedad y, en cambio, tomar el tiempo para reflexionar antes de actuar. Todo esto tendrá un profundo impacto en la experiencia de nuestra vida organizacional.

Ese es el desafío de este capítulo. Sin superar estas barreras no habrá un aprendizaje organizacional eficaz. Este beneficio puede ser grandioso. Quizá sea un caso en el cual nuestro pragmatismo (impulsado por nuestra necesidad competitiva de aprender como individuos y como organizaciones) se oriente hacia nuestros mejores sueños para beneficio de las organizaciones y para el bienestar de nuestro planeta.

Fue lo mejor de los tiempos, fue lo peor de los tiempos,
fue la era de la sabiduría, fue la era de la estupidez,
fue la época de la creencia, fue la época de la incredulidad,
fue la estación de la luz, fue la estación de la oscuridad,
fue la primavera de la esperanza, fue el invierno de la desesperación,
tuvimos todo ante nosotros, no tuvimos nada ante nosotros,
fuimos directo al cielo,
fuimos directo al otro lado.

Charles Dickens (tomado de *Historia de dos ciudades*)

CAPÍTULO

12

El futuro de la identidad

Philip Boxer

Los hechos y los personajes de este relato son pura ficción. Cualquier parecido con la realidad es pura coincidencia.

■ Introducción

El iconoclasta es quien rompe o destruye imágenes de veneración, imágenes que suelen comunicar un significado colectivo. Necesitamos una palabra nueva para la realidad que afrontamos hoy: *iconoclasia* o ausencia de cualquier imagen de veneración mediante la cual conseguir fines. ¿Cómo enfocamos esta *iconoclasia* y cómo lo harán nuestros líderes? ¿Dónde están las visiones y las grandes ideas a seguir?

Vivimos en un tiempo en el que la privatización está en furor, (relega al Estado, crea mercados internos y abre campo a la libre empresa) para que podamos ejercer la autodeterminación. Pero, aunque este proceso de "privatización" sea una condición necesaria, ¿será suficiente? ¿Se puede ejercer la autodeterminación? ¿Existe la libertad de oportunidad y se sabe qué hacer con ella?

Históricamente se tenían unas instituciones de las cuales sabíamos que podíamos depender. Ahora parece que, además de negociar nuestra relación con estas instituciones, hay que volverse cínico, y asumir que ellas son confiables. ¿Podrán esas instituciones de entonces ser lo mismo ahora? Estamos enfrentando un mundo en el que vamos a ser despojados de nuestros propios recursos: el mundo parece ser lo que hacemos de él. Si nuestro sentido de la autoridad depende del papel que nos atribuyamos mediante las instituciones, ¿dónde vamos a encontrar algo si las perdemos? Este es el futuro de la identidad.

En lo que sigue utilizo personajes para presentar este desafío. Se trata de un negocio multidimensional que *intenta* ser más estratégico, que enfrenta los cambios en la tecnología, la globalización de la competencia, aumenta la complejidad de sus clientes, incrementa las demandas para encontrar nuevas maneras de agregar valor, etc. Cada personaje afronta este desafío de un modo diferente:

PRESIDENTE EJECUTIVO: ¿Cómo mantengo la paz, la conducción y la unidad del grupo mientras estimulo la diversidad, la innovación y el liderazgo en mi división?

DIRECTOR DE PLANEACIÓN: ¿Cómo puedo afianzar la coherencia y la consistencia en los planes de la división, cómo voy a saber lo suficiente para contribuir a su propio proceso y cómo puedo asegurar que sus actividades se incrementen más que la suma de sus partes?

DIRECTOR DE RECURSOS HUMANOS: Nuestro futuro depende de las personas y de las habilidades y las competencias que aportan para sostener los negocios. ¿Cómo estoy desarrollando [a esas personas], capacitándolas, de modo que sean ellas mismas las que manejen el negocio?

DIRECTOR ADMINISTRATIVO: Tengo la función de dirigir una de las divisiones en un momento en que enfrenta algunos desafíos importantes. ¿Cómo realizar el trabajo y cómo absolver todo al mismo tiempo?

■ ¿Soy la causa o el síntoma?

El presidente ejecutivo ha estado dirigiendo el análisis de las estrategias con los directores administrativos de las divisiones. Ellos han presentado los problemas que surgen a partir de un examen crítico de sus estrategias, las cuales son el resultado de la interacción entre ellos mismos, el "centro" y la función de los consultores externos presentados por el presidente ejecutivo.

PRESIDENTE EJECUTIVO (cuando hablaba con el director de recursos humanos después de uno de los análisis): Me parece que ellos están objetando mi función como presidente ejecutivo. Dicen que el marco conceptual corporativo y los términos de referencia en los cuales han estado trabajando no son claros para ellos; y que mis intervenciones, sea directa o indirectamente mediante el uso de consultores externos, han complicado o trastornado las cosas. Parece que yo soy la causa de cualquier descuido en su desempeño estratégico...

DIRECTOR DE RECURSOS HUMANOS: Estoy de acuerdo con usted. Parece que ellos estuvieran esperando que usted defina el contexto en el que puedan trabajar. Pero si observa con detenimiento los problemas que han presentado, también han manifestado que el mercado, la tecnología y los ambientes competitivos en los cuales están actuando han cambiado con rapidez, de modo que se les dificulta más la vida. Así, también están diciendo que las cosas no son claras para ellos...

PRESIDENTE EJECUTIVO: Sí, pero parece que ellos piensan eso en vez de señalar las cosas que no tienen claras, yo debería aclararlas. Como su líder, yo debería disminuir la complejidad de los problemas que afrontan, no incrementarlos con preguntas difíciles. Pero no veo la posibilidad de lograrlo en el ambiente competitivo de hoy. ¿Cómo puedo saber más que ellos? ¿No crees que tengo el personal equivocado dirigiendo la división? ¿Por qué no trabajan conmigo y no contra mí? No creo que al cambiarme vayan a cambiar sus problemas. ¿Por qué siento que estoy en la posición de necesitar saber mejor que ellos cuál es a largo plazo el interés de sus negocios? Pensé que todos los puntos de los exámenes críticos que la división ha estado haciendo eran para mejorar la calidad del diálogo entre el "centro" y ellos. Pero, al parecer, estamos más polarizados que nunca.

El director de recursos humanos había argumentado la necesidad de una iniciativa para examinar en forma crítica el proceso para el desarrollo de estrategias de la división. Palpaba que la iniciativa aparecía para fomentar la resistencia a la autoridad de grupo... y su presidente ejecutivo se notaba interesado en querer las cosas hechas.

DIRECTOR DE RECURSOS HUMANOS: La diferencia de posiciones y de idioma es más clara que nunca y la calidad del diálogo entre nosotros es mejor que antes. ¿Recuerdan el resumen del trabajo de Charles Handy que envié? Describe muy bien la posición en que se encuentran en la actualidad.

El presidente ejecutivo se levanta, camina hacia su escritorio y recoge el trabajo en el cual Handy argumenta que a medida que la organización busca mejorar en forma continua su desempeño y encuentra nuevos modos de agregar valor, se enfrenta al hecho de que las personas son su capital más importante[1]. A medida que las personas profesionalizan su carrera y realzan su autonomía y su respeto a sí mismas, requieren mucho más reconocimiento de sus derechos por parte de la empresa. Esto aumenta la presión competitiva que se experimenta en términos de tres paradojas: Primera, las organizaciones deben ser grandes y pequeñas a la vez; grandes para obtener economía de escala, pequeñas para crear flexibilidad y responsabilidad. Segunda, las organizaciones necesitan mercados libres y abiertos para operar, incluso con el interés de la eficacia que requieren para ejercer tanto control como sea posible en sus operaciones. Tercera, las organizaciones se basan en el principio de propiedad y cada vez más los negocios deben hacerse sobre la base de alianzas con terceros. El "federalismo" del cual habla Handy en su trabajo parece una respuesta a estas presiones. Las organizaciones que piensan en sus empleados como desempeñadores de funciones no piensan federalmente.

PRESIDENTE EJECUTIVO: Leí el trabajo. Es interesante, desarrolla cinco implicaciones a partir de sus paradojas; si observo esos cinco puntos estamos haciendo algo.

1. He ganado autoridad sobre las personas que conforman la división. Tengo más experiencia que cualquier otro en esta industria y el desempeño de este grupo está entre los mejores.

[1] Handy, Charles, "*Balancing Corporate Power: A new federalist paper*", *Harvard Business Report*, noviembre-diciembre de 1992, pp. 59-72.

2. Las personas señalan su propio trabajo en este negocio. Estimulo de manera positiva a presentar ideas y sacarlas adelante y reconozco cuando lo logran.
3. Se estimula a las personas a desarrollar el negocio más allá de los límites de su trabajo corriente. Doy autonomía.
4. Tenemos jerarquías dobles. Los empleados deben lealtad a sus divisiones y al grupo como un todo. Y, por último,
5. Tenemos esquemas de incentivos que significan que lo que es bueno para ellos es bueno para la corporación.

¿Es eso lo que quiere decir cuando manifiesta que describe bien mi actual posición?

DIRECTOR DE RECURSOS HUMANOS: No del todo. Estoy de acuerdo con su resumen, pero creo que no involucra el aspecto central del artículo de Handy que resalta sus paradojas (la cuestión del poder). El asunto consiste en que usted es el último recurso de autoridad en determinar cómo van a dirigirse esos cinco puntos. Las paradojas que identifica Handy giran en torno a la manera como se ejerce el poder en las organizaciones y la medida por la cual *no* se basa por completo en el poder y el control investidos en el "centro". Así, su principio subsidiario incluye la ubicación del poder en los niveles más bajos posibles de la organización; su énfasis en la interdependencia maximiza la cantidad de encadenamientos horizontales en los negocios mediante los cuales pueden resolverse los problemas sin tener que escalar las jerarquías; su idea de una ley, un idioma y una moneda se basa en los acuerdos y no en las órdenes; la separación de poderes significa que existen procesos separados para la administración, el control y para crear consenso respecto de lo que debe hacer el negocio; y ciudadanía doble significa que las divisiones y el grupo tienen derecho a existir, como entidades diferentes, sin que la una esté subordinada a la otra. En lo que pueden estar de acuerdo es en que hubo muchas instancias alcanzadas por los directores administrativos de las divisiones donde sintieron que enfocamos problemas estratégicos que de algún modo acortan los principios de Handy.

PRESIDENTE EJECUTIVO: Infiero su propósito. Usted considera que ellos están cuestionando mi función como presidente ejecutivo.

DIRECTOR DE RECURSOS HUMANOS: Bueno, sí y no. Sí, porque suena como si los directores administrativos lo culpan de no aclarar las cosas. Pero hay otra manera de comprender esto. ¿Ustedes conocen la expresión que dice: "Se consiguen los líderes que se desean"? No, porque en vez de considerar la causa del problema en torno del modo como se ejercen el poder y la autoridad, necesitamos entender la manera como se sienten en capacidad de trabajar y son sintomáticas la clase de suposiciones que sus directores administrativos están haciendo acerca de cómo se deben ejercer el poder y la autoridad.

PRESIDENTE EJECUTIVO: Interesante. ¿Eso significa que es a ellos a quienes yo debería cambiar? No podemos continuar confiando en que las cosas cambiarán, y no tengo claridad sobre qué más debo hacer como presidente ejecutivo para cambiar las suposiciones que ellos están haciendo. Ese fue todo el punto de la revisión de las estrategias. Preguntemos al director de planeación lo que piensa al respecto.

El director de planeación ha estado sentado escuchando en silencio la conversación. Hace poco ocupa el cargo y ha dirigido el proceso de revisión de las estrategias y el uso actual de consultores en el grupo. Ha pensado que está en capacidad de lograr un acuerdo acerca de qué marcos conceptuales estén en la estrategia formulada. Cuando escuchó al director de recursos humanos hablar respecto de la necesidad de separar los poderes, se le ocurrió que no había una separación eficaz de éstos ni un proceso para establecer consenso en torno de estos marcos conceptuales, que él había favorecido por referencias del presidente ejecutivo y otros consultores.

■ Los dos cuerpos del presidente ejecutivo

DIRECTOR DE PLANEACIÓN: Con seguridad solicitamos a las divisiones cuestionar los supuestos que ellos hacen acerca de la manera de enfocar las estrategias. Me pregunto si una perspectiva histórica puede ayudar aquí. En la época medieval no había duda de quién establecía el marco conceptual en el cual otros trabajaban, era el Rey. El otro día encontré una cita, un juicio que hicieron los abogados de la Corona en la época de la reina Elizabeth I:

> El Rey tiene en sí dos cuerpos ... Su cuerpo natural ... es el cuerpo mortal ... Pero su cuerpo político no se puede ver o tocar, conformado por la política y el gobierno, constituido por la dirección de las personas ... y este cuerpo está exento por completo de ... defectos naturales ... a los que el cuerpo natural está sujeto; por esta causa, lo que el Rey hace en su cuerpo político no puede invalidarlo ni frustrarlo ninguna incapacidad de su cuerpo natural.

Al director de planeación se le conocía por su predilección por citar fragmentos históricos y pensó que podía iniciar el diálogo con el presidente ejecutivo respecto de cuál de los cuerpos a los que se refirió le interesaba. Pienso que el director de recursos humanos sugiere que los problemas que afrontamos en la actualidad son síntoma de que existe un problema de gobierno. Si lo vemos como problema del cuerpo político, verlos a ustedes o a ellos como el problema es dirigirlo sólo en términos de cuerpos naturales. La dificultad que tenemos es comprender qué significa el "cuerpo político" en este contexto.

PRESIDENTE EJECUTIVO: Interesante. Nunca antes había considerado ese paralelo. Por favor, continúe.

DIRECTOR DE PLANEACIÓN: Sí. Pienso que un negocio desarrolla su modo característico de impulsar su trabajo. Él (*refiriéndose al director de recursos humanos*) puede pensar en estos "modos característicos" como culturas –"la manera como las cosas se hacen"– en las cuales es como si el comportamiento de las personas lo rigiera un conjunto de leyes no escritas, acuerdos y actitudes. Esta noción de 'cultura' es el cuerpo político. Aun así las personas van y vienen, la cultura vive. Después de todo, solemos caricaturizar las normas culturales que rodean a un hombre de la IBM o del ICI. ¿Por qué no nos vemos a nosotros mismos de la misma manera? Ni el contenido del trabajo ni los problemas dirigidos por nuestras divisiones cambian con el tiempo, parecen repetirse, como los de la IBM, actúan como si ésta definiera el mercado, y el hombre del ICI actúa como si el negocio gozara de los derechos coloniales. Tiene sentido hablar de las divisiones como si tuvieran una existencia propia caracterizada por su "cultura", la cual es independiente de sus empleados.

PRESIDENTE EJECUTIVO: Entiendo lo que quiere decir, aunque usted ha cambiado el cuerpo político por otros, uno para cada división participante. Pero con seguridad estaría de acuerdo con usted en que cada división parece tener su propia vida por sí sola. Por eso prefiero tratarlas de una en una, todas son diferentes.

DIRECTOR DE PLANEACIÓN: Un poco. Yo retomo la pregunta de con cuántos cuerpos estamos tratando. Pero sólo puedo desarrollar la línea del argumento un poco más. Un negocio no tiene derechos absolutos ni divinos en su existencia, esos son inventos. El debate acerca de las estrategias es, en últimas, un debate respecto del modo como un negocio se inventa a sí mismo. Sin embargo, los individuos que trabajan en los negocios dependen de ellos como apoyo para su sentido de identidad. Así, un negocio se convierte en defensa contra su ansiedad, en cuanto ellos lo ven como si les proporcionara las garantías para su identidad laboral. En consecuencia, la cultura del negocio se vuelve inseparable de los individuos y las culturas locales reflejan identidades locales. Así, al someter la cultura de un negocio a cuestionamientos a favor de las estrategias, también se cuestionan las identidades de los individuos que trabajan en el negocio.

DIRECTOR DE RECURSOS HUMANOS [*dirigiéndose al director de planeación*]: Entonces, ahora tenemos un cuerpo político y unos *individuos*, cuyas estrategias personales son inseparables de la comprensión de la cultura que han escogido para trabajar. Esto es interesante, porque me parece que usted sustenta los puntos relevantes del trabajo de Handy –él ve esta tendencia como una necesidad de respetar los valores y las identidades locales a medida que van fortaleciéndose con el tiempo.

DIRECTOR DE PLANEACIÓN: Sí. En esta tendencia el "federalismo" es una manera de "capitalizar".

DIRECTOR DE RECURSOS HUMANOS: La alternativa es "cambiar los programas" pero, como acabamos de escucharlo de las divisiones, esto no funciona. La experiencia que tengo en "administrar" un proceso de cambio me indica que inevitablemente se encuentra resistencia, lo que para el "administrador" del proceso de cambio se puede describir como una negativa a aceptar la lógica de los cambios en la cultura. Pero la resistencia es también la conservación de otra cultura, una cultura local. Desde este punto de vista, un proceso de cambio "administrado" enfoca el cambio como si la censura y la "reeducación" cambiaran a las personas, pero, por supuesto, dicho enfoque también enmascara otra cultura, la del poder que ordena la obediencia. Si identificamos los procesos de cambio "administrados" con el rey del paralelo (ser "de arriba hacia abajo"), en efecto, estamos estableciendo un cuerpo político (el del rey) contra otros cuerpos públicos, el de las divisiones.

DIRECTOR DE PLANEACIÓN: Sí, pienso que su visión respecto del "de arriba hacia abajo" es correcta...

PRESIDENTE EJECUTIVO: Pero si no utilizo mi poder ni la lógica superior para conseguir obediencia, ¿sobre qué bases se "negocian de nuevo" estas culturas y las resistencias resultantes? Si como rey no digo qué hacer, entonces, ¿quién? Por una parte, usted sugiere que se necesita un proceso de negociación de identidades en el cual deben construirse y mantenerse unas alianzas de intereses e inversiones compartidas. Pero, por otra parte, sabemos que existen elecciones reales que el grupo debe hacer sobre cómo ha de hacer frente a su competencia y a los clientes, si desea sobrevivir. ¿No estamos enredados en tratar de negociar mientras Roma arde, en vez de enfrentar las elecciones reales? ¿No necesitamos *hacer* algo?

DIRECTOR DE RECURSOS HUMANOS [*interrumpiendo al director de planeación, que trataba de retomar el hilo de su argumento*]: Bueno, ¿tenemos que hacerlo? Con seguridad todos estamos de acuerdo en que se necesitan cambios reales. Pero, ¿cuáles son? ¿Cómo vamos a acordarlos? Si juzgamos y decimos, luego nos enfrascamos en los grandes problemas de la implementación. Pero, aun así, no estamos seguros de que el "transplante" se "llevará a cabo" en las culturas existentes. Tal vez tenemos que afrontar un asunto de menos lentitud y más rapidez. De un modo u otro tenemos que afrontar el problema de la cultura, de los cuerpos políticos.

Mentalidades de gobierno

DIRECTOR DE PLANEACIÓN: Bueno, creo que he provocado algo aquí. Quizás estén pensando en Carlos I y lo que pasó con su cabeza. Pienso que la historia puede ayudarnos un poco a pensar lo que el rey deberá hacer. Los problemas de gobierno del cuerpo político siempre incluyen tres clases de intereses: la razón del Estado, los intereses de la familia y los derechos del individuo. Excepto que hoy en día los intereses de la familia se han convertido en intereses de la economía. Según los historiadores, en la medida en que el rey tenía de su parte los derechos divinos y las riquezas, podía ordenar la obediencia por los intereses del Estado que coincidían con los de sus territorios. En *El Príncipe*, de Nicolás Maquiavelo, el trabajo del protagonista consistía en mostrar con más claridad la lógica de esta forma de gobierno *soberano*. Sin duda, ¿se dan cuenta de que ustedes no? Sólo cuando el proceso de elaboración de las leyes se separó del rey comenzó a surgir un segundo modo *judicial* de gobierno. En nuestro país el surgimiento del parlamento representa este momento. El cuerpo político estaba representado por el cuerpo de las leyes mediante el cual se gobernaba el país y, a medida que el intercambio comercial aumentaba entre las familias, comenzó a surgir la economía moderna y, con ésta, la necesidad de reflejar en las legislaciones los intereses de la economía y las razones del Estado, hasta el punto en el que estamos ahora considerando la entrega de la "soberanía" (poder absoluto de los intereses del Estado) a cambio de asegurar beneficios económicos de la Comunidad Europea. El gobierno moderno se basa en el modelo judicial. Esto es lo que habría si el grupo ejecutivo fuera más poderoso que ustedes.

PRESIDENTE EJECUTIVO: ¿Su argumento consiste en que debemos controlar el marco conceptual en el cual se formulen las estrategias, o que al menos debería haber acuerdo respecto de lo que deben ser esos marcos conceptuales? Estoy de acuerdo con esto y de algún modo lo hemos logrado con la asesoría de consultores externos. Pero no ha sido suficiente. No podemos movernos con la rapidez necesaria si nos atascamos en algunos procesos corporativos de planificación.

DIRECTOR DE PLANEACIÓN: Sí, estoy de acuerdo, aunque necesitamos un proceso más explícito para acordar el marco conceptual estratégico en el cual vamos a trabajar. Pero existe otra forma de gobierno que nos trae al presente –el gobierno del *desempeño*[2]–, que se relaciona directamente con nuestra situación actual. Por cuanto las formas judiciales aplican las mismas reglas a todo, el gobierno del *desempeño* incluye planificar los objetivos de los beneficios e interpretar las leyes de modo que se apliquen a las necesidades del sujeto. Esta tendencia es la que vemos ahora conduciendo el proceso de privatización y que considera al *cliente* como el rey. Mi punto de vista es que ahora estamos viviendo un cambio total en las formas de gobierno. [El director de planeación ha estado leyendo una conferencia de Michel Foucault, de 1978, sobre la "*Gobernabilidad*", que lo condujo al sendero de la historia. En ella Foucault argumenta que cuando las leyes se separan del rey surge una clase de gobierno judicial que evoluciona del dominio de los intereses del Estado para ser dominada por los intereses de la economía, el bienestar del Estado. Sin embargo, ahora esto comenzó a romperse a medida que los juicios realizados en el dominio de la ley tuvieron que modificarse según las circunstancias particulares de los individuos. Así, los magistrados tuvieron que referirse a la "imposición" para decidir cómo se debía interpretar la ley en cada caso y las diferentes formas de bienestar tenían que plantear objetivos donde antes habían tenido siempre beneficios absolutos. El director de planeación ha denominado "del desempeño" esta tercera forma de gobierno, debido a que su justificación descansa en su desempeño por y sobre el individuo. En efecto, no se hizo énfasis en cambiar la tercera forma de gobierno, el individuo. Él observó un paralelo directo entre esto y el cambio de un enfoque corporativo hacia uno federal]. Trato de decir que debemos hacer más que establecer marcos conceptuales comunes. Debemos hacer que los clientes se interesen en los marcos conceptuales, pues ellos están ahí para su servicio. Las formas características de estrategias sumadas con una forma judicial de gobierno son *posicionales*, hacer por el cliente lo menos posible sin arriesgar el negocio. Sin embargo, las características de las estrategias formadas en el gobierno del desempeño son *relacionales*, hacer por el cliente todo lo que sea posible sin arriesgar

2 J. L. Austin desarrolló inicialmente la noción de la articulación del desempeño en las conferencias de William James en Harvard University en 1995. *How to do Things with Words*, Oxford, OUP, 1962. J. F. Lyotard la desarrolla más adelante en *The Post-modern Condition: A Report on Knowledge*, Manchester, Manchester University Press, 1984.

el negocio. Es allí donde entran estas "iniciativas" de calidad, y este es el desafío que tratamos de encontrar. La razón por la que retomé los libros de historia es porque me parecía que los conceptos iniciales estaban incompletos.

Estrategia relacional

PRESIDENTE EJECUTIVO: Permítanme ver si comprendí lo que dijeron. Escuché a Coralie Palmer hablar acerca de la organización del sector privado, por una parte, las *reuniones* se desean, las *necesidades* no, necesidades como el transporte, la salud y la educación. Por otra parte, ella argumentó que las organizaciones del sector público deberían encontrar las necesidades, que considera *derecho* de los ciudadanos como miembros del Estado. Así, mientras el sector público tiene una lección estructural por aprender del sector privado acerca de cómo organizar las actividades, el sector privado tiene mucho por aprender del sector público respecto de la *equidad*, la justicia social en torno de los derechos de los ciudadanos, una cuarta "E" por establecer paralela a los requerimientos de las otras tres "E" de economía, eficiencia y eficacia. Su visión consistía en que la obligación subyacente para esta equidad en la manera como se organizaba el trabajo era otra necesidad: la necesidad de las organizaciones de incorporar y servir a las interrelaciones de una comunidad más amplia. ¿Estaría en lo correcto si dijera que Coralie Palmer caracterizó al sector privado como posicional y al público como relacional?

DIRECTOR DE PLANEACIÓN: Sí, y la ironía consiste en que la privatización es lo correcto, pero se hace por razones equivocadas. Es correcta porque no podemos sostener la equidad por mucho tiempo a ningún precio y, al forzar la separación de poderes entre los proveedores de servicios y la rama judicial del gobierno, debe haber un proceso explícito de regulación y de dirección. Es incorrecta porque no hay evidencia de que la privatización generará algo más que una estrategia *posicional* explícita basada en las formas *judiciales* de gobierno. Observen lo que pasó con la British Telecom o con el sector energético.

PRESIDENTE EJECUTIVO: Lleguemos al acuerdo de que mis divisiones están tratando de resolver sus problemas siendo posicionales y solicitando un enfoque más judicial del "centro" y yo estoy tratando de hacerlas más relacionales. ¿Es esa la deducción que ustedes están sacando de que actúo como soberano cuando hago esto?, cuando las divisiones solicitan marcos conceptuales, también están resistiéndose y caemos en este círculo vicioso en el que no pasa nada.

DIRECTOR DE PLANEACIÓN: Bueno, sí. Creo que eso es correcto...

PRESIDENTE EJECUTIVO: Entonces, ¿Qué debemos hacer para volvernos relacionales?

DIRECTOR DE RECURSOS HUMANOS [*dirigiéndose al presidente ejecutivo*]. Aquí comenzamos la discusión de si ustedes fueron la causa o el síntoma. Las estrategias relacionales se asocian con las formas del gobierno del desempeño, lo que significa que esas culturas deben tener la capacidad de cuestionarse a sí mismas. La dificultad se debe a que cuanto más traten de buscar interrogantes para ellas, más parecen ser quienes las cuestionan. Así que la respuesta es una paradoja. *Ustedes* tienen que lograr que ellas se cuestionen a sí mismas, ustedes les solicitan que cuestionen su modo de tratar la ansiedad –y, con frecuencia–, el modo como la división normalmente "trata" la ansiedad se refleja en su necesidad de marcos conceptuales y contextos claros.

PRESIDENTE EJECUTIVO: Aunque la mayoría de las personas estarían de acuerdo con la necesidad de que el negocio sea racional en principio, la manera como las personas tratan la ansiedad es lo que lo dificulta en la práctica. En realidad, ustedes piensan que las personas obtienen los líderes que desean. Si tomamos las organizaciones religiosas y políticas que en particular están relacionadas con los asuntos de la equidad, son precisamente éstas las que reflejan algunas de nuestras diferencias irreconciliables. Fíjense en lo que sucede en los Balcanes o en Irlanda del Norte.

DIRECTOR DE PLANEACIÓN: Usted lo expresó cuando dijo "diferencias irreconciliables". En el enfoque soberano hay que escoger o tomar la decisión por ellos. En el enfoque judicial, una nueva ley sale como objetivo en la definición de un dilema y son ellos los que deciden ignorar un fin u otro. Pero en el enfoque del desempeño el dilema es tratar con ellos en forma directa, interpretar las leyes y hacer un juicio en la situación particular...

DIRECTOR DE RECURSOS HUMANOS: La dificultad en el enfoque del desempeño no es tanto hacer juicios, sino que ellos aprendan de lo que hicieron para que no vayan a reinventar la rueda o a repetir juicios malos. La clave es el proceso de *aprendizaje*. El enfoque del desempeño es en esencia el aprendizaje, su aprendizaje. En este sentido el enfoque judicial es sólo una forma ineficiente de aprendizaje porque las soluciones que se buscan son muy generales y el enfoque soberano trata de ubicar el aprendizaje en un solo lugar: el presidente ejecutivo.

PRESIDENTE EJECUTIVO: De nuevo, déjenme saber si entendí bien. Lo que se plantea aquí es cómo vamos a crear nuevos futuros mediante el desarrollo de nuevas estrategias. Ustedes dicen que los negocios son muy complejos para lograrlo con una persona –el presidente ejecutivo–, lo cual es correcto. También dicen que los enfoques corporativos basados en los marcos conceptuales comunes tampoco funcionan, como lo evidencian las dificultades para la implementación. Ustedes ven estas dificultades como resistencia. Deben ir más allá y sugerir que el enfoque corporativo en sí, sólo funcionó cuando los individuos estuvieron preparados para utilizarlo con el fin de suplantar la legitimidad de sus propias soluciones, el precio que ellos pagan por eliminar su propia ansiedad. En lugar de los enfoques soberano y judicial, ustedes proponen algo que denominan "del desempeño", en el que un futuro tiene que emerger mediante una "negociación" mutua; entonces las estrategias se vuelven como las hipótesis, se mantienen de manera tentativa en la medida en que "funcionen" y nos permitan actuar en conjunto. Así, ¿la función del presidente ejecutivo es perseguir lo que es particular y singular en las estrategias que vamos a compartir como consecuencia de nuestro trabajo conjunto? En realidad, ¿está sugiriendo aquí la *democracia* –con "d" minúscula? Voy a cenar esta tarde con uno de mis directores administrativos. ¿Por qué no nos acompañan? Creo que sería bueno saber qué piensa él de esto.

■ ¿Es el deseo del líder o el liderazgo del deseo...?

[El director de recursos humanos se sienta mirando incrédulo al director de planeación.]

DIRECTOR DE RECURSOS HUMANOS: Normalmente usted no le habla así. Sé que recurría a la historia, pero, *¡a Foucault!* Esperaba esta clase de cosas de Philip Boxer, no de usted –usted es el director de planeación. Se supone que sería "judicial".

DIRECTOR DE PLANEACIÓN: Bueno, Philip no es el único por aquí que lee libros extraños de escritores extranjeros. No olvide que fui administrador de línea y vi algunos de los problemas que crean los encargados de la planificación.

DIRECTOR DE RECURSOS HUMANOS: De todas maneras, usted hizo un buen trabajo. Su argumento de una función de desempeño para el presidente ejecutivo fue muy aceptable. Pero es un poco un dilema para él.

DIRECTOR DE PLANEACIÓN: Estoy de acuerdo. Primero, parece que es un poco claro que no puede resolverles los problemas de la división y crear marcos conceptuales comunes no es la solución. Segundo, él parece muy renuente a trabajar con sus procesos porque no está seguro de que tengamos tiempo.

DIRECTOR DE RECURSOS HUMANOS: Tal vez sea eso. Quizá no ha encontrado una forma de afrontar su dilema. Creo que eso es lo que debemos ayudarle a hacer. Vamos a mi oficina para ver si podemos encontrar la manera de trabajar esto de una vez. [*Los dos se dirigen a la oficina del director de recursos humanos y, después de buscar algo de tomar, organizan y realizan las llamadas y continúan...*]. Debemos empezar con su ansiedad, no me refiero a ésta en el sentido secundario de lo que pasaría mañana si... Me refiero a la ansiedad *principal* acerca de las bases de su autoridad como presidente ejecutivo. De qué autoridad va a hablar él. ¿Cómo lo plantea? "Si no voy a ejercer mi poder para ordenar la obediencia o la lógica superior, ¿sobre qué bases se van a 'negociar de nuevo' estas culturas y las resistencias resultantes?" Es una buena pregunta.

El lugar de la ansiedad

Estoy pensando en el trabajo de Elliott Jaques sobre estructuras creativas y liderazgo[3]. Se basa en la capacidad de los individuos para construir patrones de experiencia más amplios en la medida en que se reflejan en su relación con el tiempo. Jaques ve las organizaciones como definidas por niveles diferentes de complejidad en tareas e información, que

[3] El trabajo más reciente de E. Jaques es *Requisite Organization: the CEO's Guide to Creative Structure and Leadership*, Arlington, Cason Hall & Co., 1989.

necesitan ser reflejadas en diferentes grados de capacidad de los individuos y los procesos. Fracasar en lograr esto conduce a la ansiedad disfuncional y a la pérdida de creatividad. Escuché a Alistair Mant hace poco, quien arguyó que la capacidad de dirigir diferentes grados de complejidad la determinan los jóvenes. Pero no estoy seguro de que tenga razón al afirmar que "los mejores" tienen pocos años. ¿Puede esto constituir una reflexión acerca de una inclinación cultural particular que influye en el modo en que definimos "el mejor"? Frente a los valores dudaría de la capacidad del presidente ejecutivo, pero lo que me molesta no es su carencia de capacidad sino que no haya encontrado modos de utilizar diferentes grados de organización y de proceso con los cuales trabajar. Es como si él pensara que puede resolverlo todo personalmente –es lo que hace que todos lo vean como "soberano" en su enfoque–.

DIRECTOR DE PLANEACIÓN: Entonces, ¿ustedes piensan que al dejarlo con sus propios mecanismos, él puede hacer frente a la complejidad, pero no puede lograr que otras personas lo consigan?

DIRECTOR DE RECURSOS HUMANOS: Sí, algo así. Él puede ser capaz de tratar su propia ansiedad, pero su forma de administrar ocasiona ansiedad a los demás, por lo que todos retroceden ante él como una impugnación a su autoridad. Y él no sabe cómo tratar esa situación. Roger Harrison se refiere a esto como barreras para el aprendizaje –las dos que él señala en particular, el miedo y la ansiedad, y la inclinación por la acción–, actuar primero y pensar sólo si la acción no funciona. Me parece que el presidente ejecutivo puede hacerlo caer en cuenta, pero sin duda él produce miedo, ansiedad e inclinación por la acción en las personas que están a su alrededor. Mirémonos nosotros mismos ahora.

DIRECTOR DE PLANEACIÓN: Sí, pero no estoy seguro de que esta ansiedad nos lleve a alguna parte, excepto a lo individual. Me gusta la línea que sigue Max Boisot. Él señala que la clase de proceso racional "de arriba hacia abajo" para la formulación de estrategias *deseadas* está tropezando con circunstancias en Europa –guerras civiles, rivalidades étnicas, emigraciones sin control, depresiones económicas, caos en la tasa de cambio–, las cuales están conduciendo a ser desplazadas por estrategias *emergentes*. La "improvisación para salir del paso sin saber cómo" de John Major en las secuelas del gobierno de Margaret Thatcher refleja esto de manera sutil –¡aunque no me parece demasiado desorden!–. Estos procesos racionales son por sí solos una forma particular de organización social, la forma judicial. Entonces, las estrategias emergentes son las que una organización puede decir que sigue en *retrospectiva*. Las estrategias emergentes provienen de los enfoques de desempeño. Éstas se vuelven más evidentes en momentos de crisis y caos precisamente cuando nada es posible y las pequeñas causas pueden generar grandes efectos. El presidente ejecutivo está con las estrategias deseadas. Otro modo de ver esto es en términos de su aproximación a la competencia[4]. El enfoque

4 Egelhoff, W. G., "*Great Strategy or Great Strategy Implementation: Two ways of competing in global markets*", *Sloan Management Review*, invierno de 1993, pp. 37-50.

que él favorece es el de los Estados Unidos, competir con una estrategia superior, en tanto que el enfoque japonés es ser superior al *implementar* estrategias. El presidente ejecutivo deja la implementación a sus divisiones, pero no lo ve como estratégico, piensa que ser estratégico es surgir él mismo con la siguiente estrategia superior, si es necesario.

DIRECTOR DE RECURSOS HUMANOS: Creo que usted es un poco duro. Mire la manera como él trabaja con sus directores administrativos. ¿Le objeta que surjan con sus propias ideas? Creo que no. Tenemos que estar con esta noción de ansiedad, no en el sentido secundario de lo que pasará después, sino en el sentido primario de cómo sabemos por quienes nos toman. Esa es la clave para comprender el dilema del presidente ejecutivo. Ustedes sugirieron que él solicitara que las divisiones se cuestionaran a sí mismas. Podemos cuestionar algo respecto de su manera de saber qué hacer. Después de todo, él tiene un instinto para hacerlo en el modo como sostiene el estímulo en las divisiones, aun si ellos lo toman como soberano. Déjenme probar otro enfoque. La "cultura" es la forma general de referirse al "modo de hacer las cosas". Al decir que el presidente ejecutivo está con las estrategias deseadas –el enfoque racionalista de arriba hacia abajo–, estamos diciendo que acepta una lógica particular en su enfoque para dirigir el negocio. Es *como si* esta lógica estructurara las clases de procesos para los que él está preparado a enfrentar. O, para decirlo de otra manera, al asumir una "función" en este sentido, él mismo está incluyéndose bajo una lógica y así está *sujeto* a ella.

DIRECTOR DE PLANEACIÓN: Y tiene sentido decir que el "líder" está sujeto a una lógica como cualquier otro. La diferencia es que se supone que el líder incorpora la lógica al gobernar el negocio...

DIRECTOR DE RECURSOS HUMANOS: Sí, pero si la sujeción significa obediencia a la lógica –que la lógica tiene el poder– para el individuo, siempre debe haber algo que se omite o se pospone... ¿No es esto lo que el presidente ejecutivo refleja en la manera en que plantea las preguntas? Permítanme decir que la sujeción siempre omite algo, siempre deja algo que desear. Si utilizamos los términos de Coralie Palmer, la lógica transforma las necesidades en demandas y lo que se omite aparece como *deseo*.

DIRECTOR DE PLANEACIÓN: No estoy seguro de que "deseo" sea la palabra que más se utilice en el baño, suena un poco personal y privado. Pero supongo que puedo decir que encontrar un nuevo enfoque es deseable...

DIRECTOR DE RECURSOS HUMANOS: Un poco. Y cuando hablamos de la necesidad de una "visión", ¿no estamos buscando una manera de trasladar este deseo en nombre de los negocios? La "visión" en ese sentido es la manera de articular el liderazgo del deseo. Una "visión" que fracasa al hacer esto pierde contacto con este "algo dejado al deseo" y se convierte en otra exigencia del líder, una exigencia del líder que refleja su deseo de tener una visión con la cual conducir y no que articule el liderazgo del deseo de las personas del negocio.

DIRECTOR DE PLANEACIÓN. Me gusta. El liderazgo funciona con los deseos. Así, la dificultad que enfrentamos aquí de que el deseo del presidente ejecutivo tiene una visión con la cual conducir, que no es un sustituto efectivo del liderazgo del deseo que necesita ser creado en relación con la lógica de dirigir los negocios...

DIRECTOR DE RECURSOS HUMANOS: Y el presidente ejecutivo tiene la dificultad de saber esto por intuición, pero no sabe que conoce la manera de conducir con eficacia.

DIRECTOR DE PLANEACIÓN: Así, el deseo surge, en tanto el presidente ejecutivo debe plantear las preguntas acerca de dónde surge y quién lo hará. Si el deseo se refleja en relación con lo que se omite, surgirá como *síntomas*, las cosas no funcionan "como deberían". Así, podemos entender demasiada "acción" como un fracaso "gracias al trabajo" que se efectúa, y podemos entender la ansiedad general en torno de la función del presidente ejecutivo, reflejada en él mismo, como un síntoma de lo que se omitió...

DIRECTOR DE RECURSOS HUMANOS: ¿Tiene sentido decir que la tercera forma de la autoridad del desempeño sólo se hace posible en tanto que la lógica de los negocios se experimenta como si se dejara algo por fuera (algo por desear)? Es decir, la tercera forma de gobierno tendría que reconocer la recurrencia de lo que se omite, "utilizarlo" como el límite de la autoridad del presidente ejecutivo, y cuestionarse a sí misma.

DIRECTOR DE PLANEACIÓN. Es decir, hemos encontrado la manera de capacitar al presidente ejecutivo para cuestionar sus suposiciones acerca de la lógica de los negocios.

DIRECTOR DE RECURSOS HUMANOS: ¿Hay algo más que podamos aprender de Foucault que nos capacite para adquirir la lógica más allá de esos diferentes enfoques de gobierno?

Los dilemas del cuerpo político

DIRECTOR DE PLANEACIÓN: Hay otro libro de Foucault que he estado analizando. Tiene un título más impronunciable que el anterior[5]. Considero que resuelve el problema de los dos cuerpos. Él separa una lógica del cuerpo político por sus efectos en el sujeto e identifica tres dilemas que constituyen una progresión. Sólo se hace evidente el problema completo del cuerpo político con los efectos acumulativos de los tres: cuando los tres dilemas están presentes, surge la pregunta de lo que en realidad significa "desempeño".

5 Dreyfus, H. L. y P. Rabinow, *Michel Foucault: Beyond Structuralism and Hermeneutics*, Ill, Chicago Press, 1983.

DIRECTOR DE RECURSOS HUMANOS: Quizás esa sea la respuesta justa para nuestros problemas. Tal vez estos tres dilemas puedan darnos una manera para formular el dilema al presidente ejecutivo. ¿Cuáles son?

DIRECTOR DE PLANEACIÓN: El primero es el que denominaré *dilema de la orden:* "de arriba hacia abajo" *versus* "de abajo hacia arriba". Sholom Glouberman habló acerca de cuatro escenarios futuros diferentes, los tres primeros muestran ideales de trabajo diferentes: "libre mercado", "Europa unida" y "control ecológico". El cuarto, "tiempos difíciles", corresponde más a una iconoclasia –la pérdida de un ideal y la comprensión de "que las organizaciones están llenas de visiones y valores que no significan nada". Lo esencial acerca de estos escenarios consistió en que cada uno de ellos –incluso el cuarto y "posmoderno"– tenía la capacidad de ordenar el apoyo de sus seguidores. Aunque en teoría los ideales parecen buena idea, cuando hay que hacer elecciones prácticas no está claro cuál ideal seguir. El dilema de la orden yace aquí en la relación con este ideal. Los procesos "de arriba hacia abajo" funcionan sobre la base de lo que es ideal para los negocios, en tanto que los procesos "de abajo hacia arriba" enfrentan los negocios con el desafío de utilizar lo que "ya está allí". Eso es lo que hace tan paradójico el ideal "posmoderno". La naturaleza de este "ya está allí" es muy problemática, pero en la medida en que la administración de "arriba hacia abajo" se abra o se cierre a procesos "de abajo hacia arriba" reflejará su relación con este dilema.

DIRECTOR DE RECURSOS HUMANOS: Así, ¿los enfoques soberano y judicial son más o menos "de arriba hacia abajo"?

DIRECTOR DE PLANEACIÓN: Sí, aunque, donde hay un proceso democrático para establecer las leyes, hay al menos un enfoque negativo del fondo a la superficie. Por ejemplo, el derecho al veto. Tal como el dilema de la orden se hace evidente, así el segundo dilema *–el de las comunicaciones–* comienza a hacerse evidente: decir cómo *versus* saber cómo. Esto se debe a que decir cómo tiende a identificarse con *de arriba hacia abajo*, y sólo en los procesos del fondo a la superficie surge el decir cómo del racionalismo contra el saber cómo tácito del practicante[6]. Ninguno es superior al otro. Más bien, cada uno actúa sobre el otro y lo restringe. Pero como los negocios buscan llevar a cabo la estrategia deseada, surgen contra el conocimiento tácito invertido en la experiencia de las personas que no se dice ni se piensa. Decir cómo hace énfasis en "lo que sabemos" y saber cómo, en el conocimiento tácito invertido en la experiencia acumulada. En la medida en que las comunicaciones asumen que el saber cómo no es "conocimiento" hasta que pueda articularse para decir cómo, reflejará la relación de este dilema.

[6] Nonaka, I., "*The Knowledge-Creating Company*", *Harvard Business Review*, noviembre-diciembre de 1991.

DIRECTOR DE RECURSOS HUMANOS: Esto suena más familiar –trae la pregunta completa de cómo aprendemos de nuestras experiencias y no de nuestros libros... ¿Cuál es el tercer dilema?

DIRECTOR DE PLANEACIÓN. El tercer dilema lo denominaré *dilema de control*: afiliación *versus* alianza. En realidad, sólo se hace evidente cuando de los otros dos dilemas surge la cuestión de saber quién tiene la razón. Podemos estar afiliados a cualquier lógica de los negocios que sea coherente, pero que omite algo. De las alianzas surge la posibilidad de necesitar formular lógicas alternativas...

DIRECTOR DE RECURSOS HUMANOS: Se parece mucho al contraste entre los enfoques norteamericano y japonés acerca de la estrategia que usted comentaba antes –el enfoque norteamericano contempla la afiliación...

DIRECTOR DE PLANEACIÓN. Sí, creo que tiene razón. De nuevo, ninguno de los dos es correcto. Ambos tienen maneras estratégicas de ser y ninguno puede ignorar al otro por completo. Si pienso en alguno de los proyectos *joint venture* que he intentado llevar a cabo, nuestro enfoque de control ha sido intentar forzar las cosas para funcionar en un marco conceptual único, y no tener la capacidad de trabajar entre diferentes marcos conceptuales. Encontramos difícil trabajar con alianzas porque no tenemos una manera de saber quién tiene la razón.

DIRECTOR DE RECURSOS HUMANOS: ¿Qué estamos diciendo? Supongo que todos los dilemas están siempre presentes y la manera como cada uno de los arriba identificados se desempeña en el negocio se reflejará en la calidad de su cultura.

DIRECTOR DE PLANEACIÓN: Sí. Mantener abiertos los tres dilemas significa tener desempeño. Tal vez denominaremos *dilema ético* a los tres dilemas juntos. El dilema fundamental de si se mantienen o no abiertos los tres dilemas puede expresarse en términos de *relacional versus posicional*. Así como cualquiera de los tres dilemas –de orden, de comunicaciones o de control– se ubica en uno u otro extremo, la tendencia será desarrollar una posición formal por parte de la cultura de los negocios. Además, si el negocio "mantiene abiertos" los tres dilemas, tiene la capacidad de responder a las "oportunidades" a medida que surjan, no de manera programática, sino de una manera que se constituye en respuesta particular al desafío: una manera relacional.

DIRECTOR DE RECURSOS HUMANOS: Correcto. Desde este punto de vista, refiriéndose a los negocios en términos posicionales, es cómodo no sólo porque enmascara el dilema fundamental que enfrenta el negocio de cómo desarrollar su estrategia, sino también porque enmascara el dilema que enfrentan los individuos que trabajan en él –incluidos aquellos "que administran" el proceso de cambio.

DIRECTOR DE PLANEACIÓN: Quizá la ansiedad del presidente ejecutivo esté relacionada en forma directa con el dilema ético. Observe la manera en que él desafía los interrogantes pero se rehusa a aceptar que para él es posible saber las respuestas, la manera como me solicita establecer marcos conceptuales comunes y las dificultades que me crea.

DIRECTOR DE RECURSOS HUMANOS: Sí. Y eso no funciona porque, aunque usted tiene la capacidad de intervenir con eficacia en el dilema de las comunicaciones, no tiene la manera de tratar el dilema de control pues en esencia es un aspecto de *línea* –eso es lo que sucede con las presentaciones de los directores administrativos– y no puede intervenir en los asuntos de línea.

DIRECTOR DE PLANEACIÓN: Allí llegamos ahora. Hemos tenido éxito al tratar con él el dilema ético, que se reflejó en la revisión de las estrategias como un desafío a su línea de autoridad. Pero todavía tenemos que preguntarnos los negocios dónde deben buscar las soluciones a los problemas que enfrentan. ¿De dónde surge la acción si no de la polarización de uno o más de estos dilemas? Si se mantienen abiertos, ¿qué mantiene el negocio conformado como un todo? Sin duda, "negocio" significa resolver dilemas.

DIRECTOR DE RECURSOS HUMANOS: Sí. Pero sin considerar la esencia de los dilemas, siempre habrá resistencia cuando una configuración de estos dilemas encuentre otra –cuando una "solución" encuentre otra–. Todas volverán ansiosas a las otras y las suprimirán. Así son las diferentes formas de gobierno –diferentes estrategias para resolver los dilemas–. Lo que hace el enfoque del desempeño diferente de los otros es que reposa sobre un compromiso de trabajo mediante las diferencias. Trabajar *con* la resistencia y no contra ella.

DIRECTOR DE PLANEACIÓN: ¿Es esta una manera de entender los términos desagradables de su "empresa de aprendizaje"?

DIRECTOR DE RECURSOS HUMANOS: Sí. Eso significa que la ansiedad tiene que convertirse en desafío de nuevas formas de negocios y no en amenaza a las viejas formas de existencia... Es decir, una ética para crear nuevos futuros. Este imperativo ético proviene de asumir una relación con la ansiedad como el corolario de cambio necesario. No sorprende que el presidente ejecutivo se sienta ansioso.

DIRECTOR DE PLANEACIÓN: Y nosotros también. Presumo que no queda nada por hacer,... sino enfrentarlo. [*En este momento se acabó la reunión y los dos salen de la oficina, deseosos de que llegue la cena.*]

■ El momento de la realización

[El director administrativo, que se les unió para cenar, era relativamente nuevo en el grupo, pero la división de la cual era responsable había dado una larga lucha con el "Centro" para acordar su estrategia.]

PRESIDENTE EJECUTIVO [*dirigiéndose al director administrativo*]: Estábamos discutiendo acerca del aprendizaje que surgió esta mañana de las revisiones de las estrategias y la manera como parecen cuestionar mi función como presidente ejecutivo... [*Dirigiéndose al director de recursos humanos.*] ¿Le gustaría hacer un resumen?

DIRECTOR DE RECURSOS HUMANOS: No estábamos seguros de que él fuera justo consigo mismo. Sin duda, sus directores administrativos parecían quejarse de él, pero había muchas inconsistencias en sus quejas, que sugerían que no era sólo asunto suyo. Así, al parecer, usted esperaba de él un contexto claro y todavía parecía insatisfecho por la comprensión común que surgió de compartir sus puntos de vista críticos. Al parecer, usted quería estar en capacidad de determinar sus propias estrategias y estaba molesto por su insistencia en solicitar sus interrogantes sin decirle cómo responderlos...

PRESIDENTE EJECUTIVO: Al parecer, lo que surgió esta mañana fue que enfrentábamos un problema de gobierno en la relación entre el "Centro" y las divisiones y había diversos modelos de mi función como presidente ejecutivo... [*Volviéndose hacia el director administrativo.*] Pero, ¿qué pensó usted que surgiría de las revisiones críticas?

DIRECTOR ADMINISTRATIVO: Lo veo como un problema muy práctico de estilo de liderazgo. Hemos llegado a un punto de nuestra historia donde éste tiene que cambiar si estamos en capacidad de hacer que los cambios se den en el grupo. No sólo podemos decir a las personas qué hacer. [*Dirigiéndose al presidente ejecutivo*]. Sin duda, usted no puede y yo tampoco, si deseamos motivar a las personas a nuestro alrededor. Tampoco es evidente que, aunque necesito marcos conceptuales claros con los cuales dirigir mi división, usted no puede decirme cuáles son, y usted [*dirigiéndose al director de planeación*] no puede suponer que todos debemos utilizar el mismo marco conceptual.

DIRECTOR DE PLANEACIÓN: Pero aquí hay un problema. Al parecer, no tenemos una manera de asegurar que las divisiones utilizan marcos conceptuales claros...

DIRECTOR DE RECURSOS HUMANOS: Precisamente. Por eso fueron importantes las revisiones críticas que ustedes hicieron. Pero eso no se puede hacer de una sola vez. Debe ser un proceso continuo.

DIRECTOR ADMINISTRATIVO: Eso no es muy difícil. Se trata de enseñar a las personas a hacer nuevas exigencias a sí mismas y al negocio. Sólo hay que cambiar sus conocimientos y sus actitudes. Si lo hacemos, su comportamiento cambiará.

PRESIDENTE EJECUTIVO: Quizás. Pero, ¿quién va a definir esas nuevas actitudes? ¿Ustedes? ¿Yo? ¿Su equipo? No es tan simple, porque todavía se utiliza la vieja lógica de lo que esta mañana denominábamos enfoque *judicial* que implica otro marco conceptual aplicado de arriba hacia abajo. Creo que necesitamos un nuevo modelo organizacional, debemos legitimar el cuestionamiento en vez de dejarlo a la "carpintería" o a mí.

DIRECTOR DE RECURSOS HUMANOS: Somos afortunados de que el presidente ejecutivo cuestione de ese modo, pero mucha de la confusión surge del hecho de que las personas no lo comprenden –confunden sus cuestionamientos con orden–. Debemos hacerlo bien a partir de la línea de hacer las preguntas antes de saber sus respuestas –después de todo, de eso se tratan el desarrollo y el cambio...

DIRECTOR ADMINISTRATIVO: O sea, confiar en sus colaboradores. Estoy seguro de que puedo exigir más a mi personal y me sorprende que la mayoría de ellos está a la altura de lo que espero. Pero el problema consiste en que no dejo que sus expectativas para el cambio vayan muy lejos y cuando lo haga, la dificultad será lograr que todos se muevan en la misma dirección.

PRESIDENTE EJECUTIVO: Eso suena como una contradicción. Con seguridad, si usted confía en ellos, ¿puede permitirles que trabajen en una dirección común?

DIRECTOR ADMINISTRATIVO: Sí, pero, ¿usted confía en mí? Usted es muy bueno para preguntar pero quiere que las respuestas lo convenzan –y eso significa concluir con *sus* respuestas–. Tengo el mismo problema con mi personal. Confío en ellos, pero hasta cierto punto.

PRESIDENTE EJECUTIVO: Pero, ¿qué problema hay con eso? Después de todo, soy el presidente ejecutivo y usted, el director administrativo. ¿Acaso no se nos paga para eso, para establecer los límites en los cuales trabaje nuestro personal?

Organizando el aprendizaje

DIRECTOR DE RECURSOS HUMANOS: Sí, pero, ¿quiere decir eso que las personas siempre tienen que trabajar dentro de su lógica? No estoy convencido de que sea así, pues en realidad las personas no tienen un modo de desafiar su lógica. En ese sentido no están seguros de que usted confíe en ellos pues usted no confía en su lógica.

DIRECTOR DE PLANEACIÓN: ¿No es ese el punto? No tenemos ningún modo de desafiar la lógica de otros. Sin duda, no me siento en posición de cuestionar la lógica de las divisiones, aun como director de planificación. Se me trata como una función. O sea, tengo que saber qué es lo correcto en planificación.

DIRECTOR ADMINISTRATIVO: Y yo soy un administrador de línea responsable de una división. Tengo otras funciones trabajando para mí, y se supone que debo reunirlas en torno a que los productos y mercados particulares generen beneficios. Entonces, se supone que también debo saber lo correcto; si no entrego beneficios no estoy haciéndolo bien.

PRESIDENTE EJECUTIVO: Entonces, ¿dónde han de revisarse las lógicas? No hay otro modo de organizar eso que, en últimas, no sea relegarlo en mí, preparado para plantearme a mí mismo las preguntas difíciles, o llamar a un consultor que, se supone, sabe qué es lo correcto.

DIRECTOR DE RECURSOS HUMANOS: Estoy de acuerdo. No tenemos un modo de cuestionar las cosas, en el cual éstas puedan resolverse mediante la referencia a la naturaleza del problema y no mediante la referencia a alguna lógica previa. Eso es lo que Chris Argyris denominó aprendizaje de doble ciclo en las organizaciones[7]. En realidad, necesitamos un tercer modelo de organización para complementar el funcional y el divisional, y que sea capaz de generar un aprendizaje de doble ciclo.

PRESIDENTE EJECUTIVO: Quizá la respuesta correcta sean las tareas forzadas que utilizamos para las revisiones críticas. Ese es un modo de legitimar el trabajo en red con las personas en torno a asuntos específicos y así confiar en las respuestas que ellos aporten. El problema consiste en que este tercer modelo de organización se confunde con los otros dos, y la única manera eficaz con la que en general contamos es utilizar consultores externos para que hagan por nosotros el trabajo en red.

DIRECTOR DE PLANEACIÓN: Entonces el modo en que ustedes utilizan a los consultores externos para resolver los problemas, ¿interrumpe el aprendizaje de doble ciclo en las divisiones?

DIRECTOR DE RECURSOS HUMANOS: Precisamente. Y mediante el ejercicio del liderazgo sobre esas redes internas de un modo diferente a su estilo de línea normal, quizá pueda encontrar su tercer estilo...

DIRECTOR DE PLANEACIÓN: Lo que usted está diciendo surgió de otro trabajo que encontré hace poco[8]. El concepto del que se hablaba era "la arquitectura social" del negocio –que es la "lógica" del negocio de la que hemos hablado– y la necesidad de cambiarla. El argumento es cambiar esta arquitectura mediante el modo en que se utilice el trabajo en red y el manejo de éste es la clave de la responsabilidad de los administradores de más jerarquía. Hay tres factores que deben manejarse en forma explícita: 1) la claridad, el esquema de tiempo y la especificidad de los resultados que se esperan del trabajo en red; 2) la visibilidad y el flujo libre de información, comunicación y diálogo en la red; y 3) los procesos de evaluación y el criterio de desempeño que deben ser congruentes con lo que se espera del trabajo en red.

PRESIDENTE EJECUTIVO: ¿Y la función del presidente ejecutivo?

DIRECTOR DE PLANEACIÓN: Como vuelvo a señalar, había dos cosas cruciales: el presidente ejecutivo tiene que planear de acuerdo con los intereses de las personas para conducir el trabajo en red a largo plazo; y tiene que intervenir en la demanda y en la oferta para traer cambios (demanda mediante la legitimación de las preguntas y oferta mediante la creación de procesos legítimos para trabajar con estos interrogantes).

[7] Argyris, C., "*Double-loop Learning in Organizations*", *Harvard Business Review*, septiembre-octubre de 1977, pp. 115-125.

[8] Charan, R., "*How networks reshape organizations*", *Harvard Business Review*, septiembre-octubre de 1991, pp. 104-115.

PRESIDENTE EJECUTIVO: Así es. Necesitamos un tercer modelo de organización y liderazgo que se parezca mucho a una consultoría interna... y que legitime el aprendizaje de doble ciclo.

DIRECTOR ADMINISTRATIVO: Y quizá, si lo hacemos así, podamos economizar los honorarios que pagamos ahora.

PRESIDENTE EJECUTIVO: Eso me parece bien [*dirigiéndose a los otros dos*]. En este negocio tenemos mucha gente buena. Hay que insistir en aprender más de sus experiencias y encontrar un modo de hacerlo en forma continua.

DIRECTOR DE PLANEACIÓN: Estoy de acuerdo. Pero usted tiene que ayudarnos a aprender de nuestra experiencia. Así, todos terminaremos aprendiendo qué hacer, no sólo usted.

PRESIDENTE EJECUTIVO: ¿Qué piensan de este vino...?

[El director de recursos humanos y el director de planeación no estaban seguros de lo que había sucedido ese día entre ellos y el presidente ejecutivo. Pero algo se movió. Encontraron una pista cuando, poco tiempo después, el presidente ejecutivo creó una nueva función de línea sobre todas las divisiones, partiendo su función en dos. Convocó a una reunión a todos los consultores externos que habían sido contratados por el grupo y les solicitó una revisión crítica de cómo habían trabajado en el grupo. Se sorprendieron de que fuera el presidente ejecutivo.]

BREVES PALABRAS DE LOS COLABORADORES, 2

¿Por qué, después de más de un siglo de educación obligatoria, formal e institucionalizada, a algunos países les preocupa su eficacia? ¿Se malinterpreta el sistema educativo mismo? ¿Podemos cambiar con el tiempo, y cómo?
Douglas Hague

Creo que estamos en un desorden tan grande que tenemos que reconsiderar el significado de la inteligencia, la capacidad y el juicio, y dar el paso para ubicarlo en el corazón de quienes toman las decisiones en la sociedad.
Alistair Mant

La turbulencia económica que acompaña los esfuerzos chinos en la reforma del sistema, por necesidad, convierte las empresas familiares de rápida propagación en organizaciones de aprendizaje. Con respecto a éstas ha habido muchas discusiones en los círculos administrativos de Occidente pero ninguna de ellas ha vinculado tal aprendizaje con las *aceleraciones* en la tasa de cambio... El foco, con frecuencia, ha sido cómo desacelerar activamente la tasa de cambio, ascendiendo hacia una mayor estabilidad, equilibrio y convergencia.
Max Boisot

Así, desde donde estoy, he visto cómo se reduce, en forma lenta pero con seguridad, la brecha cultural entre los negocios convencionales y los cooperativos, en respuesta a las duras demandas del ambiente turbulento que ha ejercido presiones comunes sobre todos los negocios.
Coralie Palmer

Al considerar posibilidades futuras hay una propensión general a confundir 'vislumbrar, el futuro con construir sus posibilidades. También hay una confusión menos común... Con frecuencia se tiende a pensar que lo que quisiéramos evitar sucederá, a menos que se emprendan medidas rigurosas para evitarlo. En el pasado esto era una excusa para todas las formas de excesos. Se trata de mostrar algunas de las consecuencias del entusiasmo excesivo en nuestros escenarios.
Sholom Glouberman

El aumento de instituciones de caridad, grupos de autoayuda y de trabajo voluntario proporciona una fuerte contracorriente para mitigar la desintegración de las instituciones sociales, la pérdida de ideologías y con frecuencia las amenazas a la integridad personal. Ellos desarrollan nuevos vínculos con la comunidad y proporcionan pistas para el crecimiento de valores compartidos por medio de una tarea útil, práctica y tangible. Dan una identidad al individuo; allí está el futuro del ciudadano activo.
Olya Khaleelee

A diferencia del capitalismo y el comunismo, que se excluyen uno al otro, los mundos interiores, razón, inteligencia, intuición y sentimiento, se dan la bienvenida mutua-

mente, si se lleva a cabo el crecimiento. Ahora se podría proceder con resolución hacia el 'interior de la esfera de los negocios'.
Ronnie Lessem

El trabajo que hacen los administradores para desarrollarse como seres humanos íntegros no intenta separar la razón de los sentimientos; para constituir o vincular grupos en el trabajo y fuera de él; para trabajar de una manera que refleje una perspectiva del mundo que valore la diferencia entre ser y actuar; estas cosas ayudarán a la creación de nuevos futuros y los prepara para administrarlos.
Eden Charles

Debemos reconocer que sólo los movimientos de ciudadanos y pueblos independientes tienen la libertad para trazar la ruta de un nuevo mañana y dirigirse allí, que los negocios y los líderes financieros no estarán en capacidad de iniciar los cambios necesarios, y que sólo si los convencemos de seguir nuestro sendero estarán en capacidad de tomar el camino correcto.
James Robertson

Temo que habrá una competencia para definir el futuro, y estoy preocupada de si los valores femeninos y otras voces marginadas, incluso en el planeta, serán lo suficientemente fuertes para sostenerse en la arena de ataque. En el momento éstas necesitan protección y algún apoyo deliberado. Pero sólo creo que son aspectos centrales de la experiencia humana, relacionados con el sentido interior de significado que algunas veces logramos cuando reducimos la marcha, respiramos con profundidad y vemos a nuestros compañeros y al resto del mundo con más compasión".
Judi Marshall

Muchos de nosotros soñamos con lugares de trabajo donde las personas estén en capacidad de crecer, expresar su creatividad y trabajar en un ambiente de colaboración y sólo podemos imaginarlas mediante un enfoque de aprendizaje. No será fácil... Ese es el desafío de este aporte... Quizá sea un caso en el cual nuestro pragmatismo, impulsado por nuestra necesidad competitiva de aprender como individuos y como organizaciones, conduzca en dirección de nuestros mejores sueños para las organizaciones y para el bienestar de nuestro planeta.
Roger Harrison

PRESIDENTE EJECUTIVO: ¿Y la función del presidente ejecutivo?

DIRECTOR DE PLANEACIÓN: Como vuelvo a señalar, había dos cosas cruciales: el presidente ejecutivo tiene que planear de acuerdo con los intereses de las personas para conducir el trabajo en red a largo plazo; y tiene que intervenir en la demanda y en la oferta para traer cambios, (demanda mediante la legitimación de las preguntas y oferta mediante la creación de procesos legítimos para trabajar con estos interrogantes).

DIRECTOR ADMINISTRATIVO: Y quizá, si lo hacemos así, podamos economizar los honorarios que pagamos ahora.

PRESIDENTE EJECUTIVO: Eso me parece bien. En este negocio tenemos mucha gente buena. Hay que insistir en aprender más de sus experiencias y encontrar un modo de hacerlo en forma continua.

DIRECTOR DE PLANEACIÓN: Estoy de acuerdo. Pero usted tiene que ayudarnos a aprender de nuestra experiencia. Así, todos terminaremos aprendiendo qué hacer, no sólo usted.
Philip Boxer

CAPÍTULO 13

Continuación

Richard Boot,
Jean Lawrence y John Morris

¿Cómo se puede manejar lo desconocido? Al tener esta pregunta planteada al comienzo del libro, lo convencional sería que en este punto se extrajeran las diferentes líneas y se unieran para obtener respuesta: "lo que debería ser...". Pero en estos tiempos de turbulencia y de cambio, a los administradores y a los líderes de las organizaciones se les bombardea por las respuestas en torno a las prescripciones para el futuro. Muchos caen en una de dos categorías. La primera, en esencia, es "lo que hay que hacer es: saberlo". El principal desafío se ve como una predicción. En cambio, la segunda implica la predicción de si estar preparado para lo que el futuro pueda traer es de menor valor. "Ser infinitamente flexible" es la premonición. Sin embargo, lo que estas categorías tienen en común es el supuesto implícito de que el futuro ya existe y nos espera allí al llegar como viajeros en el camino hacia una tierra desconocida.

Este libro desafía esa suposición. Se basa en la creencia de que hay muchos futuros posibles y estamos actual y continuamente en el proceso de crearlo. Nuestros mañanas son producto de nuestros pensamientos, sentimientos y acciones de hoy, individuales y colectivos. Esta creencia se nos presenta con interrogantes de elecciones y de capacidad. "¿Qué clase de futuro deseamos crear y cuáles estamos en capacidad de crear?". "¿Qué criterios debemos tener para hacer esas elecciones: (económicas, tecnológicas, comerciales, políticas, ecológicas, morales...)?". En la actualidad, ¿quién tiene más recursos y poder para influenciar o aun determinar la configuración de nuestros futuros? "¿Cuánto de lo de hoy estamos en capacidad de abandonar para crear la clase de mañanas en que creemos?".

El problema es que los pensamientos y las acciones se han divorciado. Nuestra esperanza es que este libro pueda ayudar a reunirlos y sirva de estímulo para las acciones prudentes. Creemos que esto se alcanzará no con nuestro intento de concluir el diálogo representado por los aportes de este volumen, sino estimulándolo para continuar en usted, el lector, y entre usted y aquellos con quienes vive y trabaja. Como intento para desarrollar esa continuidad presentamos aquí algunas de las cosas que consideramos se reflejan en el libro como un todo.

■ Nuevos modos de pensar

Un tema que surgió pronto y permaneció fuerte durante el proceso de edición de este libro fue la necesidad de crear nuevos modos de pensar, si se aspira a crear nuevos futuros. Pero esto nos enfrentó con la paradoja de que sólo tenemos los actuales modos de pensar para divisar nuevas maneras de pensar. Sin embargo, muchos de los colaboradores sugieren que las semillas de futuros alternativos han estado siempre con nosotros y ahora que el suelo ha sido alterado, muchas de ellas están floreciendo. Pero, ¿estamos en capacidad de verlas? En el momento el problemas es que estamos buscando en el lugar equivocado.

En Occidente la tentación es buscar en Japón nuevas maneras de dirigir los negocios, pues, al parecer, ellos nos derrotaron en nuestro propio juego. Quizá lo hacemos bien para movernos más allá de nuestra culpabilidad y nuestro dolor y tratar de aprender de África. Pensar en esto atemoriza, por ubicarlo en el sistema occidental, tal vez hemos destruido muchas cosas buenas y todavía estamos fallando, o rehusándonos, a aprender de lo que hay allí. Al igual que con China, esperar el momento en que sean del todo capaces de adoptar el industrialismo de Occidente es perder el punto. Ellos han resuelto ya, a su modo, algunos problemas con los que nosotros seguimos luchando.

No sólo se deben considerar los lugares distantes, hay que mirar lo que está sucediendo en nuestra puerta. Existen muchos ejemplos de diferentes modos de organizar, que se basan en diversos valores y criterios para el éxito. Algunas veces parece que se pensara que existe el fuerte modelo del concepto de la "organización" que cuando buscamos ejemplos de nuevos modelos de vida y de trabajo conjunto no somos capaces de reconocerlos al verlos. Simplemente, ¿carecemos de imaginación?

■ Posibilidades para la acción

La mayoría de los colaboradores van más allá de decir "el futuro puede crearse, aquí está la clave para hacerlo". Esto no hay que dejarlo a los grandes hombres, los gobiernos, los reyes o los magos. En términos de Lorenz, el aleteo de una mariposa en Brasil puede ocasionar un tornado en Texas; todo ciudadano puede hacer algo, puede ser su propia mariposa. Algunas veces puede parecer poco realista para los individuos que experimentan una enorme brecha entre la esfera de influencia límite que tienen en el mundo con el que están en contacto y que se requiere para influir en la sociedad en general. Esto debe ser demasiado para muchos administradores del medio que encuentran difícil imaginar cambiar algo. Pero quizá el punto clave del que no se ha hablado es el intento de cambiar los sistemas cuando están arraigados. La mayor parte del libro se refiere a las instituciones que ya están desafiando y comenzando a derrumbarse. Se vuelve asunto de mirar lo que pasa alrededor, observar por los espacios que se hallan a medida que las cosas se separan y utilizar esas oportunidades para la acción. En épocas de estabilidad se requieren grandes batallones para el cambio. En tiempos de turbulencia los pequeños actos de los individuos pueden tener efectos significativos. En la actualidad tal vez sea necesario replantear lo que es posible y lo que no es posible en las organizaciones, para probar cuáles de las suposiciones obligatorias son reales. Muchas de las realidades de ayer son fantasías hoy. Aún así, las maneras alernativas de hacer las cosas pueden parecer poco riesgosas, pues ya no se trata de la confrontación tradicional entre quienes estaban en favor del *statu quo* y quienes ejercían el papel de truhanes. En especial para quienes se aferran al trabajo y al sentido de pertenencia de la organización. Requiere mucho coraje. Algunos lectores de este libro tal vez se sorprendan si se valora el riesgo. Sin embargo, lo que hay que recordar es que nadie tiene que hacerlo por sí solo. Si tenemos creencias sólidas y creemos que es posible llevarlas a la acción, quiere decir que hay otras personas que comparten las mismas creencias, incluso la de que sí es posible llevarlas a la acción. El primer paso es buscar aliados y no contemplar el martirio.

■ Ética y acción

Una vez discutamos si llevamos nuestras sólidas creencias a la acción, se corre el riesgo de hablar como si hubiera un código moral único que guiara los esfuerzos para crear nuevos futuros. Pero no podemos crear un futuro que resuelva todos los dilemas éticos. Tenemos algunos ejemplos atemorizantes de lo que podría pasar si cualquier sistema de valores excluyera a los otros. Cuando ingresamos en la turbulencia es necesario un rico repertorio de posibilidades. Es el caso del pluralismo, que no logra su prominencia cerrándose a otras creencias. El problema consiste en que las suposiciones básicas de una persona son las creencias repudiadas por otras. Podemos estar tan convencidos de la rectitud de nuestras ideas que no exploramos las de otros. Además, ¿cómo mantener un sentido de moralidad y, al mismo tiempo, decirnos que nuestros valores deben estar abiertos al cuestionamiento? De muchas maneras, este libro trata de manejar esa tensión. No se trata de establecer una base filosófica fija para administrar el futuro. Se trata de moverse con cada hecho, considerando los interrogantes que surjan de cada acción y así nuestra filosofía se redefinirá en forma continua. Después de todo, uno de los espíritus que surgió de este libro fue el del diálogo; éste está en el corazón del manejo de lo desconocido. No se trata de escoger partes o de encontrar un compromiso. El diálogo consiste en producir la síntesis que no puede y no debe predecirse.

■ Liderazgo, coraje y fe

Entonces, el libro pide al lector algo más que el hecho de ser cuidadoso. Se trata de que sea más consciente de su propia capacidad para hacer la diferencia. Le pide no sólo que piense con más amplitud sino que considere los efectos de su propia autoridad y acepte su responsabilidad para la acción. Es hacer la elección respecto de hacia dónde quiere dirigir su organización, de proporcionar liderazgo. Sin embargo, el liderazgo no es sólo igualarse con las personas de la cúpula de la organización. No es algo separado de la administración. Es una orientación para la función de la administración donde quiera que se ubique en la organización. Todo administrador puede pensar en lo que está haciendo con su función, hacia dónde se dirige y a quién va a llevar consigo. Está de moda sugerir que el liderazgo significa tener una visión clara y única y que proporciona certeza de dirección. Pero ahora parece significar más que un sentido claro de un rango de posibles direcciones y el coraje para escoger una de ellas sin la certeza de que será mejor que las otras. En últimas, el liderazgo es un acto de fe.

■ Se aproxima la mañana del lunes

A medida que escribimos se desarrollan cosas horribles en diferentes partes del mundo. Todo se complica y se hace aún más complicado. Las instituciones y las naciones se derrumban. Un precio muy alto se ha pagado, está pagándose y se pagará por ese derrumbamiento, a medida que las personas se apretujan bajo los escombros o se quedan sin empleo. Pero este libro se concibió en el espíritu de que hay mucho por hacer y que se puede comenzar el lunes por la mañana. ¿Significa eso un drenaje mayor de los extremadamente explotados recursos de energía y de capacidades? ¿Estamos estimulándonos para ir más de prisa hacia la decepción y el fracaso? Creemos que no. No estamos proporcionando una lista adicional de cosas que se deben hacer. En el momento el criterio principal de lo que hay que hacer es, con frecuencia, lo más urgente. Pero, debido a que hay mucho que hacer, todo es urgente, de manera que no hay base de elección. Nuestra esperanza es que este libro cambie el modo de pensar acerca de lo que estamos haciendo y así podamos acercarnos a la mañana del lunes con un sentido más claro de lo que vale la pena hacer y de lo que no. Tal vez debamos hacer menos pero con efectos mejores.

Todos cantaban

DE REPENTE todos comenzaron a cantar;
y me llené con esa delicia
como las aves prisioneras se sienten en libertad,
volando libremente
por los blancos huertos y los campos verde oscuro;
  y perderse de vista.

De repente las voces de todos se elevaron;
y la belleza vino como la puesta del Sol:
mi corazón se estremeció con las rasgaduras;
y el horror se alejó...
Oh, pero todos éramos aves;
y la canción no tenía palabras;
  el canto nunca se debió hacer.

Siegfried Sassoon
(con la autorización de George Sassoon).

CAPÍTULO 14

Un libro personal

Compromiso con la acción

"Este es un gran día. Estamos creando nuestros futuros",
NELSON MANDELA, 17 de noviembre de 1993.

Aquí al final del libro está la oportunidad de crear un libro personal.

Las páginas siguientes se proporcionan al lector para darle la oportunidad de anotar los pensamientos que expresen, en sus propias palabras, algunos elementos que desencadenen nuevos pensamientos y acciones prudentes. El espacio espera una expresión del líder administrativo como una persona íntegra, que trabaja en una comunidad, que ejerce la autoridad personal para hacer la diferencia.

Por ejemplo, palabras que escogí de *Manejo de lo desconocido*...

Ideas que estimularon mi pensamiento y mi imaginación...

Palabras que inspiran e iluminan: dame coraje...

Poemas, canciones, música, figuras que "se relacionan" conmigo...

Un enfoque para el lunes por la mañana... Construir mi futuro.

Escoger y crear los siguientes pasos...

Índice analítico

E

I

J

K

L

M

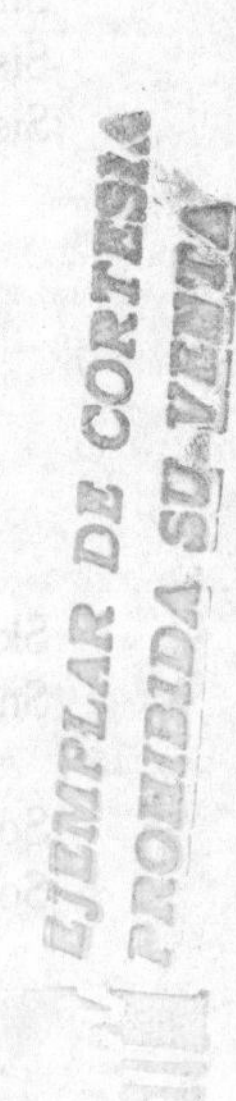

T

U

V